LES REQUINS DE TRIESTE

Né en 1957, Veit Heinichen a travaillé comme libraire et dans plusieurs maisons d'édition. En 1980, il a séjourné pour la première fois à Trieste, où il vit à présent comme écrivain et journaliste. Quatre enquêtes du commissaire Laurenti ont déjà été publiées en Allemagne.

Veit Heinichen

LES REQUINS DE TRIESTE

ROMAN

Traduit de l'allemand
par Alain Huriot

Éditions du Seuil

TEXTE INTÉGRAL

TITRE ORIGINAL
Gob jedem seinen eigenen Tod
ÉDITEUR ORIGINAL
Paul Zsolnay Verlag, Vienne
© 2001, Paul Zsolnay Verlag, Vienne

ISBN 978-2-7578-0258-8
(ISBN 2-02-067646-X, 1ʳᵉ publication)

© Editions du Seuil, janvier 2006, pour la traduction française

Per l'altra V.
Pour Viviana Pace

« J'aurais pu, à la rigueur, me contenter de la formule rituelle, qui sert également pour les films : "Les événements relatés sont purement imaginaires et toute ressemblance entre les personnages et des personnes existantes ne pourrait être que fortuite."

« Cette précaution, depuis un certain nombre d'années, est indispensable, encore que parfois inefficace, nos contemporains se reconnaissant volontiers dans les œuvres romanesques, surtout s'ils ont l'espoir d'un profit matériel.

« La position du romancier en devient difficile. Il y a vingt-cinq ans, par exemple, me trouvant à Paris, j'écrivais *Le Coup de lune*, un roman dont l'action se déroulait au Gabon, à Libreville, plus particulièrement dans un hôtel situé à la limite de l'agglomération et de la forêt équatoriale. Impossible de me souvenir du nom de l'hôtel, où j'avais séjourné deux ans plus tôt, et que je ne voulais pas citer. Je choisis donc, pour mon livre, le nom le plus improbable : Hôtel Central. Or je tombai juste et, quelques semaines plus tard, la propriétaire de l'hôtel gabonais débarquait à Paris pour me traîner en correctionnelle.

« Cette expérience, hélas !, s'est répétée un certain nombre de fois, avec des variantes. Comment trouver un nom plausible qui ne soit porté par personne de par le monde ? Et si, évoquant une ville de province, on est amené à citer le préfet, le procureur, le maire, le commissaire de police ? Que vous fassiez votre personnage gras et chauve, le vrai ne le sera-t-il pas aussi ? Que sa femme, dans votre livre, soit maigre et bavarde… »

Georges Simenon,
avant-propos pour *Les Anneaux de Bicêtre* (1963)
(cité d'après l'édition de la Pléiade – *Romans*, vol. 2).

Il n'y a que peu de chose à ajouter aux paroles du maître : ceci est un roman policier. Les noms, les personnes, les événements sont fictifs. Les descriptions historiques correspondent à la réalité.

« Je savais bien qu'à ce moment-là j'avais voulu le tuer. Mais cela n'avait aucune importance, car ce que personne ne sait et qui ne laisse pas de traces n'existe pas. »

Italo Svevo, *La Conscience de Zeno*.

Trieste, 12 septembre 1977

Elisa de Kopfersberg n'avait pas voulu sortir avec son mari ce jour-là. L'idée de passer ne serait-ce qu'une minute avec lui sur le bateau lui répugnait. Elle s'assiérait à l'ombre avec son livre, elle essaierait de se concentrer, et lui, les lèvres pincées et le regard fixe, irait mouiller un peu plus loin, au pied de la falaise. À un moment ou à un autre, elle en était sûre, il se mettrait à parler, tout doucement d'abord, puis de plus en plus fort, pour lui faire des reproches.

Le dimanche, Elisa préférait retrouver ses amies à la Lanterna, la plus ancienne baignade de Trieste, sur l'Adriatique. Elle avait été construite sous Marie-Thérèse et conservait la séparation traditionnelle entre hommes et femmes. Elisa pouvait encore emmener son jeune fils dans le secteur des femmes, il n'avait pas six ans. À la Lanterna, elle se sentait chez elle et ses amies la comprenaient. Bien sûr, elle soupçonnait son mari d'avoir une liaison, même s'il faisait tout pour la garder secrète. Il avait de grosses difficultés financières et il espérait qu'une fois encore elle paierait ses dettes. Mais elle restait inflexible. Elle ne voyait plus aucune raison de l'aider. Lorsqu'elle lui avait lancé son infidélité à la figure, il avait tout nié en bloc. « Et puis même si c'était vrai, avait-il crié, ça ne devrait pas t'étonner. Tu n'as jamais voulu m'aider et tu te fiches de mes problèmes. » Un jour, il l'avait frappée ; une autre fois, il était arrivé avec des fleurs, un brillant et des cajoleries qui la dégoûtaient, sur quoi elle s'était enfermée dans sa chambre avec l'enfant qui pleurait.

Elle s'était tout de même laissé fléchir, une fois de plus. Elle avait envoyé Spartaco, son fils, avec ses amies à la Lanterna, comme le voulait son mari. Il avait exigé qu'ils soient seuls, pour enfin s'expliquer.

Des fusées rouges trouaient le ciel bleu de midi, laissant des traces de fumée derrière elles. Le vacarme des garde-côtes faisait sursauter les baigneurs qui se doraient le long du golfe de Trieste. Leurs voitures bordaient les trente kilomètres de la route côtière qui partait de Barcola, effleurait Miramare, puis serpentait entre les rochers de Santa Croce et d'Aurisina, pour aboutir à Duino.

C'était la fin de l'été avec plus de trente-cinq degrés à l'ombre, une douce brise de force deux et une mer légèrement agitée. La vue était dégagée, le vent avait chassé les nuages depuis plusieurs jours et, à l'horizon, la cathédrale de Piran semblait flotter sur la mer, au large de la péninsule istrienne. À l'ouest, les îlots de la lagune de Grado émergeaient de masses d'eau éblouissantes de soleil. Les journaux parlaient d'un été record.

Le temps semblait suspendu, quand soudain, sur les plages, les haut-parleurs s'étaient mis à grésiller, puis une voix nasillarde avait invité les baigneurs à sortir de l'eau immédiatement. Des pavillons noirs signalaient un danger. Alerte au requin.

La saison avait été calme et, au contraire des années précédentes, le *Piccolo*, le quotidien de la ville et de la région, n'avait fait, pendant des mois, aucune allusion aux requins. En été, ceux-ci se fourvoyaient rarement dans les eaux chaudes du golfe, ils préféraient des zones plus fraîches.

Le *Piccolo* avait flairé l'aubaine. Il parlait de requins qui n'étaient peut-être que des thons ou des dauphins et qui, surtout, avaient été aperçus à quarante milles au sud de l'Istrie, au large du Quarnero, sur la côte croate, vers Fiume, Abbazzia et Pula, où la mer est plus profonde et plus froide. Avant qu'un seul d'entre eux n'arrive jusqu'ici, il se serait pris dans les filets des pêcheurs où il aurait subi une mort atroce. Ou bien il aurait été tué par les membres de l'équipage passablement surexcités au vu des dommages causés au matériel, ainsi qu'à leur pêche. Mais qu'un seul authentique requin vienne menacer les côtes de l'Adriatique nord, alors c'était le branle-bas général, les garde-côtes prenaient le large ; debout sur la proue, on scrutait la surface de l'eau, guettant l'aileron suspect. Hélas, dans la plupart des cas, le *Piccolo* devait avoir recours à des photos d'archives. La chasse se soldait trop souvent par un échec. Les requins étaient pratiquement absents de la zone de Trieste.

Ce dimanche-là aussi, en septembre 1977, les vedettes de la capitainerie avaient pris le large, mais avant d'entamer les recherches, elles avaient d'abord longé la côte pour prévenir les baigneurs. Dans les baignades municipales, la procédure était plus simple, il suffisait d'appeler les gérants.

La situation était plus délicate à l'ouest du golfe, sur la Costa dei Barbari, où les Triestins qui cherchaient un coin tranquille pour passer l'après-midi s'égayaient parmi les grands rochers blancs à la végétation clairsemée. Avant les débuts de la pêche industrielle, dans les années cinquante, des bancs de thons remontaient jusqu'ici, on les pêchait à bord de simples barques, amarrées dans de petits ports. Des femmes vêtues de noir les portaient dans des corbeilles sur leurs têtes jusqu'aux villages qui dominaient la mer, sur le karst.

Il leur fallait une bonne demi-heure pour franchir le dénivelé de plus de deux cents mètres, par des sentiers escarpés qui serpentaient entre les vignes en terrasse. Par la suite, les pêcheurs avaient cédé la place aux capitaines du dimanche et les marchands de matériel de pêche avaient été remplacés par des estivants.

Le plus difficile était de prévenir les plaisanciers qui adoraient jeter l'ancre dans cette partie du golfe et passer des heures à se laisser bercer par la houle à l'abri des parasols. Une rencontre avec le requin était improbable, mais un garde-côte s'était tout de même dirigé vers la Costa dei Barbari. Dans les baignades municipales et à Grignano, il n'y avait déjà plus personne dans l'eau. Dans le vieux bassin Ausonia, les échelles avaient été remontées depuis longtemps et les baigneurs, curieux et excités, avaient interrompu leurs ébats dominicaux pour guetter le large, essayant d'entrevoir une nageoire fendant les flots ou la silhouette du monstre se dessinant dans l'eau. Ils auraient aimé une petite compensation à leur frustration, mais le requin ne leur avait pas fait ce plaisir. Les plages, digues et pontons avaient fini par se vider. Vers dix-neuf heures, les courageux, les insouciants, les écervelés et de rares touristes s'étaient remis à l'eau pour prendre un dernier bain rafraîchissant, avant que le soleil rouge ne sombre dans la lagune de Grado. Mais personne ne s'était éloigné du bord.

Le *Tergeste 6* sillonnait la partie orientale du golfe, à environ un quart de mille de la ville, où l'on avait localisé, à trois reprises, le requin. C'était un Akhir 21 Sport, dernière acquisition de la capitainerie, doté de deux turbines MAN et développant plus de douze cents chevaux. L'inscription « Guardia Costiera » s'étalait sur la coque en grands caractères violets, soulignés par une large bande de même couleur qu'on reconnaissait

16

de loin. Trois hommes se tenaient sur le pont, deux armés d'un harpon, le troisième d'un fusil.

La poupe avait soudain plongé dans l'eau ; la proue s'était cabrée ; les hélices avaient soulevé un énorme nuage d'écume blanche ; le brusque hurlement des machines s'était propagé jusqu'à la rive. Même ceux qui avaient déjà rangé leurs affaires et s'apprêtaient à rentrer chez eux s'étaient figés sur la digue et avaient posé leurs sacs pour se protéger les yeux de la main, éblouis par le soleil qui baissait et se reflétait à la surface de l'eau. Le bateau accélérait de toute sa puissance, la proue émergeait sans cesse davantage. Les trois hommes se tenaient à la main courante et, de leur main libre, tentaient d'accrocher les mousquetons de la ligne de vie aux sangles qu'ils portaient croisées sur la poitrine, ce qui leur permettrait de ne pas être projetés par-dessus bord en cas de choc brutal avec une grosse vague.

Peu après, on avait vu apparaître, venant de Grignano, le *Tergeste 11*, un Hatteras plus ancien et nettement plus petit que son frère plus rapide. Il provenait d'une saisie dans une affaire de contrebande. Mais il était plus maniable. Les silhouettes des deux hommes sur la proue se découpaient dans la lumière du soir. On avait l'impression que les deux vedettes se dirigeaient vers le même endroit, nettement plus au large, au milieu du golfe, au sommet de l'angle tracé par les sillons d'écume blanche. De part et d'autre, les hommes se faisaient face, prêts à intervenir avec leurs armes. Mais les deux bateaux n'étaient déjà plus que des points sur l'eau et le bruit des moteurs s'estompait. Maintenant loin de la ville, ils avaient allumé leurs feux de position. Le soleil s'était enfoncé aux trois quarts dans la mer, de grandes ombres s'allongeaient déjà sur le golfe. Les derniers curieux avaient plié bagage et pris place dans la longue file de voitures qui regagnait la ville. La digue n'appartenait plus qu'aux seuls pêcheurs.

Le lendemain, on pourrait lire dans le *Piccolo* le récit des événements. L'article ferait la une de la rubrique locale, avec une grosse manchette : « Alerte au requin – L'été finit dans la panique – La capitainerie charge deux unités de prospecter l'ensemble du golfe. »

Aéroport international de Vienne, 12 juillet 1999

Le Dr Otto Wolferer tira sur sa manche et consulta pour la énième fois le cadran de sa Cartier. Son visiteur devait apparaître d'un instant à l'autre. L'Airbus 320 de la Swissair – vol SR 10 en provenance de Zurich – était à l'heure, il l'avait entrevu, peu avant dix-sept heures, alors qu'il pénétrait dans le hall de l'aéroport après avoir garé sa voiture sur le parking réservé à l'administration.

Wolferer n'avait pas encore cinquante ans, il était de taille moyenne. Il portait un pantalon gris de fine laine peignée, un veston croisé bleu marine à boutons dorés, une chemise blanche avec une cravate à rayures rouges, bleues et jaunes et des mocassins marron proprement cirés. Le teint légèrement hâlé. Des lunettes sans bord à branches dorées. Des cheveux châtains virant au gris sur les tempes. Une chevalière à un doigt de la main gauche. C'était un homme arrivé, cela se voyait au premier coup d'œil, un familier des aéroports internationaux.

Il attendait, comme convenu, au restaurant Schanigarten, assis à une table un peu à l'écart. Il avait ouvert un magazine qu'il feuilletait machinalement. Sur la nappe à carreaux, un verre de bière et, sur une chaise à côté de lui, un porte-documents avec une serrure à

19

combinaison. De temps à autre, Wolferer levait les yeux et examinait la foule.

Pour l'affaire qu'il avait à traiter, son bureau sur le Kärtner Ring ne convenait pas. Certaines choses demandent de la discrétion. En tant qu'ancien membre du SPÖ et ex-secrétaire d'État, il évitait les rendez-vous en ville. C'était trop risqué, on pouvait le reconnaître et, de toute façon, son interlocuteur devait reprendre l'avion tout de suite après. Ils avaient déjà procédé ainsi plusieurs fois. C'était la méthode la plus sûre. Une fois réglés les détails, on concluait l'affaire en topant là et chacun entrait en possession des papiers indispensables en échangeant simplement les porte-documents, absolument identiques à l'exception du code de la serrure. Seul un observateur averti aurait pu repérer la manœuvre. On parlait ensuite d'un nouveau projet et l'on fixait la procédure ultérieure. Une heure plus tard, au maximum, les deux partenaires seraient de nouveau en route, lui, Wolferer, avec sa voiture en direction du centre-ville ; il attendrait d'être rentré chez lui pour ouvrir le porte-documents. Son interlocuteur prendrait l'escalier roulant jusqu'à la zone d'enregistrement et disparaîtrait derrière le guichet.

« Excusez-moi de vous avoir fait attendre, il y avait du grabuge au contrôle des passeports. »

Wolferer connaissait cette voie dure à l'accent de l'Europe du Sud-Est. Il dut se retourner. L'homme en complet noir, chemise bleu foncé et cravate grise, venait manifestement d'une autre direction. Il serra la main de Wolferer, s'assit en face de lui et poussa son porte-documents sous la table.

« J'espère que vous avez fait bon voyage, Monsieur Drakič, répondit Wolferer. Qu'est-ce que vous buvez ?

– Une bière », annonça Drakič.

Wolferer appela la serveuse et passa la commande.

« Parlons des pourcentages, attaqua Drakič sans préambule. Jusqu'ici, vous nous avez concédé soixante-cinq pour cent. Nous voulons le reste. »

Wolferer fronça les sourcils.

« Difficile, objecta-t-il, les directives ne permettent pas de dépasser les deux tiers. »

Il jouait avec son verre en évitant le regard de Drakič.

« Oubliez les directives, fit Drakič, condescendant. Suite au tremblement de terre, une grande partie de l'exportation turque est paralysée, les quais sont presque vides et tout ce qui arrive repart immédiatement. L'opinion publique attend que vous agissiez rapidement. Ce serait davantage apprécié qu'un respect tatillon des directives. Même la presse vous félicitera.

– Il faudrait que j'élargisse le cercle. Vous le savez bien. »

En fait, Wolferer était déjà convaincu. Ils en étaient à négocier le prix.

« Je ne peux rien faire au-delà des cinq pour cent, dit Drakič en le regardant dans les yeux, glacial.

– Huit ! fit Wolferer en soutenant le regard de l'autre.

– Exclu ! les marges sont réduites. Vous avez déjà fait l'essentiel du travail. Ce qui vous revient dorénavant est tout bénéfice. On en reste à cinq pour cent. C'est déjà beaucoup, vous le savez.

– Huit ! répéta Wolferer.

– Je vous conseillerais plutôt d'en profiter pour faire parler de vous. Et faites-vous élire à la commission. Cette fois, vous y arriverez. Et vous gagnerez encore plus. »

Drakič gardait un visage de marbre. Il regarda sa montre pour signaler qu'il était pressé.

« Venez à Trieste la semaine prochaine. Nous donnons une soirée avec des invités triés sur le volet et une compagnie agréable. Vous trouverez un billet dans les documents, *via* Munich. D'ici là, réfléchissez. Mais profitez de l'occasion ! »

Cela ressemblait à un ordre. Wolferer hésitait. Il sentait qu'il avait déjà à moitié perdu, quasiment accepté. Les cinq pour cent faisaient déjà un beau paquet d'argent.

« Cinq pour cent, ça ne suffit pas, insista-t-il, la chaîne est longue !

– Mais de qui avez-vous donc besoin, à part Leish et Ferenci ? »

Drakič restait intraitable. Il était depuis longtemps dans l'affaire et Wolferer était loin d'être son seul client. Jack Leish et le docteur Karla Ferenci représentaient Wolferer à l'European Agency for Urgent Interventions (EAUI) et, selon les statuts, l'un des deux devait obligatoirement cosigner.

« Exploitez la chose sur le plan politique, c'est le conseil que je vous donne. Avec effet médiatique. Parlez d'un approvisionnement rapide. Prenez comme contre-exemple le fiasco de l'aide au Kosovo par Bari et vous attirerez immédiatement la sympathie. Quarante-cinq mille victimes, ça n'est pas rien ! Et tous les jours, on s'attend à un nouveau tremblement de terre.

– Je vais réfléchir, répondit Wolferer, vous avez peut-être raison. »

Drakič consulta de nouveau sa montre, manifestant ainsi son intention de mettre fin à la discussion. Il prit le porte-documents de Wolferer sur la chaise, avec les dossiers concernant les deux tiers déjà négociés, se leva et tendit la main à Wolferer.

« Nous nous verrons donc la semaine prochaine, dit Drakič en prenant congé. Cela vous plaira, j'en suis sûr. Nous avons choisi pour vous de très charmantes compagnes. Et j'aurai peut-être, d'ici là, l'idée d'un cadeau original qui vous consolera. Au revoir.

22

« – Je vous donnerai de mes nouvelles, répondit Wolferer. Kopfersberg vous transmettra ma réponse à Vienne.

– Adressez-vous directement à nous pour cette fois,
Spartaco est en vacances, rétorqua Drakič en faisant
mine de partir.

– Bon voyage ! »

Wolferer ne se leva pas et appela la serveuse. Il
paya les deux bières, prit sous la table le second
porte-documents et quitta les lieux. Il aperçut Drakič
en haut de l'escalier roulant, il se dirigeait vers la zone
d'embarquement. Wolferer se demanda quelle était sa
destination. Il regarda le tableau des départs, mais les
annonces étaient trop nombreuses. L'aéroport de Vienne
était devenu, depuis quelque temps, une importante
escale vers l'est.

Wolferer sortit sa voiture du parking et rentra chez
lui. Il était pressé. Il voulait vérifier le contenu du
porte-documents et recompter les deux liasses de
billets qu'il remettrait le lendemain à ses collègues de
l'administration. Ils étaient au courant du rendez-vous
et attendaient déjà l'argent.

Viktor Drakič embarqua sur le vol Lauda Air de
vingt heures cinq pour Vérone. Il prendrait le train de
nuit de Vérone à Trieste. Dès le mercredi matin, il
amorcerait, avec les armateurs et les affréteurs de conteneurs, les négociations sur l'élargissement du protocole
pour l'acheminement de l'aide de l'Union européenne
aux victimes du tremblement de terre en Turquie.
Drakič était certain que toute l'opération passerait
par Trieste. Les conditions politiques, suite au chaos
qu'avait révélé l'aide au Kosovo transitant par Bari,
étaient excellentes et Wolferer, après la réception de
la semaine prochaine, serait entièrement à sa main.

Trieste, 17 juillet 1999

« Il faut qu'on déménage ! » Le coude de Laura
l'atteignit brutalement dans les côtes. Proteo poussa un
cri et se tourna vers sa femme. Lui non plus n'avait pas
vraiment dormi, il n'avait fait que sombrer, par inter-
mittence, dans un sommeil léger, pour, chaque fois, se
réveiller illico. Le vacarme était infernal.

« Mais pas cette nuit, bon sang ! » Il se palpa le côté
à l'endroit où elle avait cogné et la regarda avec stupeur. Dans la demi-obscurité, il vit d'abord les sombres
pupilles de Laura, puis les cernes sous ses yeux, résultat de plusieurs nuits d'insomnie. Laura avait raison.
Le bruit des ventilateurs installés dans la cour pour pul-
ser de l'air frais dans le restaurant du rez-de-chaussée
était insupportable en été.

Les Laurenti, en premier lieu le mâle chef de famille
Proteo, étaient en conflit permanent avec la Signora
Rosetti, veuve âgée de soixante-seize ans, et avec la
Signora De Renzo, veuve également, mais âgée de
quatre-vingt-deux ans, depuis que celles-ci, à l'encontre
de tous les accords précédemment passés entre les
copropriétaires qui habitaient cet immeuble centenaire
de cinq étages, avaient voté avec le restaurateur. Par
pure cupidité, comme le soupçonnait Proteo Laurenti.
Elles seules avaient permis à Cossutta d'obtenir la

majorité, car les autres, Laurenti en était persuadé, ne se seraient pas laissé corrompre.

Tout de suite après cette pénible réunion de copropriétaires, au cours de laquelle les « autres » avaient tout de même exprimé étonnement et amertume, les travaux avaient commencé dans l'étroite cour intérieure de l'immeuble. Deux énormes turbines avaient été installées, qui, la nuit, faisaient autant de bruit qu'un bataillon d'aspirateurs. Les choses s'étaient encore aggravées peu après, lorsque Cossutta avait flanqué le restaurant d'un bar qui restait ouvert jusqu'à l'aube. Quelle que soit la manière dont il avait obtenu sa licence, on ne pouvait plus revenir en arrière.

Proteo Laurenti était convaincu que, bien que n'étant pas dans le besoin, les deux vieilles pies, comme il nommait *in petto* les veuves Rosetti et De Renzo, étaient devenues insatiables et s'étaient laissé soudoyer en sous-main, car leur revirement avait surpris tout le monde. La veille du jour fatidique, elles déblatéraient encore sur Cossutta et « la vie dépravée des jeunes gens d'aujourd'hui ».

Tout en geignant, Proteo Laurenti se redressa et voulut prendre sa femme dans ses bras. Elle le repoussa.

« À l'automne, nous chercherons quelque chose », dit-il pour la calmer, en espérant que l'affaire serait close dès qu'on pourrait à nouveau dormir les fenêtres fermées. L'idée de visiter un nombre incalculable d'appartements, de sacrifier des frais d'agence et onze pour cent d'impôts, d'écouter un notaire lire les actes d'une voix monocorde – ce pour quoi, ainsi que pour quelques tampons et timbres fiscaux, il faudrait, lui aussi, le payer – tout comme la pénible perspective d'un nouveau déménagement le rebutaient d'avance. Il n'y avait pas si longtemps qu'ils avaient emménagé. Et cet appartement-ci, ils ne pourraient le revendre ou le louer qu'en dessous de sa valeur.

« Ces vieilles truies, il aurait tout simplement fallu les empoisonner. Ou les aider à descendre l'escalier plus vite que prévu…

– Il aurait fallu, il aurait fallu… »

Laura n'était pas disposée à discuter de ce qu'il aurait fallu faire.

« Dès demain matin, j'irai voir Massotti », dit-elle d'un ton péremptoire. Elle s'assit brusquement, droite comme un i. Sa veste de pyjama était largement déboutonnée, la soie bleue collait à sa peau hâlée. Son épaisse et longue chevelure devenait presque blonde en été, seules les extrémités restaient foncées. Elle tourna la tête et l'inclina légèrement vers lui. Par-dessus son épaule droite, ses cheveux tombaient largement sur sa poitrine. Proteo ressentit comme une pique au ventre, il aimait cette image, mais il savait qu'il se ferait taper sur les doigts s'il laissait ceux-ci suivre son regard.

« Massotti ? »

Proteo était sceptique. Il ne supportait pas les agents immobiliers. Certes, Massotti était considéré comme le meilleur de sa corporation à Trieste et il est vrai qu'il était souvent le premier à mettre la main sur de beaux immeubles, mais cela ne modifiait en rien l'opinion de Laurenti.

« Adieu, mon cher argent…

– Oui, Massotti, répondit Laura d'un ton décidé, j'ai rencontré sa femme hier au Caffè Piazzagrande. Elle m'a raconté qu'en ce moment, et c'est plutôt rare, il y a une quantité de beaux appartements à vendre. »

Laura alluma la lampe de chevet, comme si là, entre trois et quatre heures du matin, elle allait passer aux actes.

« C'est en été que meurent les vieux et les héritiers se frottent les mains ! » grogna Proteo.

Il était fatigué et il était encore trop tôt pour palabrer. Il avait compris que toute résistance était inutile. Quand

Laura avait décidé quelque chose, elle parvenait à ses fins. C'est ainsi, pour l'essentiel, que s'étaient déroulés leurs vingt ans de vie commune et Proteo, comme leurs trois enfants, s'en trouvait bien. Laura conduisait d'une main douce, mais ferme, le destin familial, on pouvait se fier à elle. Dans l'intervalle, Proteo avait fait carrière dans la police. Grâce à son ambition et à de nombreux stages, il avait gravi les échelons de simple agent à commissaire de catégorie IV, il était devenu chef de la police judiciaire à Trieste, ce qui rapportait plus de travail que de considération. Laura avait élevé les enfants. Les deux aînées, Livia et Patrizia Isabella, étaient âgées de vingt et un et dix-neuf ans. Marco allait bientôt avoir dix-sept ans. Quatre ans auparavant, Laura avait participé à la création du premier dépôt-vente sur la place de Trieste, elle dirigeait le département « Arts ». Son mari partageait sa passion pour la peinture et les vieux livres et les quelques tableaux qu'ils avaient pu se payer ornaient les murs de leur appartement. Laura avait laissé tomber son ancien métier, le monde des relations publiques lui répugnait : « Trop de baratin, pas assez de substance ! » Elle n'avait pas voulu, non plus, travailler dans l'enseignement, elle était d'avis qu'après des années passées à éduquer ses propres enfants, elle avait assez apporté aux autres dans sa vie. Sans parler de Proteo.

Dans ce foyer à domination féminine, Proteo, comme il l'avouait lui-même, à moitié pour plaisanter, n'avait pas grand-chose à dire. Mais il était heureux, il aimait sa femme et ses enfants et, quotidiennement, il mesurait son bonheur, car autrefois, il ne se serait jamais imaginé mener un jour pareille vie.

Mais l'histoire du déménagement ne lui plaisait pas. Proteo saisit la bouteille d'eau posée près du lit.

« Il y a une maison, au-dessus de la villa Ada… La Massotti en est quasiment folle. »

Laura s'interrompit brièvement, comme si elle faisait défiler les images dans sa tête.

« De là-haut, on a une vue merveilleuse sur la ville et le port. Tout Trieste à ses pieds, un jardin… et du calme, surtout du calme !

– Plus le vendeur en rajoute, plus la maison a de défauts. La remise en état va sûrement nous coûter le double du prix d'achat, rétorqua Proteo, sourcils froncés.

– Il faut voir. Il y aura des travaux, c'est certain. Mais on devrait la visiter avant… »

La sonnerie du téléphone troubla Laura dans ses visions. C'était à son tour d'ouvrir de grands yeux. Elle savait pourtant que, par principe, cet appareil ne choisissait de se manifester bruyamment que lorsqu'elle laissait vagabonder son imagination.

« Allô ! »

Son mari s'était déjà emparé de l'écouteur et manifestait sa mauvaise humeur en criant dans l'oreille de son interlocuteur.

« Ah ! Excusez-moi, commissaire ! »

Ce devait être l'un de ces flicaillons qui n'avaient pris du service que quelques semaines auparavant. Proteo Laurenti ne raccordait pas encore automatiquement leur voix à un nom ou à un visage.

« Ici Greco, l'agent Greco. On a trouvé un yacht vide. Il y a des indices…

– Quoi ? Un yacht vide ? À quatre heures du matin, tous les yachts sont vides ! Quels indices ? »

Laurenti, agacé, avait insisté sur les mots « vides » et « indices ». Greco était-il incapable de présenter simplement les faits, surtout à cette heure ?

« Mais c'est l'affaire des garde-côtes ou de la police maritime. Parlez, Greco !

– Eh bien, le sous-chef Sgubin m'a dit de vous appeler. Ce sont les gardes-côtes qui nous ont passé l'information. À la hauteur de la Trattoria Costiera, au-dessous de Santa Croce, en bord de mer.

– Ah bon, en bord de mer ! J'avais cru sur le karst », fit Laurenti, agacé, entre les dents.

Il savait qu'il ne tirerait pas une phrase sensée de Greco, mais si Sgubin l'avait chargé de l'appeler, c'est qu'il y avait un motif valable. Il connaissait depuis longtemps Sgubin, c'était un bon policier, qui travaillait consciencieusement, parfois trop d'ailleurs. Mais on pouvait se fier à lui.

Proteo s'était déjà levé et passait dans la salle de bains. La colère finissait par lui peser sur l'estomac. Deux ennuis d'un coup, sans avoir fait sa nuit !

« Désolé, Laura, un bateau retrouvé vide, dit-il sur un ton aussi neutre que possible. Tu me fais un café ? »

À quatre heures et demie du matin, le soleil était déjà haut sur le karst, qui formait comme une ceinture autour de la ville, jusqu'à la côte. La lumière du jour couvrait les toits d'une teinte dorée qui contrastait violemment avec le ciel. La mer avait pris une couleur bleu acier et semblait recouvrir le golfe d'une fine étoffe côtelée. Les rues étaient presque vides ; seules quelques voitures isolées circulaient déjà.

Au volant de sa Fiat Tempra, Proteo Laurenti quitta la Via Diaz et prit la Via Mercato Vecchio à contresens, passa devant l'imposant palais de la Lloyd triestine et, cent mètres plus loin, enfila la Riva del Mandracchio, dont les quatre voies longent le vieux port. Ce raccourci permettait d'éviter le contournement réglementaire de la Piazza dell'Unità d'Italia et du Borgo Teresiano. À cette heure-là, on ne risquait guère de croiser des automobilistes dans l'autre sens, c'est pourquoi Proteo s'autorisait cette petite entorse à la loi. À hauteur de la gare, il passa devant l'horrible statue de Sissi sur la Piazza della Libertà et s'engagea dans le Viale Miramare, qui sort de la ville. Laurenti accéléra et enclencha la cinquième dès qu'il eut dépassé la gare. Tout de suite après les bâtiments vides du vieux port, il entra dans Barcola. Les derniers clients du Machiavelli avaient quitté les lieux depuis peu. Une heure plus tôt, ça bouchonnait sévèrement, quand la discothèque fermait ses portes. Laurenti avait maintenant la mer à sa gauche. Il baissa la vitre et sentit l'air lui caresser le visage. Si l'affaire ne le retenait pas trop longtemps, il pourrait peut-être, au retour, s'arrêter à Miramare et s'offrir un petit plongeon avant d'aller au bureau. Il jeta un regard vers Contovello, l'un des villages de pêcheurs du karst, dont les pignons se doraient au soleil matinal. Ensuite, la route grimpait vers la falaise. Laurenti traversa les deux tunnels sous le parc du château de Miramare et s'en trouva, peu après, récompensé par cette vue sur la mer qui le réconciliait fondamentalement avec la vie.

Laurenti n'eut pas à chercher longtemps. La Strada Costiera était quasiment bloquée, au kilomètre 142, par des voitures de police en stationnement et il entendait déjà, de loin, l'hélicoptère des garde-côtes qui patrouillait au-dessus du golfe à basse altitude. Laurenti abandonna sa Fiat, sans précaution, au bord de la route. Il avait récemment appris, de la bouche du colonel des carabiniers, que le grade d'un haut fonctionnaire se mesurait à la désinvolture avec laquelle il garait son véhicule. Cet individu par ailleurs arrogant, dont les bottes reluisaient impeccablement, Laurenti ne pouvait pas le sentir. Il avait malheureusement trop souvent affaire à lui.

Laurenti demanda à l'homme qui, de la route, surveillait le petit parking et qui, dès qu'il l'avait reconnu, avait laissé tomber sa cigarette, mais sans l'écraser, par où il devait passer.

« Par là, descendez l'escalier, c'est raide et il y a un bout de chemin, répondit Greco. Au retour, ça vous met à plat.

– Merci », dit Laurenti.

Il descendit les premières marches et se retourna. « Vous devriez moins fumer ! » dit-il à Greco qui, comme il s'y attendait, avait ramassé sa cigarette et la laissa tomber une seconde fois.

« Certainement. »

Greco, tel un enfant pris en faute, devint rouge comme une pivoine.

Laurenti descendit lentement le chemin abrupt, entre-coupé de nombreuses marches, à l'abri de grands arbres dont les troncs étaient enrubannés jusqu'au sommet de lierre ou de glycine bleue. Le sentier serpentait entre les quelques villas qui, autrefois, avaient eu l'autorisation de s'implanter ici ou bien avaient été construites sans permis, avec vue sur le golfe de Trieste et accès direct à la mer.

« Si nous habitions ici, pensa Laurenti, quelle forme j'aurais ! Tous les matins ce petit chemin et, avant le travail, une demi-heure de baignade, jusqu'à mi-octobre. »

Après cinq minutes de descente, il arriva enfin sur une plage de galets. Avant de quitter le sous-bois et de humer l'odeur de la mer, il perçut le vacarme assourdissant que faisaient les centaines de mouettes qu'il voyait maintenant tournoyer sur la mer. Elles avaient dû trouver de la chair fraîche dans les parages.

Laurenti fut accueilli par le sous-chef Sgubin, qui discutait avec un collègue des garde-côtes et un pêcheur qui faisait de grands gestes en direction de la mer. Laurenti leur serra la main à tous trois.

« Voici Giovanni Merlo de Monfalcone. C'est à lui qu'appartient ce bouchot », dit Sgubin en montrant un bassin que délimitaient d'innombrables tonneaux de toutes les couleurs et qui, jusqu'à hier, était encore amarré à distance réglementaire de la rive. En principe, il était de forme géométrique, comme ceux qui se trouvaient de part et d'autre. Dix fûts de large et vingt de long, reliés par des cordages courant sous l'eau, au contact desquels les moules croissaient et multipliaient. La récolte avait lieu tous les jours. Mais ce matin-là, Laurenti s'en rendit compte au premier coup d'œil, tout avait été saccagé par une embarcation au moteur puissant, les cordages étaient enchevêtrés, les tonneaux s'amoncelaient dans un parfait désordre. Des mouettes criardes complétaient le tableau, se disputant le butin inespéré que la mer leur offrait. Laurenti était fasciné par leur manège, fait de gloutonnerie et de combats singuliers, et, en d'autres circonstances, il les aurait longuement observées. Elles semblaient, dans leur insatiable voracité, prendre plaisir à tirer la proie du bec même de leurs congénères, selon la loi du plus fort.

« C'est le bateau qui a anéanti mes moules, s'écria Merlo, de mauvaise humeur. Les dégâts sont irrécupérables ! Sans parler du travail pour tout remettre en état ! Qui va me rembourser ? »

Merlo, comme beaucoup d'autres, pensa Laurenti, part du principe que plus il se lamentera et plus fort il le fera, mieux on s'occupera de lui. « Difficile à dire ! » grogna-t-il. Il connaissait ce yacht. C'était le plus gros bateau à moteur du Molo Sartorio, près du centre-ville. Il se souvenait de tout ce qu'on avait dit quand il était apparu, parce que ça n'était pas le genre, dans cette ville qui n'aime pas exhiber ses vieilles richesses, mais préfère les tenir cachées, dans un curieux mélange d'*understatement* et d'avarice. Les vrais gros bateaux, disait-on, sont en Istrie, où les emplacements sont moins chers et où l'on fait l'économie de l'impôt italien. Et l'on n'est loin ni de Capodistria ni de Portorose. Ce yacht se faisait décidément

33

remarquer dans le port de Trieste voué au sport, où seuls quelques bateaux à moteur voisinaient avec les voiliers. Il était trop grand et trop prétentieux. À Portofino ou sur la Côte d'Azur, il aurait fait partie des plus petits, mais ici, il paraissait gigantesque. De plus, il s'appelait *Elisa*. Laurenti était excédé par la vanité du propriétaire, qu'il connaissait depuis longtemps. *Elisa !*

« L'Autrichien ? dit-il en regardant le bateau, l'air interrogateur. Où est-il ?

– On n'en sait rien, répondit l'officier des gardecôtes en montrant, d'un mouvement de tête, deux canots pneumatiques avec des plongeurs. Le yacht était vide.

– Et c'est pour ça que vous me tirez du lit ? grommela Laurenti en fronçant les sourcils.

– Mais vous avez déjà eu affaire à lui, reprit Sgubin pour se justifier. En plus, c'est les vacances…

– C'est bon, dit Laurenti, qui lui toucha le bras en signe d'apaisement. De toute façon, je ne dormais pas. Tu as raison, Sgubin, un yacht vide qui vient s'échouer sur la côte, ce n'est pas commun. Espérons que ce ne soit qu'un simple accident ! »

Après un bref examen de la situation avec ses collègues, Laurenti prit le chemin du retour. Les gardecôtes remorqueraient l'*Elisa* jusqu'à la capitainerie, où on le passerait au peigne fin. Sgubin proposa de rendre visite à l'Autrichien dans sa villa, de procéder aux premiers interrogatoires et d'en rendre compte avant midi. Laurenti en conclut que Sgubin allait encore faire des heures supplémentaires. La relève avait eu lieu à six heures du matin et Sgubin était sur pied depuis la veille au soir à dix heures.

Lorsque Proteo Laurenti rejoignit la route, hors d'haleine, il s'arrêta un instant pour retrouver son souffle. Il se pencha vers l'avant et s'appuya des deux mains sur ses genoux. Il sentait venir la crampe dans ses jambes. Lorsqu'il se redressa, Greco, le nouveau, lui offrit une cigarette, l'air totalement inexpressif.

« Très drôle, Greco ! »

Laurenti refusa d'un geste sec de la main.

« Où est-ce qu'ils en sont, ceux d'en bas ? » Greco s'ennuyait. Cela faisait déjà deux heures qu'il était là, tout seul, au bord de la route. Le sol autour de lui était jonché de mégots écrasés. L'aile avant droite de la voiture qui se trouvait juste derrière lui brillait comme un sou neuf ; preuve qu'il s'y appuyait quand il n'y avait personne en vue.

« C'est le tour des plongeurs, répondit Laurenti, ils trouveront peut-être un cadavre. Comme ça, je ne me serai pas levé si tôt pour rien ! »

Peu avant sept heures, il prit à droite au carrefour, en direction du château de Miramare et gara sa voiture quelques mètres plus loin. Certes, il n'avait pas de maillot de bain, mais, à cette heure, il n'y avait encore personne. Une demi-heure de natation, il en était persuadé, voilà qui lui remettrait les idées en place. Laurenti descendit en s'agrippant aux crochets fichés dans le mur jusqu'à un brise-lames à l'abri duquel seuls des initiés venaient se baigner, surtout quand toute la promenade, de Barola à Miramare, débordait d'estivants, car on y trouvait tout de même un peu plus de place que la largeur d'un drap de bain. Il se déshabilla, plia soigneusement chemise et pantalon, les posa sur les galets à côté de ses chaussures, y rajouta caleçon et chaussettes et se jeta à l'eau.

Après avoir parcouru une bonne distance, en y mettant toutes ses forces, Proteo Laurenti se retourna sur le dos et se laissa porter par l'eau salée. Il pensait à Laura. Il lui reparlerait plus tard de sa menace de déménagement. Il savait qu'elle prenait la chose terriblement au

35

sérieux, mais il craignait le stress, les désagréments, les coûts et la mauvaise humeur que ce genre d'opération entraîne, ne serait-ce que momentanément. Déménager une famille de cinq personnes revient cher. Peut-être ferait-on mieux de placer une partie de cet argent dans un fond spécial auquel contribueraient les copropriétaires qui avaient à souffrir des ventilateurs de Cossutta, pour offrir à celui-ci une prime qui l'aiderait, lui, à déménager. Il y a, pour un restaurateur, des coins plus intéressants que la Via Diaz, à proximité du musée Revoltella. Il ne faudrait, bien sûr, pas compter sur les veuves Rosetti et De Renzo. Et puis on agirait contre tout principe si l'on commençait par récompenser le fauteur de troubles. Pourtant, à y bien réfléchir, c'était la solution la moins compliquée et la plus économique pour tout le monde. Laurenti présumait, dès à présent, qu'une fois de plus, personne ne le suivrait. Il s'énervait à l'idée qu'il n'arrivait pas à décrocher et à jouir tout simplement de cette belle matinée.

D'un mouvement énergique, il plongea à la verticale et alla toucher le fond, où l'eau était nettement plus froide. Il resta longuement en apnée, puis revint doucement à la surface, pour reprendre son souffle. Il constata alors qu'il avait dépassé les balises qui délimitent la baignade. Il se remit sur le dos jusqu'à ce qu'il ait retrouvé une respiration normale. Il aperçut la ville et les premiers baigneurs et se remémora soudain l'époque où il venait d'arriver à Trieste. La qualité de l'eau, comme partout dans l'Adriatique, était douteuse et l'on avait bien du mal à apprécier cette union exceptionnelle d'une ville avec la mer. Jusqu'à ce que le vieux maire chrétien-démocrate, dont on n'attendait pas tant, s'attaque au problème des eaux usées et que son successeur prenne des mesures draconiennes. Depuis, grâce à de sévères contrôles, la mer restait propre. Laurenti se souvenait de sa première affaire.

Laurenti ne rejoignit pas son bureau de la Via del Coroneo à huit heures et demie, comme tous les matins, mais vers dix heures seulement. Marietta, sa collaboratrice, le salua, à son habitude, avec un grand sourire. « Bonjour, Proteo ! » Mais sa mine s'assombrit et elle prit immédiatement l'air soucieux qu'elle adoptait systématiquement dès qu'elle se rendait compte que son chef n'était pas dans son assiette. Une véritable symbiose les unissait depuis plus de vingt ans qu'ils travaillaient ensemble.

« Qu'est-ce qui t'arrive ? » demanda-t-elle en se levant pour aller lui chercher un café à la machine qu'un jour ils s'étaient payée à deux.

Laurenti maugréa : « Jour de chance… » Il entra dans son bureau sans tourner la tête. « On peut prendre les paris : une journée qui commence par des emmerdements continue par des emmerdements ! » Il se laissa tomber dans son fauteuil, Marietta posa le café sur son bureau et s'assit en face de lui.

Il se força à lui dire merci et esquissa un sourire aimable.

« Ne te force pas, dit Marietta, explique-moi plutôt ce qui se passe ! »

Alors Laurenti lui raconta qu'ils avaient mal dormi, que Laura avait l'intention de chercher un nouvel appartement, qu'on l'avait tiré du lit à quatre heures et demie et qu'il avait eu l'impression de sauver sa journée en piquant un plongeon, au retour, vers Miramare.

« Vers huit heures, j'étais revenu à la maison. Laura était déjà partie. Les enfants dormaient encore. C'est du moins ce que je pensais. L'été, ils passent la nuit dehors, ils sont en vacances, ils dorment tard le matin. Je parle de Livia et de Marco. Patrizia Isabella s'occupe du *Julia Felix* à Grado. Donc je fais du café, j'écoute la radio et je lis le *Piccolo* avant de partir au bureau.

Mais qu'est-ce que je lis dans cette minable feuille de chou ? Cette fatale créature qu'est ma débile de fille est candidate à l'élection de Miss Trieste ! Ma fille ! Tu t'imagines, Marietta ? » Il tapa du poing sur son bureau à faire trembler la tasse à café. Marietta le regarda, l'air effaré. « Imagine-toi : tu ouvres le journal, tu tombes sur une page entière consacrée à cette ineptie et le comble, c'est que, dans la liste des candidates, il y a le nom de ta fille ! Choqué, non, horrifié, je renverse mon café, je bousille une chemise et un pantalon et, lorsque je me décide à lui dire deux mots, je m'aperçois que son lit n'est pas défait et qu'elle n'est donc pas rentrée de la nuit. »

Marietta eut un rictus qui ne fit qu'accentuer la colère de Laurenti.

« Il n'y a vraiment pas de quoi rire. Tu te dis que je suis un vieux con traditionaliste et sclérosé. Non, Marietta, je me demande sérieusement si toute cette éducation sert à quelque chose. Marco n'était pas là non plus. Il n'a même pas dix-sept ans. Alors j'essaie d'appeler Laura, mais elle n'a pas allumé son portable. La mère de mes enfants n'est même pas joignable en cas d'urgence ! Et avec ça, elle veut déménager. Elle doit être en train de visiter des appartements, de peur que les agents immobiliers ne crèvent de faim. Maintenant, tu comprends ce qui se passe ? »

Marietta hocha la tête.

« Tu dis des bêtises, Proteo. Tu as mal dormi et tu me fais une scène comme si j'étais de ta famille. Remarque, il vaut mieux que tu fasses ton numéro avec moi plutôt qu'avec Laura ou Livia. Elles te riraient au nez. Livia a vingt et un ans, Proteo, vingt et un ans ! Elle est majeure depuis trois ans, elle a eu le meilleur résultat au bac de sa classe et elle est belle au point qu'on se demande si tu es bien son père. C'est une jeune femme intelligente. Elle peut faire ce qu'elle veut ! Depuis toujours tu te rengorges, tu racontes à qui veut l'entendre que tu es fier de tes enfants et tu craques pour si peu ? Et Marco ? Ce n'est tout de même pas la première fois qu'il couche chez des copains. Vraiment, tu exagères et, en plus, tu es tout pâle, tellement tu t'inquiètes !

– Je ne sais pas. Mais ça ne peut pas continuer comme ça ! Et puis à quoi bon ? Même toi, tu ne me comprends pas !

– Il y a sûrement plus grave !

– Au moins, Patrizia Isabella, on peut lui faire confiance, dit Laurenti avec un soupir. Elle profite de ses vacances pour s'occuper comme il faut ! »

Marietta connaissait Laurenti et ses humeurs depuis une éternité. Elle savait que Patrizia Isabella, la cadette, était sa chouchoute.

« Ne te fais pas d'illusions, Proteo, tous les enfants grandissent et ta Patrizia fait sûrement des choses qu'elle ne te raconte pas. »

Laurenti sursauta.

« Qu'est-ce que tu veux dire ?

– C'est comme ça ! C'est le contraire qui serait grave ! fit Marietta avec un sourire.

– Quoi ? Qu'est-ce que tu sais que je ne sais pas ?

– Rien, Proteo…

– Ah ! Je n'aurais pas dû te raconter tout ça ! Inutile d'en parler. De toute façon, nous ne sommes pas là pour bavarder, il y a bien assez à faire ! »

Marietta eut un petit rire moqueur.

« Vous les hommes, vous êtes tous pareils : quand quelque chose ne vous convient pas, vous le refoulez immédiatement. Bon, alors explique-moi ce qu'il y a à faire.

– Plus tard, dit Laurenti en revenant à son bureau. Ou plutôt si. J'ai besoin d'un dossier aux archives : Elisa de Kopfersberg. Milieu des années soixante-dix. Juste après ma prise de fonctions. »

Quelques jours auparavant, le *Piccolo*, le seul journal important de Trieste avec un tirage d'à peine soixante mille exemplaires, avait publié un article particulièrement perfide sur la vie nocturne et la prostitution dans cette ville. C'était apporter de l'eau au moulin de quelques députés de droite et, bien sûr, de la Ligue du Nord. L'article présentait Trieste comme étant pire que Milan, Turin et Naples réunis. « Sur le Borgo Teresiano, ça sent l'urine, les riverains ne se risquent plus dans la rue. Le sol est jonché de préservatifs usagés. C'est un quartier bourgeois et non un repaire de filles venues de l'étranger. Combien de temps encore l'administration municipale et la police vont-elles laisser faire ? Qui protège les droits des citoyens ? » Certes, depuis trois ans, le même air revenait chaque été comme un refrain, dans les pages consacrées aux rapports de police, mais cette fois le ton était particulièrement virulent.

Le préfet de police avait donc convoqué d'urgence Laurenti et ses collègues pour analyser la situation. En réalité, ils avaient constaté que, sur le Borgo Teresiano, la moyenne annuelle ne s'élevait pas à plus de quinze prostituées. Et ce, depuis trois ou quatre ans seulement. Auparavant, il n'y avait que quelques femmes d'un certain âge, des « dames avec beaucoup d'expérience », comme on disait par galanterie, principalement sur le Viale XX Settembre. Elles avaient bien du mal à trouver des clients. Les nouvelles prostituées faisaient le trottoir du Borgo Teresiano, entre la gare et le Canal Grande, à partir de vingt-trois heures. Des filles venues de Colombie ou du Nigeria, étonnamment peu de Slaves, de loin en loin une Italienne. Des jeunes qu'on avait attirées en Europe de l'Ouest en leur promettant monts et merveilles, qu'on obligeait à se prostituer et qui, souvent, ne savaient même pas où elles se trouvaient.

Les proxénètes les faisaient « tourner » d'une ville à l'autre, selon un plan soigneusement établi, avant qu'elles puissent vraiment s'installer quelque part ou qu'elles aient eu affaire aux autorités locales.

« Trieste n'est pas un haut lieu de la prostitution, dit Laurenti au cours de la table ronde qui eut lieu dans la salle de réunion de la préfecture de police, pas même un marché secondaire. Nous avons la situation en main. Rien qu'à Udine, c'est pire. Au fait, qui est cet écrivaillon ? »

Personne ne connaissait son nom. Ce n'est que plus tard que Laurenti apprit que l'article était l'œuvre d'un stagiaire qui avait trouvé un point de chute au journal grâce aux bonnes relations que son père entretenait avec les propriétaires. Ce jeune homme de trente-cinq ans, qui n'avait toujours pas réussi à voler de ses propres ailes, avait donc atterri dans les pages locales du *Piccolo* et menait une campagne de dénigrement dans le plus pur style « Monsieur Propre ».

Parce que c'était l'été, que la famille Laurenti préférait prendre ses vacances en hiver et qu'à cause des congés les services étaient dégarnis, le dossier avait été confié à Laurenti. La pression venait d'en haut. La Ligue et les fascistes polémiquaient à tue-tête. En comparaison, Forza Italia restait convenable et se contentait d'exiger la démission du maire. Une enquête avait donc été ordonnée et, pour la mener, on avait choisi un fonctionnaire réputé pour son sérieux : Proteo Laurenti.

« Trop d'étrangers ? lança Laurenti en se frappant le front. Mais ici, presque tout le monde est étranger ! Un authentique Triestin, ça n'existe pas ! De quoi vit-on ici ? Grâce à qui cette ville a-t-elle prospéré, comment s'est-elle enrichie ? Les étrangers, le commerce international, le cosmopolitisme, le port libre ! Où quasiment chaque religion du monde a-t-elle sa propre église ? Ils ont même contribué au financement du canal de Suez.

Et d'où viennent tous ces navires ? Et voilà que ces imbéciles réclament du renfort, tout ça pour quinze putes, dont trois tout au plus font la retape illégalement ! Crétins ! »

Laurenti ronchonnait tout haut. Il donnerait l'ordre, pour les jours suivants, de renforcer les contrôles et d'intervenir auprès des automobilistes qui roulaient au pas à hauteur des filles et s'arrêtaient en stationnement interdit pour les embarquer. De multiplier les vérifications d'identité sur les filles et les clients, avec pour seul résultat de déplacer provisoirement le problème. Il ferait d'abord établir un bilan par deux de ses hommes, il devrait, photos et comptes rendus à l'appui, quantifier la prostitution à Trieste et il n'hésiterait pas à donner à son document un tour dramatique. Après avoir terrorisé le secteur pendant quinze jours, on repartirait pour un tour, alors on présenterait un rapport au questeur et au préfet réunis et, pour finir, on offrirait une soirée diapos au conseil municipal, style « avant/après ». Puis on attendrait que l'automne revienne, que les gens dorment à nouveau avec les fenêtres fermées et que les pulsions se tempèrent. Quelques semaines plus tard, on serait naturellement revenu à la situation de départ et, pour des raisons de sécurité, il était de beaucoup préférable de savoir où les choses se passaient.

Mais Laurenti avait également l'intention de discuter avec Rossana di Matteo, la responsable des pages locales du journal, sur le moyen de contrer les diatribes du chevalier blanc de Padanie. Il connaissait bien Rossana. Il s'apprêtait à décrocher son téléphone lorsque Marietta entra.

« Kopfersberg est porté disparu. Sgubin a parlé à sa concubine. Apparemment, il a quitté la ville, il y a deux jours, avec son bateau et n'a pas reparu. On attendait son retour pour hier soir. Le commandant du port précise qu'il est sorti lundi vers dix heures. Il n'en sait pas plus. Vous aurez le rapport de Sgubin pour midi.

– Tu as demandé le dossier ?

– Faut le temps, dit Marietta avec un haussement d'épaules. Au plus tôt en fin d'après-midi. »

Ettore Orlando égalait quasiment Pavarotti pour ce qui est de la voix et le dépassait presque quant à la stature. Il mesurait plus de deux mètres et pesait largement cent kilos. Une barbe dense et noire lui donnait l'aspect d'un vieux loup de mer. Dans l'exercice de ses fonctions, il avait souvent fait preuve d'un instinct remarquable, ce qui lui avait valu de gravir régulièrement les échelons. Il avait grandi à Salerne, comme Proteo Laurenti, et il avait opté pour une carrière dans les forces de sécurité. C'était un métier d'avenir, surtout dans le sud du pays, si l'on y survivait. Les familles Laurenti et Orlando faisaient partie de la tranche inférieure de la classe moyenne et n'avaient pas grand-chose à proposer en héritage, à part le goût de la musique et des arts. Les deux familles n'avaient pas non plus de relations suffisantes pour offrir à tous leurs rejetons une solide formation, sans parler d'études supérieures. Le frère aîné de Proteo Laurenti avait fréquenté l'université de Naples ; il était devenu avocat. Le frère aîné d'Ettore avait étudié l'économie à Bologne et occupait un poste de cadre supérieur chez Olivetti. Les autres frères et sœurs avaient bénéficié des formations les plus variées dans la banque, la boulangerie ou la couture. Seuls Proteo et Ettore avaient choisi d'être fonctionnaires. Ettore avait fait son service dans la marine, puis il était « sorti du rang ». Il avait perdu le contact avec Proteo pendant des années, puis les deux hommes s'étaient rencontrés par hasard à Trieste. Proteo et Laura étaient, depuis longtemps, parents de leurs trois enfants lorsqu'un jour le *Piccolo* avait annoncé une mutation : le capitaine Ettore Orlando, originaire de Salerne, prenait la direction des garde-côtes, dans cet immeuble néoclassique sur la Riva III Novembre, l'ancien terminal de la ligne d'hydravions Turin-Trieste-Zadar, qui avait été inaugurée sous Mussolini. À peine Ettore fut-il arrivé à Trieste qu'il était déjà invité à dîner chez les Laurenti. Et les deux hommes avaient tenté, en de longues conversations, de refermer une parenthèse de vingt ans. Tous deux avaient désormais la mission de défendre la ville contre les voyous, sur terre et sur mer. Tchin-tchin !

« J'allais t'appeler, répondit Ettore Orlando quand on lui passa Laurenti, d'une voix tonitruante, au point que son correspondant fut obligé d'écarter l'écouteur de son oreille. Comment vont les enfants et ta jolie femme ?

– Ils m'énervent tous. Je te raconterai ça une autre fois !

– Misère de misère, gronda Orlando, rien de grave, j'espère. Sois ferme, vieux ! On déjeune ensemble ? À une heure au Da Primo ? »

Ettore Orlando était resté, y compris professionnellement, fidèle à son amour pour la mer et il était le plus heureux des hommes quand, de temps à autre, il montait à bord d'une vedette rapide, poussait gentiment du coude l'officier qui tenait la barre, dont il prenait alors possession. À peine avaient-ils quitté la zone portuaire qu'alors, de sa dextre puissante, il abaissait progressivement la manette des gaz et jubilait quand le bateau, qui accélérait de plus en plus, jaillissait hors de l'eau et bondissait sur les vagues avec une telle énergie que le choc était brutal quand il piquait du nez à nouveau et qu'à bord tous ceux qui n'avaient sous la main rien à quoi se tenir n'espéraient plus qu'une chose, c'était que le boss revienne à la raison. Mais cela durait parfois un certain temps. Orlando ne manquait ni d'assurance ni de voix, il se mettait alors à chanter à gorge déployée. L'état de grâce durait le temps de l'aria qu'il avait saisie au vol. Ce faisant, Orlando contrevenait à tous les règlements, mais comme il savait conduire ses subordonnés d'une main à la fois ferme et douce, qu'il s'efforçait de ne jamais commettre d'injustice et qu'en fin de compte il ne croyait guère aux vertus de la sanction, il était bien vu et on lui passait ses lubies.

Orlando, le loup de mer, avait donc, au cours du déjeuner, quelques informations à communiquer à son ami au sujet de l'examen du yacht que ses hommes avaient ramené de la côte de Santa Croce au môle de la capitainerie de Trieste.

Laura avait dit une fois qu'Orlando possédait la voix la plus basse qu'elle eût jamais entendue, qu'elle lui rappelait l'enfer, l'Hadès, dont l'embouchure du Timavo, rivière souterraine qui se jette dans la mer à quelques kilomètres de Duino, passe pour être l'une des bouches. C'est là qu'auraient abouti Diomède et les Argonautes à la recherche de la Toison d'or, ainsi qu'Anthénor après avoir été banni de Troie, si l'on en croit Tite-Live et Virgile. Et c'est non loin de là que Laura et Proteo avaient un jour fait connaissance. Le jeune policier solitaire qui venait d'être nommé à Trieste se promenait au long des sentiers labyrinthiques qui perçaient le maquis de l'ancien parc du château de Duino, réfléchissant aux moyens de se bâtir un avenir. Par trois fois, il avait rencontré une jeune femme qui, comme lui, flânait entre les chênes rouvres et lui plaisait beaucoup. Ses yeux d'un vert lumineux, sa généreuse poitrine et son opulente chevelure avaient immédiatement attiré son attention, mais à part un timide « bonjour »,

45

il avait été incapable de lui adresser le moindre mot. Quand, quelques mètres plus loin, il s'était retourné pour la regarder, elle avait disparu. Finalement, c'est elle qui s'arrêta un jour, et qui lui dit :

« Quel hasard de se rencontrer pratiquement toujours au même endroit. Sinon, je ne croise jamais personne d'autre ici. »

Proteo, embarrassé, avait fait semblant de s'étonner et il avait opiné. Puis, rassemblant son courage, il avait demandé à Laura si elle habitait Duino.

« Oui, avait-elle dit.

– Quel bel endroit, avait dit Proteo.

– Mon préféré, avait répondu Laura. Vous connaissez son histoire ? »

Proteo avait hoché la tête négativement et, tandis qu'ils marchaient, Laura lui avait raconté la légende de la Cernizza, selon laquelle, autrefois, les cerfs, les loups et les hommes cohabitaient paisiblement en ces lieux. Mais Proteo ne s'intéressait déjà plus aux cerfs et aux loups et il avait brusquement demandé à Laura s'ils pourraient se revoir.

« Nous nous rencontrerons bien ici une autre fois », avait-elle dit en le quittant.

Le souvenir de la jeune fille l'obséda. Il ne faisait que penser à elle durant le service ou le soir, quand il sortait avec des amis. Cependant, il ne l'avait revue qu'un mois plus tard et, à la fin de la promenade, l'avait invitée à boire un café. C'est alors que commença, pour Proteo, ce qu'il devait appeler son enfer. Les deux jeunes gens se téléphonaient presque tous les jours, se retrouvaient souvent, mais Laura le tenait à distance, ne répondait pas à ses avances, prétextant qu'il lui était impossible de se lier, qu'elle avait trop de travail. Mais incapable de se passer d'elle, il s'était buté et seule cette obstination lui avait finalement permis de convaincre Laura d'épouser un policier qui, de plus, se prénommait Proteo. Ce prénom l'avait d'abord fait rire, parce que c'est aussi l'appellation de ces minuscules bestioles blanches sans yeux qui n'habitent que dans les rivières souterraines du karst adriatique. Les parents de Proteo ignoraient certainement l'existence de ces survivants d'une espèce qui peuplait le monde il y a quatre-vingts millions d'années.

Après avoir toqué discrètement, le sous-chef Sgubin entra dans le bureau du commissaire. Il avait l'air abattu, comme si la fatigue voilait de gris sa peau bronzée.

« Excusez-moi, chef ! »

Il tenait un dossier vert qu'il venait apparemment de rédiger de sa belle plume.

« Ah, Sgubin ! Tu es livide. Tu dors quand ? Bois un café ! »

Laurenti lui indiqua une chaise et Sgubin s'assit. Marietta entrait déjà avec une tasse à la main.

« Merci, commença Sgubin. Je me suis dit comme ça que j'allais faire un saut pour vous apporter le document, le rapport pour ce matin. On n'a pas trouvé grand-chose de plus que ce que vous avez vu vousmême, enfin jusqu'à maintenant. L'identité judiciaire trouvera peut-être quelque chose, ou les gardes-côtes, quand ils auront sérieusement examiné le bateau. Et puis je voulais vous dire que j'étais allé chez Kopfersberg. Pas vraiment un plaisir. Sa femme ou concubine ou je ne sais quoi s'appelle Tatiana Drakič. Elle dormait encore quand je suis arrivé et ça l'a mise plutôt de mauvaise humeur. Kopfersberg devait rentrer la nuit dernière, elle l'attendait vers minuit. Mais la Drakič n'a pas l'air de s'être fait beaucoup de souci. Elle a dit qu'il était parti depuis deux jours, qu'elle n'avait pas de nouvelles de lui, que c'était normal et qu'il réapparaîtrait bien un jour. Quand je lui ai dit : "Mais dans quel état ?", elle a changé de ton. Qu'est-ce que ça voulait dire ? Son homme, tout compte fait, n'avait aucun ennemi, c'était un honorable citoyen et qu'est-ce qui me permettait de lui envoyer à la figure de telles suppositions ? D'ailleurs, elle n'a pas dit suppositions. Bizarre. Elle s'est empressée de me pousser dehors. J'ai quand même aperçu quelques très jeunes et jolies filles. Pendant que j'attendais dans l'entrée que madame descende en peignoir, elles passaient en douce sur la galerie du premier ; elles n'avaient pas vraiment l'air de domestiques. Plutôt de créatures, si je puis dire. Mon uniforme n'a pas dû leur plaire, car aucune ne m'a salué ou ne m'a apporté un café. La Drakič m'a ensuite emmené au salon, elle s'est assise et m'a laissé debout. Mais ça, on a l'habitude. Très belle femme d'ailleurs. Mais pas très aimable et n'ayant pas l'air inquiet. Il y a quelque chose qui cloche. J'aimerais, chef, que vous y alliez vous-même et que vous lui parliez. Elle n'a pas voulu me dire ce que faisait Kopfersberg, où était son bureau, ni s'il partait souvent en voyage. Elle m'a dit qu'elle ne répondrait à ce genre de questions que lorsqu'il y aurait du concret. Un point, c'est tout. »

Laurenti avait écouté attentivement.

« On sait bien que la police n'est pas aimée, Sgubin. Comment peux-tu encore te laisser impressionner ? La Drakič est d'ici ? »

Sgubin posa sa tasse et secoua la tête.

« J'ai relevé son identité, bien que ça n'ait pas eu l'air de lui plaire. Elle s'est d'abord récriée, mais elle a fini par céder et elle est allée chercher sa carte d'identité. Elle est jeune, trente-trois ans, née à Raguse, Croatie. Je ne sais pas si elle est croate, serbe ou quoi d'autre. Vous trouverez tout ça dans le dossier. Elle est enregistrée à Trieste depuis quatre ans, d'abord à San Giacomo, mais peu après chez Kopfersberg. Comme profession, elle indique "négociante", le permis de travail et toute la paperasse sont en règle. Mais elle n'a pas l'air de quelqu'un qui va travailler tous les jours. À mon avis, elle se lève trop tard, comme je vous l'ai dit, c'est moi qui l'ai réveillée et il était déjà huit heures et demie. Au fait, je me suis débrouillé pour localiser le bureau de Kopfersberg, Via Roma, au coin de la Via Mazzini. Une entreprise baptisée TIMOIC SARL, import-export. Kopfersberg est le seul propriétaire. Vous avez ça aussi noir sur blanc.

– Bravo, Sgubin, fit Laurenti sur le ton du compliment, frappant deux fois dans ses mains. C'est déjà beaucoup en si peu de temps. Je vais regarder tout ça. Mais maintenant, tu devrais aller dormir. Tu es depuis vingt-quatre heures au turbin ou je me trompe ?

– Pas grave, répondit Sgubin avec un geste de protestation, encore une journée et j'aurai fini ma semaine. Cela me fera quatre jours de libres, je pourrai dormir tout mon soûl et aller me baigner. Trente-cinq heures, ça n'est tout de même pas le bagne. »

Il se leva et tendit la main à Laurenti pour prendre congé. Celui-ci sourit. Sgubin le surprendrait toujours, c'était un policier qui avait plaisir à travailler, qui s'efforçait, par principe, d'être toujours aimable et correct et ne se plaignait pas, comme beaucoup de ses collègues, s'il ne quittait pas le service pile à l'heure. Et pourtant Sgubin n'était ni un ambitieux, ni un lèche-bottes, espèce que Laurenti trouvait insupportable, ce dont il ne s'était jamais caché.

Laurenti décida d'aller lui-même faire un tour chez l'Autrichien, comme Sgubin l'avait suggéré. Il était impatient de faire la connaissance de la belle Signora Drakič et de ses amies, il avait surtout envie de voir comment vivait aujourd'hui son vieil ennemi Kopfersberg.

« Viktor ?

– Oui ? Ah, Tatia ! Qu'est-ce qui se passe ? Déjà levée ?

– Il est arrivé quelque chose à Bruno. La police est venue. Bruno n'est pas rentré cette nuit et ils ont retrouvé l'*Elisa* devant Santa Croce. Échoué sur la côte. Tu es au courant ? »

Silence sur la ligne pendant un moment, puis la voix d'homme :

« Non. Qu'est-ce qui s'est passé ? C'était quand ?

– Le flic vient de partir, répondit Tatiana qui semblait nerveuse.

– Quand a-t-on retrouvé l'*Elisa* ?

– Cette nuit ; un pêcheur, paraît-il. Le flic m'a posé toutes sortes de questions. Où se trouve le bureau, où Bruno avait l'intention d'aller, s'il lui était déjà arrivé de partir plus longtemps que prévu. Il a relevé mon identité, j'ai dû lui montrer mes papiers. Et puis je l'ai mis dehors.

– Et les filles ? questionna l'homme, qui paraissait inquiet.

– Quoi les filles ?

– Il a posé des questions ?

– Non. Il n'a rien remarqué, c'est exclu. Il y en avait deux dans le couloir quand il est entré, c'est tout. Il n'a pas eu l'air étonné, il n'a rien demandé.

– Quel genre, ce flic ?

– En uniforme, rien de particulier.

– Bon, mais où est Bruno ? Tu n'es au courant de rien ?

– Non, c'est bizarre. Cet imbécile a disparu depuis deux jours.

50

– Pourtant, tu le connais, Tatia ! Pourquoi t'énerver ? Je vais passer quelques coups de fil pour savoir si on l'a vu quelque part. Ce n'est peut-être qu'une coïncidence.

– Il faut réfléchir à ce qu'on doit faire. S'il ne réapparaît pas bientôt, ils vont encore poser d'autres questions. Tu peux passer ?

– Dans une heure, Tatia, dit Viktor. Au fait, Vienne, ça a marché, on a le contrat. Maintenant, toute l'aide à la Turquie passe par chez nous. Wolferer a été doux comme un agneau.

– Qui ça ?

– Wolferer. Le chef de l'administration compétente. Au début, il s'est un peu rebiffé. Mais il viendra à la soirée. Alors, on le tiendra définitivement. Il faut que tu trouves une idée géniale.

– Pas de problème, Viktor. Et appelle-moi si tu as des nouvelles de Bruno.

– Promis. À plus tard. »

La Drakič raccrocha.

12 h 55

Proteo Laurenti sortit du commissariat peu avant treize heures. Il quittait la pénombre et les couloirs obscurs de l'immeuble au pavement usé pour plonger dans la fournaise de midi. Il faisait trente-cinq degrés à l'ombre et la chaleur, vu le degré d'humidité de l'air, lui fit l'effet d'une étuve. Laurenti opta cependant pour la marche à pied. Il renonçait généralement à sa voiture quand il avait à faire au centre-ville. La sempiternelle recherche d'une place de parking lui faisait perdre un temps fou et il s'agaçait de tomber quasiment partout sur des parcmètres. Il préférait marcher, il était sûr d'arriver à l'heure. D'autres circulaient à scooter, c'est encore plus rapide. Mais l'idée d'un véhicule supplémentaire, d'une clé de plus lui était insupportable. Il lui arrivait déjà bien assez souvent d'oublier où il avait garé sa voiture et, quand il l'avait retrouvée, de ne plus avoir la clé. D'autre part, il se mettait régulièrement en boule quand, au feu rouge, des hordes de deux-roues se faufilaient sur sa droite et sur sa gauche pour lui passer devant. La ville était pleine de ces engins, il y en avait même de plus en plus. Écœurant ! Certains allaient jusqu'à s'appuyer sur sa voiture au passage. Anarchisme à l'état pur. Fallait les voir, dès quatorze ans, faire du gymkhana au milieu des automobilistes comme des kamikazes surentraînés. Sans parler des croulants. Des vieilles peaux sur des scooters ! Des vieux débris avec un pied dans la tombe ! Même quand il actionnait d'un coup la sirène de sa voiture de service, ça n'avait guère d'effet. Quand on a besoin de lunettes, on ne trouve pas non plus le Sonotone. Laurenti n'aimait pas conduire. C'était, pour lui, du temps perdu, car on ne peut rien faire d'autre que se concentrer sur la circulation. Sa voiture restait parfois garée plusieurs jours d'affilée sur le parking réservé ou ailleurs et, quand il l'avait enfin retrouvée, elle était recouverte d'une épaisse couche de poussière qui recouvrait une épaisse couche de poussière qui, elle-même… Il ne l'avait encore jamais lavée. Il avait souvent eu envie de faire l'échange : voiture de fonction contre chauffeur du parc automobile de la police. Mais cela ne lui convenait pas non plus, car toute minute d'attente lui semblait superflue. Demander à Marietta de lui commander une voiture avec chauffeur, c'en était trop. De plus, il faisait un très mauvais passager, ce qui, parfois, exaspérait Laura.

Son portable sonna alors qu'après San Antonio il descendait la Via della Torre, où des Noirs vendaient des ceintures, des montres extravagantes, des briquets et des lunettes de soleil teintées en rouge ou en vert. Y avait-il eu une vie avant le téléphone portable ? Il s'annonça tout en regardant sa montre. Pile treize heures. Il n'était plus bien loin du Da Primo.

« Proteo ? C'est moi, Laura. » Elle l'appelait enfin ! « Où es-tu ?

– J'ai rendez-vous avec Ettore pour le déjeuner. Dis donc, j'ai essayé plusieurs fois de te joindre. Tu sais que ta fille se présente à l'élection de Miss Trieste ?

– Et pourquoi tu t'énerves ? »

Laura connaissait parfaitement ce ton que prenait son mari.

« Parce que je ne veux pas que ma fille montre ses nichons à tout le monde, ni son cul. Voilà pourquoi ! »

Laura savait donc et ne lui avait rien dit.

« Cela serait trop demander si on en parlait d'abord ensemble, grommela Proteo. D'habitude, dans la famille Laurenti, on parle de tout et on ne se cache rien, même s'il n'y a pas de quoi crier bravo.

– Livia a vingt et un ans, Proteo ! Elle peut faire ce qu'elle veut. Tu exagères !

– Pas du tout ! Je n'ai pas envie de la voir bientôt à moitié nue dans le *Piccolo* ou un autre canard. Hobby : lecture et bains de soleil. Et puis, en août, elle tortille des hanches sous les projecteurs devant tous ces tarés et la moitié de la ville se touche en la lorgnant !

– Proteo ! Tu dérailles !

– Au fait, la nuit dernière, elle a découché, tout comme ton fils !

– Proteo, arrête ! »

Il était au moins arrivé à ce que Laura, elle aussi, soit de mauvaise humeur. Soucis partagés, soucis allégés.

« Tu es fou et, en plus, méchant, ajouta-t-elle. On en reparlera ce soir. Ne fais pas attendre Ettore. »

Elle raccrocha avant qu'il eût pu protester.

Laurenti regarda sa montre et constata que le coup de téléphone l'avait retardé. Mais il était déjà Via Santa Caterina da Siena, à deux pas du Da Primo. Il glissa l'appareil dans une poche de son pantalon et entra. La climatisation marchait à plein régime et il faisait au moins quinze degrés de moins que dehors. Laurenti jeta un coup d'œil à la ronde, mais Ettore était manifestement en retard, lui aussi. Laurenti décida de choisir une table à l'extérieur. Il s'épargnerait au moins cette horrible machinerie qui ne lui valait jamais qu'un nez bouché. Il ne supportait pas la climatisation. Dans les chambres d'hôtel, il lui était déjà arrivé d'en mettre hors d'usage à coups de couteau s'il n'arrivait pas à les débrancher. Il préférait suer sang et eau et tremper sa chemise bleue qui, une fois sèche, arborait de belles taches blanchâtres.

Il donnait souvent rendez-vous à Ettore au Da Primo, l'une des meilleures tables de Trieste pour le déjeuner. C'était, pour la ville, un restaurant typique, où l'on s'activait pour servir rapidement les clients, afin qu'ils puissent revenir à l'heure au travail.

Laurenti s'assit, commanda une carafe d'eau et un demi-litre de tokay. Vu la situation centrale du Da Primo, il dut saluer d'un signe de tête un certain nombre de visages connus, serrer une main par-ci par-là, échanger quelques paroles aimables – pour autant qu'il pouvait l'être après sa conversation téléphonique avec Laura. Il était heureux que personne ne lui parle de sa fille. Il avait l'impression que toute la ville était au courant et qu'on le montrait du doigt. Il ne s'agissait pourtant que d'une ligne au milieu d'un long article, d'un nom parmi cinquante. Qui se serait amusé à lire toute la liste ? Tout de même, il l'avait vu, lui, du premier coup d'œil...

Ettore Orlando arriva enfin.

« Excuse-moi, Proteo, tu sais ce que c'est ! »

Il se versa un verre d'eau et le vida d'un trait. Lui aussi avait de grosses taches de sueur sur sa chemise. Un ours comme lui devait souffrir encore davantage de la canicule.

« Qu'est-ce qui se passe ? interrogea Laurenti. À Trieste, on arrive à l'heure aux rendez-vous, généralement à la minute près. Si le capitaine des garde-côtes est en retard, c'est qu'il a dû se produire quelque chose.

– On a encore été obligé de saisir un cargo. Comme autrefois le *Capitaine Smirnov*, tu te souviens ? Espérons que, cette fois, ça ne durera pas aussi longtemps !

– Quel pavillon ?

– Ukrainien. »

Laurenti se souvenait parfaitement des trois navires qui étaient restés à l'ancre de 1995 à 1998 et qui virevoltaient au gré des courants ou des vents. À côté du *Capitaine Smirnov*, il y avait deux autres cargos russes, le *Katia* et l'*Ingénieur Ermoskine*, dont les propriétaires ne pouvaient plus payer les réparations, si bien que les bateaux avaient été saisis. On les avait d'abord stationnés devant le chantier naval, puis ils avaient mouillé à un quart de mille de la Riva Traiana. Ils étaient restés bloqués là trois ans, avec leurs équipages qui n'avaient pas d'argent pour rentrer chez eux, ni de visa pour se rendre à terre. Tout le monde, à Trieste, gardait en mémoire l'image de ces colosses en train de rouiller, solitaires et tristes. Lorsque le carburant avait été épuisé, qu'il était devenu impossible de faire marcher le moindre générateur pour produire de l'électricité ou du chauffage, de nombreuses quêtes avaient eu lieu en ville pour offrir aux marins de quoi subsister dans leur prison involontaire. Personne n'était venu les délivrer. Il avait fallu attendre l'été 1998 pour que cela change. Des entreprises américaines, travaillant en étroite collaboration avec la US Navy, avaient acheté les navires en prévision de la guerre au Kosovo et en

Macédoine, et s'en étaient servis pour le transport d'armes et de blindés entre les États-Unis et la Grèce. Deux d'entre eux avaient alors battu pavillon grenadin. Quant au *Capitaine Smirnov*, il n'avait pas eu de chance. On l'avait expédié à Fiume pour de nouvelles réparations. Il y était demeuré parce que les Américains à leur tour n'avaient pas payé la facture, et les marins n'avaient jamais vu venir la solde en dollars qu'on leur avait promise. L'équipage s'était donc trouvé prisonnier pour la cinquième année consécutive et le bateau était de plus en plus délabré. Les frais engagés par les chantiers navals et de nombreux artisans, en tout plus de cinquante millions de dollars, étaient restés impayés.

« Il y a du nouveau sur Kopfersberg, attaqua Ettore. Nous avons établi que le pilote automatique a été enclenché par 44° 32' 05" de latitude nord et 12° 43' 20" de longitude est. À partir de là, l'ordinateur a enregistré le parcours qui s'est effectué à la vitesse réduite de dix nœuds, jusqu'à ce que le yacht, six heures et quarante-trois minutes plus tard, percute le bouchot. Il avait parcouru tout juste soixante-dix milles marins. »

Laurenti avait écouté avec intérêt, mais il ne parvenait pas à se représenter concrètement ce que signifiaient tous ces chiffres. Impossible, cependant, de freiner le capitaine.

« Il a fait le plein avant de partir ; ça, nous le savons déjà. Dans le réservoir manquent seize cent quatre litres de Diesel, il en contient quatre mille. Vu la distance, le Feretti n'a pas dû consommer énormément, disons qu'avec quatre cents litres il s'en est tiré. Reste une différence inexpliquée de douze cents litres avec lesquels, si l'on conduit à l'économie, on peut faire un beau petit voyage. Dans les deux cents milles marins ou, pour des terriens comme toi, environ trois cent soixante-dix kilomètres. Tu n'as plus qu'à prendre un compas, à le piquer sur une carte à l'endroit où le pilote automatique a été enclenché et à chercher à l'intérieur du cercle. Sauf s'il a fait du charbon en route. »

Orlando ingurgita deux sardines *al savor*. Laurenti saisit sa chance.

« Où dis-tu que le pilote automatique a été enclenché ?

– Par 44° 32' 05'' de latitude nord et… »

Laurenti, dépassé, haussa les épaules.

« Traduis pour un nul en navigation !

– À la hauteur des Lidi Ferraresi, delta du Po, presque dix milles en pleine mer, environ dix-huit kilomètres de la côte. Exactement à 22 h 11.

– Ah bon ! »

Laurenti perdait pied, fronçait les sourcils. Orlando comprit que le biffin ne suivait plus. De l'ongle de son pouce droit, il traça sur la nappe blanche les contours de l'Adriatique, l'embouchure du Pô, Ferrare, Venise et Trieste et planta un énorme index velu à l'endroit concerné.

« Ici ! »

Laurenti comprit.

« Dans les eaux territoriales italiennes ?

– Absolument. La zone internationale ne commence qu'à douze milles de la côte.

– Je l'aurais cru beaucoup plus loin, au sud-est.

– Écoute, fit Orlando, consterné devant tant d'incompréhension, comme je te l'ai déjà dit, il manquait beaucoup plus de carburant, mais il n'aurait pas pu filer directement du sud-est vers Trieste, il se serait échoué en Istrie, entre Pula et Rovinj. »

Il compléta son schéma sur la nappe en esquissant, du pouce, les contours de la péninsule istrienne.

« Je comprends, dit Laurenti, plissant le front tant qu'il pouvait. Tu as dit dans les eaux territoriales italiennes. Les bateaux sont enregistrés par les garde-côtes ?

– Seulement s'ils viennent d'ailleurs ou s'ils restent au port comme hôtes de passage, répondit Orlando.

– À dix-huit kilomètres de la côte, reprit Laurenti, c'est là que le pilote automatique a été enclenché ? »

Orlando opina.

« Cela voudrait dire que l'Autrichien a disparu entre ce point-là et Trieste.

– Ou qu'on l'a fait disparaître, quelqu'un qui était avec lui sur le bateau et qui est rentré sur un autre. Ou qu'il est passé par-dessus bord, qu'il a raté le canot et qu'il s'est noyé quelque part ou bien qu'un petit poisson l'a mangé. Mais il y a autre chose. Le câble du treuil de poupe s'est entièrement déroulé. L'*Elisa* traînait ses cent cinquante pieds derrière lui. Au bout, il y avait un nœud coulant. L'identité travaille encore dessus. Et les défenses de tribord étaient sorties, elles seules, pas celles de bâbord. Quelqu'un a dû l'aborder, sinon on ne navigue pas comme ça. Puis la gaffe s'est prise dans l'une des défenses. Là aussi, on regarde de près. Enfin, ça va t'intéresser : à certains endroits, il n'y a plus d'empreintes digitales. On les a tout simplement effacées.

– Merde, dit Laurenti, que ce détail réjouissait peu. C'est la corvée. Je peux faire une croix sur les vacances d'été.

– Probable, acquiesça Ettore Orlando. Tu auras pas mal de boulot, je le crains ! »

Devant un palais datant de l'époque mussolinienne, au coin de la Via Roma et de la Via Mazzini, où loge la filiale de la Deutsche Bank, Orlando et Laurenti bavardèrent encore un moment avant de se séparer. Ils pestèrent contre la laideur des deux statues de bronze qui s'élèvent devant ce bâtiment si différent des palais cossus qui l'entourent et qui témoignent de l'immense richesse du Trieste d'autrefois. Quant au style, en par-

tie viennois, en partie italien, avec des zestes d'archi-
tectures néoclassique, byzantine et Art nouveau : c'est
cela, Trieste. De grands et lourds immeubles de l'époque
de Marie-Thérèse, qui a fait construire ce quartier selon
un plan strictement géométrique. Sur le Canal Grande,
on trouvait encore à l'ancre, dans les années vingt, de
petits navires marchands, principalement des deux ou
trois-mâts. Le marché de la Piazza Ponterosso, toute
proche, avait dû être jadis florissant.

Selon Orlando, ce n'était pas un hasard si la Deutsche
Bank s'était justement installée dans cet immeuble,
comme si Trieste n'offrait pas d'autres possibilités.

« Les puissants affichent leur puissance », dit-il en
abattant sa grosse patte sur l'une des statues qui répondit par de sourdes vibrations métalliques. Deux passants se retournèrent, interloqués. « Ils vont nous
racheter le pays jusque sous nos fesses. »

Le numéro 7 de la Via Roma hébergeait également
les bureaux de l'Autrichien. On n'était qu'à quelques
pas du Da Primo et Laurenti avait envie de jeter un
coup d'œil chez Kopfersberg et de parler avec les
employés. Peut-être apprendrait-il d'eux quelque chose
qui l'aiderait à retrouver le disparu.

Impossible de manquer la TIMOIC qu'annonçait une
grande plaque de cuivre. Juste à côté, une série de son-
nettes, dont deux pour la firme de l'Autrichien. Il
devait s'agir de vastes bureaux, car, dans ces immeubles,
les étages sont immenses. Laurenti leva les yeux et
regarda droit dans l'objectif de la caméra vidéo installée juste au-dessus de l'entrée, certainement à cause de
la banque. À Trieste, cet équipement était rare, la criminalité restait trop limitée pour que l'investissement
soit rentable. Laurenti ignorait s'il était d'abord filmé.
À tout hasard, il tendit sa carte professionnelle dans la
direction de l'objectif. Après un bref déclic, il poussa
la lourde porte de chêne. Il se trouva au pied d'un

gigantesque escalier d'environ cinq mètres de large, dont la première volée était bordée d'une balustrade en pierre de taille. Un tapis rouge l'invitait à monter. Laurenti scruta les murs ornés de motifs en stuc sur fond de faux marbre, à la recherche d'une indication concernant les bureaux de la TIMOIC. Il s'engagea dans l'escalier. À mi-étage, il aperçut une porte d'ascenseur, appuya sur le bouton et attendit que la cabine descende en brinquebalant. Mais même à l'intérieur, il ne trouva aucune information. Il continua à pied, examina les portes d'entrée avec leurs poignées en cuivre, mais sans plaque. Il dut grimper jusqu'au troisième étage pour trouver la bonne porte. Il sonna, un nouveau déclic déclencha l'ouverture. Il entra et se trouva dans un hall d'une taille impressionnante, où il n'y avait personne. « Kopfersberg a fait son chemin, pensa-t-il ; le bureau, le yacht, la villà… » Il traversa le hall d'entrée et jeta un coup d'œil dans un couloir désert.

« Bonjour, excusez-moi… » lança-t-il en s'avançant.

C'est alors qu'une voix de femme retentit derrière lui :

« S'il vous plaît ! »

Laurenti se retourna et découvrit un autre couloir qui partait de l'entrée. À la porte d'un bureau, une jeune femme d'environ vingt-cinq ans : ample chemisier noir sous lequel transparaissait un soutien-gorge blanc, courte, très courte jupe noire, longs cheveux roux retenus par un serre-tête, teint bronzé, mais pas très jolie.

« Vous désirez ? demanda-t-elle.

– Je souhaite rencontrer le Signor de Kopfersberg.

– Il n'est pas là !

– Quand rentre-t-il ?

– Je ne sais pas. Qui êtes-vous ?

– Police judiciaire, dit Laurenti en sortant sa carte. Qui le représente ?

– Que se passe-t-il au sujet de M. de Kopfersberg ? contra la jeune femme.

– Vous n'êtes pas au courant ? fit Laurenti en cherchant le regard de son interlocutrice. Votre chef, je suppose que c'est votre chef, est porté disparu.

– Disparu ? répéta-t-elle en ouvrant des yeux ronds.

– Oui, peut-être même mort.

– Mais c'est épouvantable ! s'écria la jeune femme, profondément bouleversée.

– N'est-ce pas ? Épouvantable ! Et vous, qui êtes-vous, si je puis me permettre ?

– Renata Benussi, secrétaire.

– La secrétaire du Signor de Kopfersberg ?

– Non, je suis à l'accueil.

– Quand l'avez-vous vu pour la dernière fois ?

– Lundi matin, avant son départ, il est passé au bureau.

– À quelle heure ?

– Comme d'habitude, vers neuf heures et demie.

– Et où allait-il ?

– Voyage d'affaires.

– Je ne vous demande pas le motif, mais la destination. »

Ou bien la jeune femme n'était pas particulièrement futée, ou bien elle ne savait pas grand-chose.

« Je l'ignore. Je ne suis pas au courant de ses rendez-vous.

– Combien de personnes travaillent ici ?

– Quatre. Cinq avec moi.

– Et de quelle nature sont les affaires de la TIMOIC ?

– Import-export.

– Je voudrais parler à quelqu'un. Qui représente de Kopfersberg ?

– C'est le docteur Drakič.

– Il est là, lui, au moins ?

– Désolée. Malheureusement non.

« – Drakič, avez-vous dit ? interrogea Laurenti qui entendait ce nom pour la deuxième fois de la journée. N'est-ce pas ainsi que s'appelle…

– Oui, Tatiana. C'est son frère.

– Tatiana comment ?

– La fiancée du chef.

– Sa fiancée, bien sûr, fit Laurenti en jetant un coup d'œil autour de lui. Elle travaille ici aussi ?

– Tatiana ne travaille pas. Mais qu'est-ce qui s'est passé ? demanda la jeune femme, chez qui la peur faisait place à la curiosité. Rien de grave, j'espère.

– Ne vous faites pas de souci. Je vous ai dit qu'au pire il était mort. »

Il ne tirerait rien de cette créature. Il l'avait compris immédiatement et ne le cachait pas.

« On ne plaisante pas avec ça, dit-elle en se signant. Faut que je raconte aux collègues...

– Pas si vite, Signorina, fit Laurenti avec autorité. Quand le docteur Drakič doit-il rentrer ?

– Il n'a rien dit.

– Autre question : vous avez dit que vous travailliez ici à cinq. Pourquoi avez-vous besoin d'autant d'espace ?

– Je me le suis souvent demandé », répondit Renata Benussi du tac au tac.

« Renata ! » Une voix de femme au ton sévère. La secrétaire se retourna, avec tout le respect qu'elle devait manifestement à une supérieure.

« Oui ?

– Que racontez-vous ? Et à qui ? »

Une dame très soignée d'environ cinquante-cinq ans, encore extrêmement séduisante, s'avança vers eux d'un pas énergique.

« Renata, regagnez votre bureau !

– Mais monsieur dit qu'il est arrivé quelque chose au patron, protesta-t-elle.

– Je vous ai dit de regagner votre bureau ! » répéta la dame d'un ton péremptoire. Renata Benussi, intimidée, obéit. La scène avait piqué la curiosité de Laurenti.

« Bonjour. Je suis Eva Zurbano. Je dirige ce bureau. Et vous, qui êtes-vous ? »

Laurenti se présenta.

« Tatiana Drakič nous a déjà informés, déclara la Signora Zurbano d'un ton distant. Le Signor de Kopfersberg est parti lundi pour quelques jours. Il avait l'intention de rentrer hier soir. Nous nous faisons du souci. Savez-vous où il est ? »

Laurenti hocha négativement la tête.

« Non, malheureusement. Où voulait-il aller ?

– Il voulait prendre quelques jours de détente. D'habitude, il part avec son yacht, l'*Elisa* et s'en va au petit bonheur. »

Eva Zurbano se retourna, manifestement pour vérifier si Renata était encore dans le couloir.

Celle-ci était bien entrée dans un bureau, mais elle avait laissé la porte ouverte.

« Je dois vous poser quelques questions. Nous n'excluons pas l'hypothèse d'un crime. Kopfersberg avait-il des ennemis ?

– Pas que je sache.

– Dans quelle branche travaillez-vous ?

– Cela est-il important ? rétorqua la Signora Zurbano, dont l'œil s'assombrit. Import-export, comme Renata vous l'a déjà dit.

– Quelles marchandises ? »

Laurenti n'avait pas l'intention de se laisser bluffer. Dans son enquête, vingt-deux ans auparavant, il en avait appris aussi peu qu'aujourd'hui.

« De tout. Du fret, des conteneurs, des marchandises de toutes sortes. Des machines, des véhicules, etc.

– De quelle provenance et pour où ? »

La Zurbano haussa les épaules.

« Partout où Trieste se trouve en position favorable. Du sud-est au nord-ouest, et réciproquement.

– Qu'entendez-vous par là ?

– Israël, la Turquie, la Grèce, les Balkans, la France, la Belgique, la Hollande, l'Autriche, l'Allemagne, la Suisse. Mais qu'est-ce que cela a à voir avec la disparition du Signor de Kopfersberg ? »

Pour Laurenti, il était clair qu'Eva Zurbano n'en dirait pas plus sur les affaires de la maison. Il finirait bien par tout savoir un jour.

« Kopfersberg a-t-il de la famille ?

– Il vit avec Tatiana Drakič dans sa villa de la Via dei Porta. Son fils travaille à Vienne. Spartaco de Kopfersberg. Mais, pour autant que je sache, vous ne pourrez pas le joindre. Bruno a dit qu'il était parti en vacances. »

Il n'avait pas échappé à Laurenti qu'Eva Zurbano appelait familièrement son chef par son prénom. Elle lui avait également rappelé le prénom peu commun du fils.

« Depuis combien de temps travaillez-vous ici ?

– Depuis une éternité ! Le 12 septembre, il y aura vingt-cinq ans. »

Laurenti fit mentalement le calcul, cela remontait donc à 1974. Cela signifiait qu'il avait déjà dû l'interroger en 1977, mais il ne se souvenait pas d'elle, ni apparemment, elle de lui.

« Vous dirigez le bureau, disiez-vous. Mais la secrétaire m'affirmait qu'un certain Drakič représentait Kopfersberg. Au fait, est-il apparenté à Tatiana Drakič ?

– Renata parle trop. Le docteur Drakič est fondé de pouvoir, tout comme moi. Mais il n'est que depuis quatre ans parmi nous. C'est bien le frère de Tatiana.

– Où est-il ? J'aimerais lui parler.

– Il a un rendez-vous à l'extérieur et je suis incapable de vous dire quand il rentrera.

« – Pourriez-vous me montrer le bureau du Signor de Kopfersberg ?

– C'est tout à fait exclu, fit Eva Zurbano d'un ton cassant. Quel serait le motif ?

– J'aime bien me faire une idée des gens que je recherche. Si nous devons le retrouver, plus nous en saurons sur lui, plus cela nous facilitera la tâche.

– Non, c'est impossible, répéta Eva Zurbano, glaciale ; on n'introduit pas de personnes étrangères dans le bureau de qui que ce soit en son absence !

– Alors montrez-moi l'agenda de votre chef. Cela me fournira peut-être un indice quant à sa destination. »

Mais ce ballon d'essai était, dès le départ, voué à l'échec.

« Il n'en a pas ! »

Eva Zurbano restait inflexible ; de plus, elle regardait ostensiblement sa montre.

« Un bien grand bureau pour seulement cinq personnes, remarqua Laurenti.

– Nous ne sommes pas à l'étroit, c'est un fait. »

Eva Zurbano lui ouvrit la porte d'entrée.

« Je suis désolée de ne pouvoir vous aider davantage, dit-elle ; un rendez-vous m'attend. »

Elle lui tendit la main et le poussa dehors.

« À bientôt ! » dit Laurenti avec aigreur.

Tout en descendant lentement l'escalier, il réfléchit à la curieuse façon dont il avait été reçu. Quelque chose ne collait pas. Pourquoi la Zurbano se montrait-elle si peu disposée à coopérer, pourquoi avait-elle expédié Renata Benussi et pourquoi Tatiana Drakič avait-elle été si désagréable, dès le matin, alors que le sous-chef Sgubin s'était, sans aucun doute, comporté tout à fait correctement ? Cette entreprise cachait quelque chose de louche.

Et surtout, Laurenti n'arrivait pas à admettre qu'Eva Zurbano ait déjà eu, à l'époque où Elisa avait disparu, partie liée avec Kopfersberg, qu'il ait donc dû l'interroger et qu'elle ne se souvienne pas de lui. La dame n'était tout de même pas n'importe qui. Laurenti voulait voir le dossier de 1977 le plus tôt possible sur son bureau, il avait hâte de le consulter. Il essayait de se souvenir, ce qui n'était pas bien difficile, car il n'avait jamais digéré la défaite qu'il avait alors subie. Kopfersberg, quel nom et quelle histoire ! Grâce à cet homme, Laurenti avait beaucoup appris sur Trieste, où il venait d'être nommé et qu'il espérait quitter le plus vite possible pour un coin plus vivant et plus familier. Il s'assit sous les marquises du Caffè Stella Polare, devant San Antonio, et laissa libre cours à sa mémoire. Kopfersberg avait jadis étalé devant lui toute l'histoire de sa famille et Laurenti, poussé par la curiosité, avait enquêté pour combler les lacunes que celui-ci avait laissées dans son récit. Il se remémorait parfaitement la conversation. Kopfersberg était assis dans un profond fauteuil de cuir, un cigare dans une main, un verre de cognac dans l'autre, tandis que Laurenti avait dû se contenter d'une chaise assez inconfortable.

Kopfersberg était issu d'une vieille famille autrichienne qui s'était installée à Trieste en 1839. Son arrière-grand-père, Joseph de Kopfersberg, un nobliau de la province de Styrie, avait débuté comme officier de marine, puis avait rejoint la Lloyd de Trieste, société par actions fondée en 1836, qui assura bientôt les liaisons maritimes avec le Levant, l'Inde et l'Extrême-Orient. Après l'ouverture de la « ligne du sud », la première voie ferrée entre Vienne et Trieste, en 1857, et du canal de Suez en 1869, la ville prit la dimension d'un port international et d'un centre financier de premier ordre. « C'était une époque d'innovation et de croissance ; l'esprit d'entreprise était recherché et récompensé », avait dit Kopfersberg avec ostentation, comme s'il y était. Au cours des décennies suivantes, la population de la ville s'accrut dans des proportions uniques en Europe.

En 1829, la première hélice avait été testée dans le golfe de Trieste. En 1861, on y avait construit la première frégate blindée. En 1866, le vaisseau amiral italien *Re d'Italia* y avait été coulé suite à un légendaire éperonnage. La même année avait été expérimentée la première torpille, invention de l'Anglais Robert Whitehead qui exerçait non loin de là, au Stabilmento Technico de Pula. Le ministère de la Guerre autrichien avait d'ailleurs négligé, en acquérant cette arme, d'interdire à l'Anglais de vendre son invention à d'autres pays. Finalement, le port de Venise avait perdu définitivement son rôle prépondérant dans l'Adriatique au bénéfice de Trieste. Laurenti s'était mordu la langue pour ne pas ajouter : « Tout cela sous l'égide d'une peuplade descendue de ses montagnes ! » Kopfersberg n'aurait certainement pas apprécié la plaisanterie.

Le fils du fondateur, Joseph Franz von Kopfersberg, avait ouvert une maison de commerce à Trieste, la SA Sud-Commerce, dans laquelle avait fini par entrer Joseph Albert von Kopfersberg, père de Bruno, qui, après la Première Guerre mondiale, avait donné à son nom une tournure italienne en transformant le « von » en « de ». Sa femme Camilla l'appelait Alberto. Elle appartenait à une riche famille italienne, qui avait fini par associer Joseph Albert à ses affaires après la faillite de la SA Sud-Commerce. Camilla avait baptisé son fils du nom de son propre père, interrompant ainsi la lignée des Joseph. Bruno était resté l'enfant unique (et tardif) de son père. Il était né à Trieste le jour du cinquante-huitième anniversaire de celui-ci, le 15 novembre 1943. La ville était occupée par les nazis et déclarée « zone opérationnelle de la côte adriatique ». Le général SS Odilo Globocnik faisait incendier les villages du karst qu'il suspectait de cacher des partisans, et ses sbires avaient déporté à Auschwitz les derniers Juifs demeurés en ville. Le bourreau sanguinaire avait également la haute main sur la Risiera di San Sabba, le seul camp d'extermination allemand sur le sol italien. Son four crématoire avait été construit par les « spécialistes » qui avaient déjà édifié celui de Treblinka. Le bruit avait couru que Globocnik s'était suicidé en 1945 pour éviter d'être arrêté. Ce n'est que beaucoup plus tard qu'on avait appris qu'il avait vécu en Californie à partir de 1955 et qu'il y était mort en 1977.

Joseph Albert de Kopfersberg avait rapidement adhéré au parti de Mussolini et gagnait bien sa vie. Bruno de Kopfersberg avait d'abord grandi à Trieste, puis il avait été confié à un internat autrichien, où il avait passé son baccalauréat. Il s'était inscrit à l'université de Vienne, en faculté de droit, mais n'avait pas achevé ses études. À vingt-quatre ans, il s'était fait embaucher par l'un des plus importants affréteurs d'Autriche et il avait très vite appris à vendre aux entreprises autrichiennes des mètres cubes utilisables sur les voies maritimes internationales. Du Danube à l'Adriatique, Bruno de Kopfersberg avait bientôt disposé d'un remarquable réseau de relations dans cette branche qui opérait surtout par téléphone ou par télégraphe. En 1971, il était revenu à Trieste avec sa femme Elisa, qu'il avait épousée à Vienne et qui était à la veille d'accoucher, pour s'établir à son compte, comme courtier spécialisé dans l'import-export, en fondant la TIMOIC.

Le 14 septembre 1977, Bruno de Kopfersberg avait déclaré à la police maritime que sa femme avait disparu. Ils étaient sortis en mer avec le yacht et avaient jeté l'ancre face à la Costa dei Barbari. Elisa avait voulu nager, elle s'était soudain mise à crier, comme prise de panique, elle avait coulé et n'avait plus reparu.

Aussi simple que cela. Son mari n'avait pas la certitude que le requin y soit pour quelque chose, bien qu'il ait longtemps cherché. Les garde-côtes avaient poursuivi les recherches. Son fils Spartaco avait six ans à l'époque. Il était resté sous la garde de deux amies d'Elisa. Une enquête avait été ouverte, Bruno avait subi plusieurs interrogatoires, son petit yacht, le premier à lui appartenir, avait été examiné centimètre par centimètre, mais l'affaire s'était conclue sur un non-lieu.

C'était la première enquête dont Laurenti était entièrement responsable et il avait échoué lamentablement. Il était convaincu que Bruno de Kopfersberg mentait, mais il avait été incapable d'en apporter la moindre preuve. Pourtant, les indices ne manquaient pas. Proteo Laurenti n'était alors que depuis deux ans à Trieste. À la sortie de l'école de police de Cesena, on l'avait d'abord nommé à Crémone, puis à Vicence. Il était bien noté et son supérieur hiérarchique de l'époque était très bien disposé à son égard. Il avait soutenu sa candidature à un poste dans la police nationale.

Vingt-deux ans après, Bruno de Kopfersberg, l'homme qu'il avait alors soupçonné, avait probablement, lui aussi, péri en mer. Avait-il été assassiné ? L'assassin serait-il, cette fois, condamné ? Cette coïncidence obsédait Laurenti. Il se força à reprendre pied dans le présent et quitta le café pour retrouver, dans la rue, le violent contraste entre la lumière du soleil et l'ombre portée par les grands immeubles.

Il était déjà quinze heures trente lorsque son portable lui confirma qu'il était bien revenu dans la réalité. L'écran lui annonça que l'appel venait de son secrétariat.

« Marietta, qu'est-ce qui se passe ?

– *Ciao*, Proteo. Réunion à dix-huit heures chez le questeur à propos des clandestins. On vient de me prévenir.

« – Avec qui ?

– Grand raout ! »

Cela signifiait que les responsables des différents corps de police étaient convoqués et que la réunion était de première importance. Marietta et son chef avaient, depuis des années, leurs formules de connivence.

« Fichtre ! J'espère que ça ne va pas durer une éternité !

– Je ne crois pas. La moitié du personnel est en vacances. Tu échappes certainement aux pires bavards. D'autres projets ?

– Encore une réunion, Marietta, mon ange. Le conseil de famille siège ce soir.

– Sois clément, Proteo. Au fait, le questeur s'est inquiété de Kopfersberg.

– Le questeur ? »

Laurenti s'étonna. Comment le préfet de police pouvait-il déjà savoir que l'Autrichien avait disparu ?

« Diable ! En quoi cela intéresse-t-il le grand chef ?

– Moi aussi, ça me surprend, répondit Marietta. Il voulait juste savoir ce qui s'était passé et si on avait avancé.

– C'est tout ? »

En fait, Laurenti avait de bons rapports avec le premier policier de Trieste. Aimable autant que la hiérarchie le permettait, le questeur estimait le chef de la police judiciaire pour son caractère pondéré et prudent, mais surtout pour ses enquêtes généralement rapides et efficaces. Cependant, cela semblait toujours bizarre que le questeur s'intéresse personnellement à une affaire.

« Le ton n'avait rien d'anormal.

– Soit. De toute façon, je saurai bien assez tôt ce qu'il en est. Autre chose ?

– Rien d'important. Encore une victime de la canicule et la température va encore grimper. »

Avec cette chaleur, les personnes âgées tombaient comme des mouches. Et des personnes âgées, il y en a à Trieste plus qu'ailleurs. Vivant seules et ne pouvant compter que sur elles-mêmes, les jeunes étant partis depuis longtemps vers des contrées plus attirantes où il semble y avoir plus d'avenir. Quand on n'a plus de famille en ville, ni même d'amis, il peut arriver qu'une odeur pestilentielle s'échappe d'un appartement et l'on est obligé de vérifier s'il s'agit d'une mort naturelle ou violente. Cela fait malheureusement partie des tâches tout ce qu'il y a de plus routinières lors d'une vague de chaleur. Laurenti était heureux d'y échapper depuis des années. En revanche, les jeunes collègues devaient s'y atteler. Tristes affaires pour un début de carrière.

« Je repasserai au bureau vers cinq heures et demie, dit Laurenti.

– Je serai partie, entendit-il. Je vais nager.

– Ne te noie pas, j'ai besoin de toi ! »

Laurenti regarda sa montre, il était quatre heures et quelques. Il avait encore le temps de passer au *Piccolo* pour voir ce qu'il était possible de faire contre ce stagiaire qui devenait fou avec sa campagne pour la morale et les bonnes mœurs.

Le numéro 1 de la Via Guido Reni ne constitue pas la pire des abominations construites à une époque où l'on revendique à cor et à cri d'être moderne. Au-dessus des bureaux trône, en grands caractères bleus, l'enseigne lumineuse du *Piccolo*. L'immeuble n'est pas le seul à être horrible dans ce quartier qui prolonge le Borgo Giuseppino. La piscine municipale, encore moins esthétique, doit bientôt faire la connaissance des démolisseurs. Le plus hideux est un building aberrant au sommet duquel s'inscrit au néon « Lloyd Trieste Assicurazioni » et dont la laideur pompeuse bouche la vue sur le port et le golfe. Voilà ce que toutes les villes d'Europe ont en commun : ces corps étrangers dans les failles de la vieille substance, dont la croissance était autrefois soigneusement planifiée. On trouve toujours un maire ou un conseiller municipal disposé à tenir un discours *ad hoc* lors de l'inauguration de ces monstres : « … esprit d'entreprise… preuve de vitalité… ville à tort décriée comme étant provinciale… manifestation du progrès ». Applaudissements, bénédiction de l'immeuble, on trinque et, le lendemain, article dans le journal local avec photos du promoteur et du maire. Il arrivait à Laurenti de souhaiter le rétablissement de la peine capitale, avec exécution publique, pour des crimes aussi graves contre l'esthétique. À l'intention des architectes et des urbanistes.

Proteo Laurenti se fit annoncer auprès de Rossana di Matteo et emprunta l'ascenseur de l'immeuble principal qui abritait les grands bureaux de la rédaction et de l'administration. Les néons étaient allumés en permanence, même de jour. Chaque rédacteur avait son pré carré avec ordinateur, séparé des autres par une mince cloison mobile à mi-hauteur, dont le bleu jurait avec le gris-vert du linoléum qui cachait le plancher. Il y avait longtemps que les journalistes ne levaient plus la tête quand quelqu'un passait dans le couloir, même s'il s'agissait d'un inconnu. C'est qu'il allait chez l'un ou chez l'autre. Personne ne venait ici pour se promener.

Seuls les chefs de service avaient leur propre bureau, bien que le terme soit quelque peu excessif. Le bureau en question était isolé du brouhaha ambiant par des parois vitrées. Sinon, il ne se distinguait en rien des autres postes de travail. Le mobilier était de la même sobriété. Partout les mêmes outils. Il n'y avait même pas, comme dans les vieux films, des persiennes qui permettent de se couper du monde extérieur lorsqu'il s'agit de choisir la manchette sur laquelle tout va se jouer.

C'est dans un réduit de ce type que Rossana di Matteo rédigeait, depuis cinq ans, les pages locales du *Piccolo*. En dehors des petites annonces, c'était la rubrique la plus importante du journal, pour laquelle travaillaient presque la moitié des journalistes. La promotion de Rossana n'était pas allée, à l'époque, sans protestations ni murmures de la part des collègues. Certes, son travail journalistique était apprécié de tous, mais certains confrères masculins se considéraient naturellement comme mieux qualifiés. Rossana di Matteo avait été la première femme à devenir leur chef. La décision des propriétaires, considérée comme irréversible, s'était rapidement montrée parfaitement justifiée. Le *Piccolo*, qui n'avait pas de concurrent, avait alors enregistré une augmentation de ses ventes de quelques milliers d'exemplaires – un vrai miracle pour un journal régional. Rossana di Matteo avait invité la rédaction à traiter de façon plus ouverte les questions de politique locale, à faire une plus large place au conflit qui divisait la ville, quitte à parfois jeter de l'huile sur le feu. De plus, elle avait radicalement transformé la « chronique noire » qui rendait compte, par le mot et par l'image, des « bons » côtés de la vie, de l'accident de la route au crime de sang. Il fallait en donner davantage au bourgeois, même ici, dans cette ville calme qui n'occupait pas la tête de liste dans les statistiques de la criminalité italienne. Transparence, telle était sa formule magique. « Une photo, martelait-elle devant les reporters, ça peut se prendre sous des angles différents. N'hésitez pas à vous mettre à genoux, couchez-vous dans la boue, bougez, cherchez l'image spectaculaire. Ce que vous montrez doit être fort, essentiel, du moins si impressionnant que celui qui regarde ne puisse faire autrement que d'en parler. Excluez la banalité. » Elle se donnait énormément de mal pour discuter en détail, avec ses collaborateurs, articles et photos, et pour leur expliquer ce qu'elle voulait et pourquoi. Le matin, elle était la première arrivée au bureau et, le soir, la dernière à le quitter. Mais à l'époque, son succès professionnel, qui ne faisait aucun doute, avait coïncidé avec une terrible épreuve familiale.

Sa vie apparemment heureuse, du moins vue de l'extérieur, avait été bouleversée, après d'innombrables disputes, par le suicide de son mari qui, sans laisser le moindre mot d'adieu, était tombé du haut de la falaise, du sentier Rilke, à proximité du château de Duino. Personne n'avait cru à un accident. Leur fille Antonella avait rendu sa mère responsable de l'horrible mort de son père. Elle qui était, jusque-là, la meilleure de sa classe, s'était retrouvée en échec à l'école, avait perdu plus d'un cinquième de son poids et refusé le dialogue avec sa mère. À quinze ans, elle s'était mise à traîner la nuit dans les bars et, plusieurs fois, une patrouille avait dû la ramener à la maison, soûle et shootée à mort. Toutes les tentatives de Rossana pour parler avec elle avaient échoué. Antonella refusait d'admettre le fait que son père n'avait pas eu de problèmes qu'avec sa mère, mais aussi en affaires, et qu'il s'était retrouvé dans une situation désespérée. Sur l'insistance des Laurenti, qu'Antonella, elle aussi, aimait bien, mère et fille avaient fini par accepter d'être prises en charge par un psy et, quelques mois plus tard, on avait décidé en commun qu'Antonella retournerait à l'école, non pas à Trieste, mais dans un internat irlandais. L'Irlande – personne ne savait pourquoi – avait toujours été le rêve secret d'Antonella. Sa chambre s'ornait de posters représentant de vertes étendues mouillées surplombant des côtes sauvages et elle avait lu, depuis longtemps, l'essentiel de la littérature de ce pays.

Après ce malheureux événement, Laura et Proteo Laurenti s'étaient beaucoup occupés de Rossana et de sa fille. Toutes deux avaient porte ouverte chez leurs amis, elles faisaient pratiquement partie de la famille.

Depuis quelque temps, Rossana allait mieux et Antonella était enfin, malgré son retard, sur le point de passer son baccalauréat.

« Oh ! Oh ! L'exécutif rend visite au quatrième pouvoir ! Quel honneur ! »

Rossana di Matteo, qui était venue à sa rencontre, l'embrassa sur la joue.

« Comment vas-tu ?

– Je dirais plutôt qu'un petit flic rend visite à la grande prêtresse de la faveur populaire. Tu as l'air en forme, Rossana. Pourquoi diable la bigamie est-elle interdite dans ce pays ?

– Proteo, ne joue pas avec le feu ! Je dis tout à Laura. »

Ce petit jeu entre eux était presque aussi ancien que leur amitié, il datait de la seconde grossesse de Laura. Rossana di Matteo avait, pendant quelque temps, « tenu la main », comme elle disait, de Proteo, alors que Laura, avec son gros ventre et sa première fille, avait fui la canicule pour se mettre au frais à la campagne. Proteo et Rossana s'étaient alors dangereusement rapprochés et ils avaient dû sérieusement se raisonner pour mettre fin à cette petite affaire. Ce secret les liait depuis dix-neuf ans.

« Comment ça ? Je n'ai pas envie de la tromper. Je vous veux toutes les deux. C'est grave ?

– Trop tard. Je suis vieille, tu es vieux. Point mort. Reste le travail, mon cher !

– N'exagère pas ! Nous ne sommes même pas quinquagénaires et on ne peut pas dire qu'il se passe tant de choses, Rossana ! Nous sommes en plein été.

– C'est toi qui le dis. Proteo ! Une dépêche vient de tomber, qui annonce que l'aide de l'Union européenne à la Turquie, suite au tremblement de terre, passera par

75

Trieste. Ils sont encore traumatisés par les manigances autour de l'aide au Kosovo et ils espèrent que notre belle province endormie sera plus fiable. Pas étonnant, à Bari, les conteneurs sont toujours à l'abandon, en plein soleil, et se dégradent. Et le responsable de l'administration, à Vienne, a donné une interview spectaculaire. Il s'appelle Wolferer, il semble qu'il s'agisse enfin – une fois n'est pas coutume – d'un fonctionnaire énergique qui se préoccupe moins de respecter les directives que de faire avancer les choses efficacement. On n'est pas à l'abri d'une bonne surprise. Et puis la bagarre entre ville et région, à propos de la répartition des crédits ! Je ne sais pas si tu as lu ça. Les conservateurs veulent se venger parce qu'ils ne gouvernent pas la ville. En plus, toujours cette incertitude sur notre avenir, au journal. Vraiment pas clair, chaotique. »

Un an auparavant, les anciens propriétaires du *Piccolo* l'avaient vendu à un grand groupe de presse italien auquel appartenaient déjà d'autres journaux régionaux. On parlait beaucoup de restructuration, on craignait en particulier que tout ce qui ne concernait pas directement la ville et ses environs ne soit rédigé par la centrale. La politique, l'économie et la culture seraient traitées à coup sûr de façon identique pour toutes les feuilles du groupe, par une lointaine rédaction, ce qui coûterait un maximum d'emplois si l'on ne parvenait pas à s'y opposer. On se sentait en danger, mais personne n'avait perdu espoir, chacun se battait pour son indépendance.

« Satanée course au profit. À vomir. Ils n'en ont jamais assez. La pression est de plus en plus forte. Dans quelques années, tous les quotidiens se ressembleront et le rédactionnel ne servira plus qu'à encadrer les petites annonces. Mais vous autres, serviteurs de l'État, n'avez pas idée de la chose. »

Tandis que Rossana parlait, un jeune homme était entré et, sans un mot, avait déposé un manuscrit sur son bureau.

« Crois-tu ? Pense aux discussions sur la privatisation des prisons et d'une partie des forces de sécurité. Par ailleurs, pratiquement plus de budget. Un équipement vieillot. Le crime, Rossana, nous devance dans tous les domaines, surtout techniques. Mais je vois bien que tu travailles trop ! Viens donc dîner un soir, proposa Laurenti. Quand es-tu libre ?

– Merci, Proteo, répondit Rossana avec un sourire. En fait, dès ce soir. Mais ne donnons pas trop de travail à Laura. Sortons avec les enfants. »

Pas une mauvaise idée, pensa Laurenti, au cas où la paix des familles serait fortement perturbée ce soir-là, du fait du concours de Miss. Il pariait sur l'influence apaisante de Rossana.

« Mais il y a autre chose dont je voudrais te parler. Tu as, chez toi, un écrivaillon qui devient fou et qui me pose des problèmes. Ce Leonardo di Caprio…

– Qui ? demanda Rossana, qui ne voyait pas de qui il s'agissait.

– Le type du Jugement dernier et des putes du Borgo Teresiano, précisa Proteo.

– Ah, tu parles de Decantro, corrigea-t-elle. C'était lui, à l'instant. » Elle montra les papiers sur son bureau. « Qu'est-ce qui se passe ?

– Il me donne du fil à retordre. Pression tous azimuts. Pour quinze putes. Quinze ! C'est bien toi qui, l'an dernier, avais subtilement mis au point la formule : "Arrestation des treize prostituées de Trieste". Aujourd'hui, il y en a deux de plus. Et ton Monsieur Propre écrit des articles qui laissent entendre qu'on trempe dans la fange jusqu'aux genoux. Le cabinet du maire a appelé, la chambre de commerce aussi, les fascistes ont appelé, les cinglés de la Ligue aussi, les berlusconiens de toute façon et ainsi de suite. Ce type ne pourrait pas se défouler ailleurs ? On ne peut pas mettre la moitié des effectifs sur le Borgo. »

Rossana se montra surprise.

« Mais ce n'est pas si grave, Proteo ! »

Laurenti bondit :

« Oh si ! J'ai été personnellement chargé de ramener le calme et l'ordre. Comme si je n'avais rien de mieux à faire. Écoute, pendant un moment, je vais relayer la pression sur le Borgo. Razzias, renforcement des patrouilles et des contrôles, amendes pour les clients quand ils empruntent les voies privées interdites, etc. On va soulager le trottoir, provisoirement. Dans quinze jours, je rédigerai un rapport disant que, suite aux précieuses informations fournies par le sieur Decantro, nous avons immédiatement pris l'affaire en mains et que nous sommes intervenus efficacement. Mais honnêtement, Rossana, toi et moi savons parfaitement qu'il ne faudra pas attendre longtemps pour que l'une ou l'autre des filles réapparaisse. Et ce n'est pas grave. À Trieste, la prostitution ne pose aucun problème. Le personnel est rare et il vaut mieux que les choses se fassent sous nos yeux. Comme maintenant. Tu comprends ? »

Rossana s'était levée pour fermer la porte de son bureau.

« Ce qu'écrit ce crétin ne me plaît pas non plus, mais il a, pour ainsi dire, carte blanche. Il est stagiaire, tu t'imagines, stagiaire à trente-cinq ans, pas très doué, mais un père influent qui se fait du souci pour l'avenir professionnel de son fils et qui, comme par hasard, est l'ami de l'un des patrons de la holding. Il avait peur qu'il lui fasse honte, je suppose, et il s'en est débarrassé en nous le confiant. Et monsieur joue les héros, les talents méconnus. Son père l'appelle au moins deux fois par jour et comme, ici, on entend tout, qu'on le veuille ou non, personne n'ignore rien de son baratin. Ce ne sera pas si facile que tu crois de s'en séparer. Mais j'y pense aussi depuis quelque temps. Je trouverai peut-être une idée.

– Lui proposer une mutation liée à une promotion ?

– Mais pour où ? fit Rossana, sceptique.

– On pourrait peut-être même se servir de lui, enchaîna Laurenti en adressant à Rossana un clin d'œil malicieux. Tu l'envoies deux nuits de suite patrouiller avec la police et tu lui commandes un grand reportage…

– Et pour le récompenser, coupa Rossana qui avait retrouvé le sourire, on le fait passer de la *Cronaca* à la page Istrie.

– Exactement ! Il a besoin d'une formation approfondie. Changement de rubrique !

– Si ce n'est pas trop pressé. Je vais y penser.

– On lui trouvera une bonne patrouille, le week-end, c'est plus animé. Ce serait la première fois que tu pourrais mettre ça dans ton journal. Il verra ce qui se passe, on lui donnera un gilet pare-balles, ça lui plaira sûrement. Et puis rouler à bord d'une voiture de police, tous les petits garçons en rêvent.

– C'est pour ça que tu es devenu flic, Proteo ? interrogea Rossana, sarcastique.

– Uniquement pour ça ! Alors, décision ? »

Laurenti, soudain pressé, s'était levé après avoir jeté un coup d'œil à la pendule.

« Réfléchis. Il faut que je parte. On se verra ce soir. Tu contactes Laura ? »

Il avait bavardé trop longtemps avec Rossana, il n'avait pas sa voiture et, à pied, il ne serait jamais à l'heure chez le questeur. Il se pressa de quitter le Campo Marzio en direction du centre, marchant sur la route en longeant les véhicules en stationnement, se retournant sans arrêt dans l'espoir de voir surgir un taxi. Il était six heures moins cinq et la circulation était dense. Laurenti se dépêchait, suant à grosses gouttes. Il gardait, à son bureau, une chemise de rechange pour les cas urgents. Il l'enfilerait volontiers, mais il n'en avait plus le temps, il ne ferait qu'aggraver son retard. Il faudrait qu'il aille directement à la réunion, même si de grandes taches de sueur faisaient ressembler sa chemise au pelage de la vache Milka. Les scooters qui se faufilaient entre les voitures klaxonnaient sans arrêt derrière lui, qui encombrait la chaussée. Racaille ! Du trottoir, avec toutes les voitures garées, il lui aurait été impossible d'arrêter qui que ce soit.

Il venait de traverser la Via Belpoggio lorsqu'il se vit tiré d'affaire. Une voiture bleue avec la bande blanche de la police d'État apparut dans une file. Laurenti lui fit de grands signes. Les policiers le reconnurent et s'arrêtèrent.

« Bonsoir, commissaire, dit le passager, par la fenêtre ouverte, en le saluant. Un problème ?

– Rendez-moi service, conduisez-moi chez le questeur. C'est urgent !

– Qu'est-ce que vous avez fait de votre voiture ? demanda l'un des deux policiers.

– Elle est partie devant, j'aime tellement mieux marcher en pleine chaleur ! »

Laurenti monta à l'arrière.

« Maintenant, faites un peu de boucan et prouvez-moi que vous êtes de bons flics ! »

Le chauffeur prit manifestement un malin plaisir à obéir. Sirène hurlante, il déboîta à gauche et entreprit de doubler toute la file en évitant habilement les voitures qui venaient en face. Le courant d'air séchait la chemise de Laurenti, les taches de sueur disparaissaient progressivement, en revanche des cercles blanchâtres en marquaient désormais les contours. Malgré la sirène et le gyrophare, ils n'avaient guère avancé. En fait, ils étaient coincés entre, sur la gauche, un fourgon pas très propre, dont les portes arrière restaient grandes ouvertes et dont le chauffeur avait disparu, et, à droite, une bétonnière qui tentait de pénétrer sur un chantier en marche arrière. Rien ne semblait susceptible d'émouvoir le conducteur.

« Attendez-moi ! » s'écria soudain Laurenti. Il avait déjà bondi hors de la voiture avant qu'aucun des deux policiers n'ait pu ouvrir la bouche. Il s'engouffra dans un magasin de vêtements pour hommes et lança au premier vendeur qu'il vit : « Chemise bleue, taille 41 ! »

Le vendeur hocha la tête, l'air contrarié, et se dirigea lentement vers les rayonnages. Sans se presser, il en tira cinq chemises qu'il étala sur le comptoir.

« Vous la préférez à carreaux, à rayures ou unie, Signore ?

– Unie, aboya Laurenti, en lui arrachant une chemise des mains. Celle-ci. Combien ? »

Le vendeur retourna la chemise comme un objet précieux avant de trouver le prix.

Entre-temps, le propriétaire du magasin s'était approché.

« Puis-je vous aider ?

– Police en mission ! Excusez ! Combien vous dois-je ?

– Très bonne qualité, Signore ! Fabriquée en Italie, pas importée. Très bon choix ! »

Le commerçant prit, à son tour, la chemise en main et la retourna pour trouver le prix. Laurenti était à cran, d'autant qu'il avait repéré, par la fenêtre, que la voie était libre à nouveau et que les deux policiers s'étaient mis à sa recherche. On klaxonnait déjà derrière eux.

« Ah, voilà ! »

Le patron avait chaussé les lunettes qu'il portait attachées à un cordon autour de son cou.

« Nous disons soixante-dix-neuf mille lires, s'il vous plaît. »

Les trois clients et les autres vendeurs les regardaient avec un air de reproche tout en jasant à voix basse. On aurait dit qu'on tournait un film.

Laurenti tira de la poche de son pantalon un billet de cinquante mille lires et trois de dix mille, les jeta sur le comptoir et s'empara de la chemise.

« Gardez tout ! cria-t-il en se précipitant vers la sortie.

– Désirez-vous autre chose ? Une cravate peut-être ?

– Achetez-vous une glace avec le reste », lança Laurenti sans se retourner.

Il sauta dans la voiture et ils démarrèrent en trombe, avec sirène et gyrophare.

Laurenti sortit la chemise de son emballage, retira les épingles, du moins celles qui étaient visibles, et ôta le col en carton. Puis il déboutonna sa vieille chemise et l'enleva. Le policier assis à la place du passager l'observait avec curiosité, le chauffeur faisait la grimace. Peu après, la voiture stoppa devant la questure et Laurenti descendit.

« Merci, les gars ! »

Il jeta la vieille chemise au fond de la voiture.

« Vous pourrez me la rapporter un de ces jours ? »

Il bourra la chemise neuve dans son pantalon et se mit à courir. Il salua d'un geste bref la jeune policière qui avait pour mission de vérifier qu'aucune personne non autorisée ne pénétrait dans l'immeuble. Elle était postée derrière une balustrade du hall d'entrée. Sur l'une des parois de marbre, on pouvait lire, en lettres de cuivre, la liste des policiers morts en service depuis les années trente. Le visage de la jeune femme rappelait toujours à Laurenti celui d'une fasciste qui, lors d'une arrestation de masse, crachait sur les victimes d'un pouvoir arbitraire. C'était à Trieste en l'an 1944. Il avait vu, un jour, la photo dans un bouquin sur cette époque et ne pouvait l'oublier.

L'ascenseur était en panne, une fois de plus et Laurenti dut emprunter l'escalier. Quelle vie, quelle injustice ! Il arriva, hors d'haleine, dans l'antichambre du questeur. La secrétaire le salua avec un sourire et un œil sur sa montre.

« Chemise neuve ? » Les plis étaient encore bien visibles et une étiquette était restée accrochée à la manche. Elle la coupa avec ses ciseaux. « Soixante-dix-neuf mille lires ! Pas mal !

– Oh, fit Laurenti, effaré, c'est déjà commencé ?

– Pas de panique, le colonel vient juste d'arriver.

– En uniforme ?

– Naturellement. On dirait le père Noël en personne », répondit la secrétaire d'un ton moqueur.

Laurenti leva les yeux au ciel et lui adressa un petit signe de la main, tandis qu'il ouvrait la porte du bureau du chef.

« Bonsoir. Excusez-moi ! » bredouilla-t-il en cherchant une chaise libre. Il s'aperçut alors que deux petites taches sombres se dessinaient sur sa chemise bleue toute neuve et ne cessaient de s'agrandir. Il se pencha vers l'avant pour éviter le contact entre sa peau et le tissu et il sentit soudain quelque chose lui piquer le dos. Une aiguille, pensa-t-il illico. Du sang à la une !

« Nous pouvons donc commencer, dit le questeur. J'ai une bonne nouvelle. Ce n'est pas pour cela que je vous ai convoqués, mais cela mérite d'être signalé. L'Union européenne a décidé que l'aide à la Turquie transiterait par Trieste. Nous sommes, de toute façon, le plus grand port turc après Istanbul et nos transporteurs ont apparemment un excellent lobby. Les premières marchandises sont attendues dès demain. Le môle VII est assez grand. Mais le trafic des poids lourds va augmenter et des bouchons sont inévitables.

La ville montrera qu'elle est bien organisée et gagnera, sans aucun doute, beaucoup d'argent grâce au malheur des autres.

« En fait, l'objet de cette réunion est l'accroissement spectaculaire de l'immigration clandestine à notre frontière nord-est. Rien que ce mois-ci, nous avons dénombré cinquante pour cent d'arrestations de plus que l'an dernier. Depuis que les autorités ont pris des mesures draconiennes dans les Pouilles, les passeurs sont à la recherche de nouvelles solutions. Je ne parle même pas des chiffres officieux. Toute la frontière est concernée jusqu'à Villach, mais c'est justement notre secteur, de Muggia à Gorizia, qui semble le plus intéressant. Le karst est idéal à bien des égards. Je vous ai convoqués, messieurs, parce que nous devons coordonner nos forces et renforcer les contrôles. »

Autour de la table siégeaient le colonel des carabiniers, le major de la brigade financière, le chef des vigiles urbains pour la police municipale, un major des garde-côtes et le commissaire Laurenti pour la police judiciaire, remplaçant le vice-questeur qui, pour l'instant, se voyait contraint de se reposer d'urgence, sur la côte dalmate, des fatigues inhérentes à la vie citadine. Le préfet, qui représente l'autorité territoriale de l'État, avait confié au questeur la coordination des différentes forces de sécurité qui, jusqu'ici, avaient trop souvent travaillé en s'ignorant. Les carabiniers dépendaient du ministère de la Défense, la police nationale de l'Intérieur et les deux corps s'étaient fréquemment trouvés en concurrence. Il était même arrivé qu'ils paient deux fois les mêmes indicateurs. Ils devraient donc, dorénavant, coordonner leurs efforts sous l'autorité du questeur, ce qui, dans un premier temps, entraîna une protestation des carabiniers, tandis que Laurenti accueillait la mesure avec satisfaction.

« Si, dès le début, poursuivit le questeur, alors que nous constatons que nos frontières sont largement sollicitées, nous ne faisons rien pour endiguer le phénomène, alors, dans peu de temps, nous ne serons plus maîtres de la situation ! Au Kosovo, au Monténégro, en Albanie, des milliers d'hommes attendent de passer en Europe de l'Ouest. En plus des filières déjà connues qu'utilisent les Kurdes, les Pakistanais, les Roumains et les Chinois. Les pays de l'Union européenne, en particulier les Allemands, ne manquent pas une occasion de nous montrer du doigt. Nous devons attaquer le problème à la racine, avant qu'il ne devienne insoluble. Avec le chef de la police des frontières, qui ne peut être présent aujourd'hui, parce qu'il participe, à Rome, à une réunion sur le même sujet, nous sommes d'avis que vous, messieurs, devez donner consigne à vos personnels de renforcer notablement les contrôles sur toutes les routes, le mieux étant de les doubler. Vous multiplierez les contacts entre vous. J'y insiste : nous voulons davantage de coopération. Cessez de vous comporter en rivaux ! »

À ces mots, les regards du major de la brigade financière et du commissaire qui, d'une main, cherchait à récupérer l'épingle dans son dos, avaient convergé vers le chef des carabiniers. Ce que le questeur avait voulu dire était clair pour tout le monde.

« Incitez vos patrouilles à collaborer, dit le questeur en élevant la voix. Pensez à la façon dont, au printemps, nous avons maîtrisé la circulation sur la Strada Costiera. En dix jours, vous avez retiré trois cents permis. Le calme est revenu, il règne toujours, sans renforcement de la présence policière. Je vous rappelle donc la recette : trois ou quatre patrouilles, chacune d'un corps différent, s'entendent pour mettre en place, dans des délais rapprochés, une série de contrôles à quelques kilomètres d'intervalle. Chacune ne reste pas plus d'une demi-heure au même endroit, et tout le monde se déplace de façon concertée. Vous contrôlez principalement les fourgonnettes et les camions, mais aussi les voitures lourdement chargées ou pleines à craquer, en particulier de marque et de type connus. Vous changez de fréquence radio, en coordination avec la centrale, dès que vous arrêtez un contrôle, vous en fixez une autre pour le suivant. Le commandement sera réparti par zones, comme la dernière fois. La zone A comprend, en ville, le secteur situé au nord de la Piazza Garibaldi, de la gare jusqu'à la frontière régionale par la Costiera et Duino. Là, c'est la police judiciaire qui dirige. La zone B s'étend au sud-est du Corso Italia, elle est limitée au nord par la Via d'Annunzio jusqu'au champ de courses, elle va jusqu'à Muggia par la Strada dell'Istria. Là, c'est la brigade financière qui commande. La zone C inclut les quartiers nord-est de la ville et le karst jusqu'à la frontière d'État, elle revient aux carabiniers. Cette répartition vaut pour quinze jours à partir de demain zéro heure. Nous nous retrouvons lundi à huit heures pour examiner les premiers résultats. Des questions ?

– En ce qui concerne la mer ? interrogea le major des garde-côtes.

– Sans changement, répondit le questeur, jusqu'à présent les passeurs se sont contentés des voies terrestres. Rien n'a été signalé sur mer. De là-bas, ça doit encore leur paraître trop long par bateau. Dieu merci ! Prions pour qu'il continue d'en être ainsi !

– Et les carabiniers sont encore sur le karst, bougonna le colonel, qui n'avait pas l'air content.

– Où, la dernière fois, ils ont accompli un travail remarquable, rétorqua le questeur, à qui la remarque n'avait pas échappé. Cela me paraît tout à fait raisonnable. Ce sont vos gens qui connaissent le mieux ce terrain.

– Il serait temps que les collègues améliorent leurs connaissances en géographie locale, grincha le colonel, mais le questeur fit semblant de ne pas entendre.

– Autres questions ? »

Le questeur posa ses mains à plat sur la table et resta un moment silencieux. Les choses étaient claires.

« Les juges d'instruction et les substituts sont prévenus. Messieurs, nous escomptons un plein succès. Les médias seront informés de vos exploits, nous insisterons pour qu'ils en fassent la plus large diffusion. Cela nous aidera. Il faut faire savoir qu'ici on ne passe pas, alors nous aurons la paix pendant un moment. Bonne chance et bonsoir ! »

Le questeur se leva, les autres l'imitèrent pour gagner la sortie.

« Ah ! Laurenti, dit le questeur en prenant le commissaire par le bras, restez donc un instant ! »

Dès que le chef de la police municipale eut refermé la porte, le questeur interrogea :

« Dites-moi, qu'est-ce qui s'est passé ce matin avec ce yacht ? Au fait, belle chemise ! Neuve, je présume ? »

Laurenti avait manifestement tapé dans le mille avec cet achat précipité.

« Merci », répondit-il. Il ajouta qu'il ne savait toujours pas ce que Kopfersberg était devenu, mais qu'on ne pouvait exclure l'hypothèse d'un meurtre. « Mais comment se fait-il qu'il vous intéresse ?

– Question légitime, admit le questeur, elle me préoccupe depuis le déjeuner. C'est le président de l'Union des compagnies de navigation qui m'a demandé s'il y avait du nouveau au sujet de Kopfersberg. Évidemment, je n'étais au courant de rien et j'ai dû me faire expliquer l'affaire. Il l'a connu, lui.

– Bizarre, remarqua Laurenti, intrigué ; à midi, nous n'avions encore laissé filtrer aucune information. Seule la compagne de l'Autrichien avait été mise au courant par un agent. Elle s'était d'ailleurs montrée plutôt désagréable. Je suppose qu'elle a ensuite averti les collaborateurs de Kopfersberg.

– Oui, c'est sûrement comme cela qu'il l'a appris, dit le questeur en raccompagnant Laurenti.

– Qu'est-ce qu'il a dit ? » Le commissaire s'immobilisa et précisa, en fixant le questeur : « Qu'il le connaissait ou qu'il l'avait connu ?

– Il a dit, affirma le questeur, qu'il l'avait connu, j'en suis certain.

– Voyez-vous ça, fit Laurenti. Même nous n'en savions rien et ce n'est que depuis midi que j'ai dans l'idée qu'il s'est passé quelque chose de grave. Il va falloir que j'interroge le président de l'Union des compagnies de navigation sur ses sources.

– Je vous en prie, Laurenti ! Qu'est-ce que vous allez lui demander ? lança le questeur en fronçant les sourcils. Il n'a peut-être tout simplement fait qu'envisager le pire. Non, Laurenti, je vous en prie. Vous êtes trop suspicieux. »

À dix-neuf heures trente, Laurenti retrouva enfin son bureau. Après la discussion avec le chef, il s'était enfermé dans les toilettes de la questure pour retirer l'aiguille qui lui piquait le dos. On l'attendait à la maison, il était même déjà en retard, mais il tenait à faire rapidement le point en fin de journée. Le lendemain, il démarrerait plus facilement. En outre, il voyait venir une soirée de bagarre en famille. Il en était contrarié d'avance. Et puis il était fatigué. Il était tout de même debout depuis trois heures et demie du matin, il avait peu dormi jusque-là et la chaleur avait fait le reste. Les semaines précédentes, il n'avait jamais quitté le bureau après dix-huit heures, la ville était calme.

Laurenti prit son téléphone et composa le numéro de la Via Diaz. La sonnerie se prolongeait, il s'apprêtait à raccrocher quand son fils répondit. Proteo entendit, derrière lui, des voix de femmes de bonne humeur.

« Marco ? Comment ça va ?

– Super bien, papa. On t'attend !

– Passe-moi ta mère, veux-tu ? »

Marco posa l'écouteur et appela sa mère. Laura reprit, peu après, d'un ton enjoué :

« Rossana est arrivée, on boit l'apéritif et on t'attend !

– Je sors de chez le questeur, je serai en retard. Je suis trempé de sueur. J'ai envie d'aller nager un peu. Vous allez où ?

– Nous avons réservé chez Franco, près du phare, dit Laura, qui n'avait pas l'air content. Pourquoi ne pas rentrer directement, prendre une douche et partir en même temps que nous ?

– Parce que, jusqu'ici, je n'étais pas vraiment dans un bon jour. Je vous rejoins. »

Il sentit l'orage gronder dans la voix de Laura.

« Ne fais pas l'idiot. Tu viens, tu te pomponnes et tu ne nous fais pas attendre plus longtemps !

– Non. Un plongeon n'est qu'un petit plaisir, mais c'en est un quand même. Et probablement le seul dans cette foutue journée où tout le monde s'ingénie à me casser les pieds. J'arrive dans une heure. »

Il raccrocha.

Laurenti savait que sa femme avait raison, comme d'habitude. Mais il lui fallait au moins une demi-heure pour se détendre, se rafraîchir et retrouver son calme. Et puis la remarque du questeur lui trottait dans la tête. Laurenti voulait y voir clair. Il avait parlé tout haut en insistant sur le dernier mot. Il prit dans son armoire le petit sac dans lequel il gardait toujours une tenue propre pour pouvoir se changer. Il était temps qu'il se mette à porter des chemises blanches ! Il claqua la porte de son armoire, puis celle de son bureau avec une telle brutalité qu'il ne put s'empêcher d'éclater de rire. Puis il descendit l'escalier en sifflotant et gagna sa voiture. Son sac de plage y était aussi depuis qu'il était parti de chez lui. Il sortit de la ville dans la même direction que celle qu'il avait prise le matin. Il voulait retourner là où l'on avait retrouvé le yacht, il pourrait s'y baigner et réfléchir tranquillement. À cette heure–là, il n'y aurait personne.

Mais Laurenti s'était trompé. Il descendit les marches qui partent de la Strada Costiera, chantonnant une paillarde triestine que son fils, sous les protestations véhémentes de Laura et les siennes, plus modérées, avait entonnée devant toute la famille réunie pour souper, quelques mois auparavant, et dont le refrain l'obsédait depuis ce jour-là comme une rengaine. Cherchant son chemin parmi les rochers, il se trouva soudain face à un jeune couple qui le dévisagea, interloqué. Laurenti se tut instantanément. Il savait qu'il n'était pas doué pour le bel canto – quant à cette chansonnette, dont les personnages se tripotent joyeusement de toutes les manières possibles et imaginables… Il était obligé de passer devant eux, ils regardaient maintenant la mer. À leurs gestes, il comprit qu'ils parlaient des tonneaux éparpillés du bouchot dévasté. Il ne connaissait pas leur langue, elle avait une consonance slave, mais quand il les salua d'un courtois « Bonsoir ! », ils répondirent en italien. Proteo marcha encore un peu, posa son sac, enfila son maillot sous sa serviette de bain, entra dans l'eau, qui faisait ses bons vingt-quatre degrés, et s'éloigna de la rive en de vigoureuses brassées. Lorsqu'il reprit pied, un quart d'heure plus tard, la plage était déserte. Les deux étrangers avaient disparu.

Laurenti s'allongea sur les galets, glissa son sac sous sa tête et ferma les yeux.

On entendait, au loin, quelques mouettes criailler, elles gagnaient le large, où les premiers pêcheurs jetaient leurs filets et installaient les projecteurs qui devaient attirer le poisson dès la tombée de la nuit. L'eau salée séchait lentement sur la peau de Laurenti. Il inspirait profondément les senteurs de la mer et du maquis. Il se rappela subitement les soirs où Laura et lui sortaient au crépuscule pour aller se baigner sur des plages solitaires où personne ne les dérangeait et où, souvent, ils s'aimaient toute la nuit. Ils ne pouvaient plus se détacher l'un de l'autre et ils adoraient faire l'amour dans l'eau. C'était il y a longtemps. Laura était toujours la femme qu'il désirait. Il aurait voulu, à cet instant, être seul, ici, avec elle, il l'aurait regardée tendrement en train de se déshabiller, l'aurait enlacée, embrassée et aurait fait glisser ses mains sur son corps. Tout à coup, elle l'aurait repoussé et se serait jetée à l'eau avec de grands éclats de rire. Il se serait lancé à sa poursuite, l'aurait facilement rejointe, ils auraient nagé de concert jusqu'à un rocher qui affleurait un peu plus loin, elle aurait noué ses bras autour de son cou et ils auraient échangé un long baiser. Il avait la nostalgie de cette époque.

La nuit était profonde lorsqu'il se réveilla et il lui fallut un certain temps pour réaliser où il se trouvait. Sa bouche était sèche et râpeuse comme du papier de verre. Il avait soif. Il consulta sa montre : dix heures moins vingt ! Enfer et damnation, il s'était endormi ! La famille, le dîner, la grande bagarre. Il fouilla dans son sac à la recherche de son portable, en vain, il avait dû le laisser dans la voiture. Il se rhabilla à la va-vite et entama l'ascension. Un juron lui échappa. L'ambiance, dans la tribu Laurenti, serait détestable. Il avait tout de même dormi paisiblement pendant une heure et demie. Et il avait fait un merveilleux rêve.

Il était pile vingt-deux heures vingt lorsqu'il se gara, enfin, devant la Trattoria al Faro. Il avait renoncé à allumer son portable. Il préférait expliquer son retard de vive voix. Il grimpa le petit chemin qui mène jusqu'à l'auberge d'où l'on jouit d'un large panorama sur la ville et le golfe de Trieste. Franco, le patron, qui, certains jours, boitait légèrement, vint à sa rencontre et, lorsque Laurenti le salua, il fit de la main le geste de quelqu'un qui s'est brûlé. Signe de mauvais augure.

« On t'attend avec impatience. Je ne sais pas si tu tiendras la soirée sans protection policière, avertit Franco en répétant son geste de la main, ils veulent te tailler en pièces et te jeter aux poissons. Sois courageux et accueille dignement leur verdict !

– Balivernes, Franco. Ils sont sournois, cruels et imprévisibles. Ne te fie jamais à leur sourire, tu signerais ta perte. Répands mes cendres dans la mer et fais une grande fête à leurs frais, avec champagne jusqu'à plus soif. Et souviens-toi de moi, en toute amitié, pour la fin des temps. »

Rossana fit un petit signe, Laura se retourna et son visage s'assombrit. Aux deux autres places, où l'on avait mangé, à en juger par les serviettes et les verres, les chaises étaient vides. Franco lui tapa sur l'épaule et Laurenti fit face à son destin.

« Je vous prie de m'excuser ! »

Il prit sa femme par les épaules, elle lui tendit fraîchement la joue sans le regarder. Rossana le salua cordialement.

« Je me suis endormi, tout simplement, je n'ai malheureusement pas d'autre excuse à fournir. Où sont les enfants ?

– Ils en avaient marre, bougonna Laura, fixant la mer. Marre d'attendre un père qui convoque un conseil de famille, appelle du renfort, mais qui est trop lâche pour y paraître et ne prend même pas la peine de prévenir. Du reste, Livia est très déçue de la façon dont tu la traites.

– Excuse-moi, Laura, répéta Proteo. Mais tu ne peux pas me reprocher d'être lâche. Ce n'est pas vrai, jamais tu ne m'avais dit ça. Et Livia n'a aucune raison de se plaindre. Les enfants auraient tout de même pu m'attendre, ce n'est pas moi qui les empêche de vadrouiller. S'ils ne savent pas à quoi ressemble leur père, ce n'est sûrement pas de ma faute, c'est qu'ils ne sont jamais à la maison ! Alors ? »

Le patron vint sauver provisoirement la situation.

« Châtiez-le, mais laissez-le vivre, dit-il, je lui ai mis de côté un *branzino*, il faut qu'il le mange et qu'il le paie avant de se faire tuer. Veux-tu un hors-d'œuvre, Proteo ? »

Il se mit à réciter la liste des « premiers plats ». Proteo passa commande.

« Proteo, intervint Rossana, autant te le dire tout de suite, pour t'achever : les personnes ici présentes ce soir se sont déclarées unanimement favorables à la participation de Livia à l'élection de Miss Trieste. Procédure démocratique. Même ton fils n'a pas voté contre, ajouta-t-elle avec une grimace.

– Depuis quand l'éducation a-t-elle à voir avec la démocratie ? C'est une question d'autorité. Rien d'autre, Rossana ! »

Proteo se versa un verre de vin.

« Livia est majeure, dit Laura, en regardant, pour la première fois de la soirée, son mari dans les yeux. Il ne s'agit plus d'éducation, mais du résultat de celle que tu lui as donnée !

– Moi ? s'écria Proteo, indigné. C'est la meilleure ! Elle a aussi une mère, si je ne me trompe, pour lui montrer le droit chemin. De toute façon, les hommes n'ont jamais rien à dire.

– Tu dis des bêtises ! Moi, je suis fière d'avoir élevé une fille belle et intelligente. Ce n'est sûrement pas de toi qu'elle a hérité ça ! »

C'était un coup bas. Proteo se rappela brusquement ce que Marietta avait dit le matin même : Livia était si belle qu'on pouvait douter qu'il soit son père.

« Alors, dis-moi avec qui ! Laura ! Avec qui m'as-tu trompé ? De qui ai-je nourri la progéniture ? Qui est ce salaud ?

– Voilà qu'il débloque complètement, dit Laura à Rossana, qui leur éclata de rire au nez à tous deux. Dégage, Laurenti, ajouta-t-elle avec un geste de mépris, laisse les femmes tranquilles. Va nager et parle aux poissons.

– Laura, tu devrais fonder un "parti des mères de filles opprimées". Je suis sûr que tu aurais du succès !

– Je créerais plutôt une "ligue de protection masculine", espèce d'idiot ! Pour sentimentaux et âmes délicates. Vous les hommes, vous êtes cinglés. D'abord, vous inventez ce genre de compétition et, après, vous vous plaignez que vos filles y participent.

– Dieu merci, ce n'est pas moi qui ai inventé cette cochonnerie, s'indigna Proteo.

– Livia saura se protéger, dit Rossana. Et puis elle vous a. Ne sois pas plus catholique que le Polonais de Rome, Proteo. Tu n'as aucune raison d'être mécontent.

– Ce macho du Midi, renchérit Laura, croit encore certainement que les belles femmes n'ont à offrir que leur beauté. Regarde Rossana et moi, c'est même pour cette raison-là qu'il y en a une de nous deux à qui, un jour, tu as fait la cour, que tu as séduite et même épousée et engrossée. Trois fois de suite et, si je n'avais rien fait, tu aurais, aujourd'hui, d'autres filles encore qui voudraient être Miss. »

Proteo jeta un coup d'œil en direction de Rossana, qui regarda ailleurs.

« Ou des fils, objecta-t-il.

– Ou des fils, si tu veux, qu'est-ce que ça change ? » admit Laura.

Franco apporta les spaghettis en proclamant : « Repas du condamné ! » Proteo se mit à dévorer. La dispute ne lui avait pas coupé l'appétit.

« Quand je pense, dit Laura à Rossana, que monsieur se plaint, c'est à pleurer. Il est assis à la même table que deux éminentes représentantes de leur sexe…

– … même si elles se souviennent qu'un jour elles avaient un peu moins de rides, coupa Rossana.

– … qui n'auraient qu'à claquer dans leurs doigts pour que tous les hommes ici présents tombent à leurs pieds.

– Et pas seulement ceux d'ici, ajouta Rossana.

– Naturellement, ailleurs aussi, acquiesça Laura.

– Alors, allez les rejoindre, lâcha Proteo, la bouche pleine, ou faites le concours de Madame Trieste ou de Miss Grincheuse.

– Bonne idée ! » gloussa Rossana.

Mais Laura promit de ne pas entrer en concurrence avec sa propre fille.

Le plat de résistance finit par arriver devant Proteo, puis son dessert, avec, dans l'intervalle, un certain nombre de verres de vin. Lorsque la salle fut quasiment vide, ce brave Franco apporta, selon son habitude, une bouteille de vodka glacée. La ville avec ses éclairages scintillants s'étendait à leurs pieds, l'air était agréablement frais ; on apercevait, dans le golfe, les lumières des bateaux de pêcheurs et de trois cargos à l'ancre. Le ciel nocturne n'était pas non plus avare d'illuminations. Ils finirent par rentrer.

Cette nuit-là, tout le monde dormit. Les sombres nuées qui s'étaient amoncelées sur le volcan familial s'étaient dissipées, l'éruption était restée bénigne et l'atmosphère était finalement devenue joviale. Tous avaient bien bu. Les ventilateurs de la cour ne dérangèrent personne.

Trieste, 18 juillet 1999,
1 h 10, quartier San Giacomo

La Via Ponzanino ne fait pas plus honneur à la ville
que le reste de San Giacomo. C'est un quartier prolé-
taire avec de simples maisons à plusieurs étages datant
de la fin du dix-neuvième siècle, qu'Italo Svevo a bap-
tisées « maisons de spéculation » dans *La Conscience
de Zeno* : « Tous les faubourgs sont pleins de ces
maisons. Elles sont d'un aspect modeste, mais tout
de même plus cossu que celles que l'on construit
aujourd'hui pour les mêmes raisons. L'escalier, auquel
on avait laissé peu de place, était raide. »

Le soir, le quartier est peu animé ; les bars, pour la
plupart, ferment bien avant minuit. Les bus qui, du
Campo San Giacomo, conduisent en banlieue par la
Via dell'Istria ou en reviennent, ne passent plus qu'épi-
sodiquement. Le dernier s'arrête devant l'église à une
heure.

La jeune femme qui en descendit, ainsi que sept
autres usagers, était jolie, même si elle était habillée et
maquillée de façon si provocante qu'elle en devenait
vulgaire. Ses longs cheveux blonds étaient dénoués et
couvraient largement ses épaules ; une jupe très courte
qui jetait des reflets d'argent faisait paraître ses jambes
plus longues qu'elles n'étaient. Elle portait un top
profondément échancré qui devait attirer les regards

97

masculins. Ses seins ondoyaient à chaque pas. La rue résonnait du claquement de ses hauts talons.

Elle traversa la Via dell'Istria, s'engagea dans la Via del Pozzo, au bout de laquelle elle tourna dans la Via Ponzanino, vide et sombre à cette heure. Devant le numéro 46, elle sortit une clé de son petit sac noir, elle allait ouvrir lorsqu'une main se posa sur son épaule. La jeune femme se figea d'épouvante.

« Bonsoir, Olga ! » La main serrait si fort son épaule qu'elle n'osa pas se retourner. La sensation était singulière. Puis Olga sentit le contact glacé d'un objet métallique dans son décolleté. Baissant les yeux, elle constata que la main qui tenait le revolver était gantée de caoutchouc. Le canon était muni d'un silencieux. Elle ne reconnaissait pas la voix ; pourtant, elle lui semblait familière ; malgré son angoisse, elle tentait de l'identifier, mais le timbre restait lointain, comme brouillé.

« Les mains dans le dos. Pas un bruit ! »

L'homme parlait d'une voix basse, mais cassante. Il ne serait pas venu à l'idée d'Olga d'appeler au secours.

Elle donna d'abord sa main droite avec la clé, puis la gauche avec son sac. Elle sentit qu'on lui attachait les poignets avec une cordelette en plastique et on serra si fort que ça lui fit horriblement mal. Sous l'effet de la douleur, elle voulut reprendre son souffle, mais au moment où elle allait ouvrir la bouche, l'inconnu lui colla un sparadrap sur les lèvres. Puis il l'entraîna sans ménagement, ouvrit la porte arrière d'une Mercedes noire et la poussa à l'intérieur. Il lui ordonna de s'allonger et la jeta brutalement sur le plancher, elle se retrouva sur le ventre, prise d'une quinte de toux, le nez dans la poussière et la boue séchée du tapis. L'homme claqua la porte, contourna la voiture, mit le contact et démarra. Olga était incapable de se relever, l'homme conduisait vite, elle roulait sur elle-même à chaque virage. Elle tenait toujours fermement sa clé et son sac. Elle essaya de repérer le parcours suivi, combien de virages, quelle direction. La Mercedes avait descendu en trombe la Via dell'Istria, tourné à droite, tout de suite après l'hôpital pour enfants, dans l'étroite Via Giangiorgio Trissino, dévalé en seconde, avec frein moteur, cette petite rue en pente pour s'engager dans le sens giratoire du Piazzale dell'Autostrada. Olga fut violemment secouée lorsque la voiture tourna dans la Via Carnaro. Elle avait perdu le fil depuis longtemps, mais reconnut, au bruit, qu'ils passaient sous un tunnel. Elle paria que c'était la Galleria di Montebello, qui les ramenait donc au centre. Mais, au lieu de freiner, la Mercedes accéléra, ils sortaient donc de la ville, ils devaient se trouver sur la bretelle d'autoroute à hauteur de Cattinara, en train de grimper cette côte qui, en quelques kilomètres, vous fait passer du niveau de la mer à quatre cents mètres d'altitude sur le karst et, de là, vous permet de gagner la Slovénie ou Venise. Les virages en épingle à cheveux confirmèrent son hypothèse.

Elle connaissait cette route ; à une certaine époque, on l'amenait souvent aux routiers du relais de Fernetti, avant la frontière. Elle commença alors à s'inquiéter pour de bon. Maintenant que la conduite était plus régulière, l'angoisse se muait en panique. Il y avait deux ans qu'elle ne faisait plus le trottoir, mais elle était restée dans le milieu. Elle surveillait les filles qui débarquaient et leur apprenait le métier. Elle n'avait guère pitié d'elles, il lui arrivait seulement, de temps en temps, d'en consoler une toute jeune qui ne se résignait pas à son sort et n'encaissait pas, ou pas encore, les violences subies. Sa situation s'était améliorée, elle ne pouvait se permettre de la remettre en jeu. Elle habitait avec son frère, qui l'avait rejointe un an auparavant. C'est à ce moment qu'elle aurait eu besoin de lui, mais il n'était pas là. En fait, elle était déjà trop vieille pour se faire « voler » par une bande rivale. Elle avait vingt-huit ans et elle aurait bientôt atteint sa « date de péremption », comme disent les proxénètes. Ils ne prendraient aucun risque pour elle, à cause des jeunettes qui promettaient de rapporter gros bien plus longtemps qu'elle. C'est comme ça dans le business. Olga se demanda si on l'enlevait pour la violer, elle s'en accommoderait, à condition de ne pas tomber sur un sadique. Ou bien s'agissait-il d'un pervers, un Jack l'Éventreur de Trieste ? Elle en avait entendu parler, elle ne serait pas sa première victime. La rumeur avait couru comme une traînée de poudre. Mais à qui donc appartenait cette voix ? Elle se la repassait sans arrêt dans sa tête. Soudain, elle trouva. La terreur s'empara d'elle. Son cœur se mit à battre la chamade. Elle fut submergée de sueurs froides. Puis elle retrouva son calme, car elle se sentait à l'abri. Que pouvaient-ils lui faire ? Elle avait le journal et les photos, c'était son assurance-vie et celle de sa famille. Ils ne pouvaient pas prendre le risque que le contenu en soit révélé. Elle avait tout emballé dans un carton soigneusement scotché, qu'elle avait caché chez sa voisine, une vieille et insoupçonnable Signora. Celle-ci devait remettre l'objet à la police s'il leur arrivait quelque chose, à son frère et à elle. Elle l'avait répété cent fois à la vieille dame. À personne d'autre, qui que ce soit. La vieille Signora Bianchi, qui avait pris Olga en affection, le lui avait promis. Quelquefois, en mangeant une assiettée de spaghettis à la cuisine, elle parlait à la Signora de sa famille, de la vie dans la petite ville ukrainienne aux confins de la Pologne, de la Slovaquie, de la Hongrie et de la Roumanie. Il y a des maisons qui ressemblent un peu à celles de Trieste, mais en plus petit. Le chemin de fer mène en Hongrie, à Budapest, c'est par là qu'elle était passée à l'Ouest. Elle aurait voulu l'Allemagne, mais, de Hongrie, on l'avait envoyée en Croatie et, de là, en Italie. Elle avait été violée, battue, violée à nouveau. Elle avait alors dix-huit ans. Combien d'hommes lui étaient passés dessus avant qu'elle ne finisse par abdiquer ? On l'avait menacée de sévices contre sa famille, sa mère et ses sœurs subiraient le même sort qu'elle, son père et son frère seraient assassinés si elle ne se montrait pas assez docile ou s'il lui prenait l'envie de s'échapper. Olga disait qu'elle avait encore eu de la chance, après son odyssée européenne, d'aboutir, deux ans auparavant, à Trieste où on lui avait confié un « emploi » et de ne plus être obligée de changer de ville tous les deux ou trois mois. Mais l'Allemagne, il ne fallait plus y compter.

Pour Olga, la chance avait tourné. La Mercedes avait quitté la voie rapide et emprunté des petites routes obscures. Ils ne devaient plus se trouver bien loin de la frontière slovène. Puis Olga comprit, aux cahots qui la secouaient, qu'ils avaient obliqué sur un chemin de terre. Ils stoppèrent au bout de cinquante mètres, les lumières s'éteignirent, le moteur s'arrêta. Le chauffeur descendit, ouvrit la porte arrière et ordonna, tout bas, mais d'un ton sec : « Descends ! »

Olga tenta de se redresser, mais avec les mains liées dans le dos, elle manquait d'appui. Elle entendit sauter la sûreté du pistolet.

« Descends, j'ai dit ! »

Olga rassembla ses forces, réussit à faire glisser ses genoux par-dessus le bloc de transmission et se cogna la tête au montant de la porte. Le canon du pistolet était dirigé droit sur elle. Elle rampa encore et tomba sur les cailloux du chemin. Elle serrait toujours dans ses mains son sac et sa clé. Elle ne les lâcherait pas, c'était tout ce qui lui restait.

« Plus vite ! Debout ! »

L'homme était derrière elle, elle voyait ses chaussures et le bas de son pantalon. Elle se redressa péniblement.

« Passe devant ! » Il la propulsa d'une bourrade, elle trébucha, perdit son escarpin droit. Les cailloux pointus lui rentraient dans la chair. L'homme la bouscula encore une fois, puis, quelques mètres plus loin, lui donna l'ordre de tourner à droite. Elle aperçut un espace entre les buissons et y entra. Des épines lui déchirèrent la peau des mollets. Des larmes qui se mêlaient au rimmel lui dégoulinaient le long des joues. Olga ne se rendait même pas compte qu'elle pleurait.

« Halte ! »

L'homme lui arracha d'un coup son sac, puis sa clé. Il s'affaira sur ses liens, elle sentit le contact d'une lame de couteau. Ses mains étaient libres. Hésitante, elle les ramena lentement devant elle. Le sang circula à nouveau, ses doigts se réchauffèrent.

Elle entendit quelque chose tomber à côté d'elle. Un sac en plastique.

« Déshabille-toi ! Mets tes habits dans le sac ! »

L'homme était toujours dans son dos. Elle ne bougeait pas. Elle était incapable du moindre mouvement.

« Tu m'entends ? Déshabille-toi ! »

On ne devait donc pas pouvoir l'identifier. La terre était si sèche que ni la voiture ni l'homme ne laisseraient de traces. S'il détruisait ses vêtements, on ne trouverait pas non plus d'indices dans le véhicule. Moins il subsisterait d'Olga, l'expérience le prouvait, plus la police pataugerait et mieux l'homme serait à l'abri des curieux qui, de toute façon, ne pourraient rien prouver s'il agissait avec méthode.

Olga sentit le canon du pistolet dans sa nuque. Elle tira sa jupe sur ses hanches et la laissa glisser le long de ses jambes. Elle la ramassa et la fourra dans le sac, comme on lui avait dit. En se redressant, elle voulut se retourner. Mais elle sentit le pistolet contre son épaule.

« Alors, ça vient ? »

Olga déchaussa son pied gauche et se pencha lentement pour attraper sa chaussure et la mettre dans le sac. Au moment de se relever, elle sentit soudain le couteau dans son dos. Elle se figea et resta accroupie. La lame taillait l'étoffe, son top lui tomba sur les coudes. Puis le couteau fendit son slip sur la hanche gauche. L'homme prenait un plaisir sadique à la voir souffrir. Elle était devenue, pour lui, un danger.

« Je t'ai dit de te déshabiller ! »

Olga se débarrassa des derniers lambeaux de tissu et les jeta à terre. Elle était maintenant entièrement nue. Il y avait longtemps qu'elle avait perdu toute pudeur sous le regard des hommes, il avait bien fallu la refouler, sinon elle n'aurait pas pu se vendre. Mais ici, dans l'obscurité, devant l'homme avec qui elle avait si souvent fait des passes gratuites, parce que cela faisait partie des conventions, elle eut honte tout à coup et elle se couvrit de ses bras et de ses mains. Il n'y avait plus rien à refouler, elle était toute nue, jusqu'au fond de son âme.

« À genoux ! »

La voix, derrière elle, est glaciale.

Olga ressentit un besoin. Elle ne pouvait plus retenir son urine, qui lui coulait le long des cuisses. Elle était toujours debout. Cela durait une éternité, comme dans un film au ralenti. Ou comme dans l'une de ses vaines tentatives de fuite, dans les cauchemars qui la poursuivaient, quand elle n'avait pas assez bu pour ne pas rêver.

À nouveau le canon du pistolet dans son dos. Elle se mit doucement à genoux. Elle savait que ce serait son dernier geste. Elle ne pouvait pas crier, elle en aurait été probablement tout aussi incapable si elle n'avait pas été bâillonnée. Elle ne pleurait plus.

« Mets tes affaires dans le sac et donne-le-moi ! »

Olga s'exécuta. Elle ne résistait plus. À rien. Elle tendit le bras gauche derrière elle et l'homme récupéra le sac. Elle regardait droit devant elle, dans la nuit bleue.

« C'est ta dernière chance, fit l'homme et elle savait qu'il mentait. Où as-tu planqué la chose ? »

Il lui arracha brutalement le sparadrap des lèvres.

Olga se tut. Elle commençait à avoir froid, elle avait la chair de poule. Elle savait qu'il la tuerait de toute façon, même si elle lui disait la vérité. Elle claquait des dents. Alors elle se laissa tomber de tout son long et resta immobile, allongée sur le sol, au milieu des buissons. L'homme s'éloigna. De cinq pas peut-être. Elle entendit une dernière fois sa voix :

« Dommage ! Un corps pareil, c'est rare ! »

Puis elle n'entendit plus rien. Pas même le premier des trois coups de feu qui la tuèrent.

Proteo Laurenti avait bien dormi et c'est d'excellente humeur qu'il entra dans son bureau à huit heures et demie. Il demanda à Marietta d'appeler le chef des patrouilles, dont il était le supérieur aussi longtemps qu'il représentait le vice-questeur, puis de photocopier les directives que le questeur avait données la veille.

Claudio Fossa était un homme tranquille, équilibré. Il avait, depuis longtemps, atteint le sommet de sa carrière, il ne lui restait plus qu'un an et demi à travailler avant la retraite. Comme chef des patrouilles, il dirigeait ses hommes avec l'autorité sereine que la hiérarchie attendait de lui, mais aussi avec une bonne dose de tolérance, qui lui garantissait leur dévouement. Il ne s'affolait jamais, même dans les situations les plus complexes qui, naturellement, étaient plutôt rares à Trieste. Comme, par exemple, la semaine précédente, quand le président du Conseil des ministres était venu inaugurer l'exposition « Chrétiens d'Orient » et qu'au même moment, dans une petite rue en pente, un camion était tombé en panne sèche, provoquant un bouchon de deux kilomètres sur le Viale Miramare. En plein sur le parcours que devait emprunter le chef du gouvernement, qu'on ne pouvait modifier au dernier moment. Fossa avait pris les choses en main. Il avait sauté sur une moto, foncé à la gare maritime et purement et simplement réquisitionné le premier semi-remorque venu. Il s'était installé à la place du passager et avait donné l'ordre au chauffeur grec, qui ne comprenait pas un mot, de suivre une voiture de patrouille qui les avait rejoints dans l'intervalle. Ils avaient traversé la ville à contresens pour arriver à hauteur du poids lourd en panne. Un câble de remorquage était déjà sur place et, en un rien de temps, la route avait été dégagée à grands coups de débrayages fumants. Fossa avait gratifié le Grec de cinquante mille lires de sa poche. Quelques minutes avant l'arrivée du chef du gouvernement, la voie était libre. Seul Fossa était capable de tels coups d'éclat, dont on parlerait encore longtemps après, lui seul avait le sang-froid nécessaire et ses hommes lui témoignaient le plus grand respect. Laurenti, lui aussi, estimait le chef des patrouilles et il aimait travailler avec lui, tout en maintenant une certaine distance dans leurs rapports personnels.

« Tu permets ? dit Fossa en entrant. Salut, Proteo ! »

Il serra la main de Laurenti.

« Le café arrive tout de suite, annonça Marietta de son bureau.

– Merci d'être venu, Claudio. Il y a un tas de choses à régler. Mais d'abord, comment vas-tu ?

– Je dirais qu'un homme dans la force de l'âge et à la veille de la retraite n'a pas à se plaindre. Et toi, Proteo, tu peux être fier, tu as une jolie fille ! »

Fossa n'avait pas idée du choc qu'il infligeait à Laurenti, il fut surpris de voir celui-ci subitement changer de mine.

« Euh… J'ai dit quelque chose qu'il ne fallait pas ? C'est vrai qu'elle est belle. Il suffirait d'un peu de chance pour qu'elle gagne et alors, elle pourrait se présenter à Miss Italie. Tu devrais être satisfait.

– Donc quelqu'un a lu ça, répliqua Laurenti, l'air sombre.

– Bien sûr, tout le monde a lu ça, insista Fossa, enfonçant le clou sans le savoir. Et tout le monde en parle. Les jeunes flics sont surexcités, ils disent que c'est bien dommage qu'une fille pareille ait un père commissaire de police, qui doit la défendre comme le dragon la princesse.

– Faut pas lui parler de ça, avertit Marietta en apportant le café, il est jaloux.

– Changeons de sujet, dit Laurenti en se dominant, nous avons du travail. Marietta, apporte-moi les directives du grand chef. »

Puis il résuma l'intervention du questeur et expliqua à Fossa ce qu'il avait à faire. Laurenti voulait surtout être informé des résultats au jour le jour, en particulier si la collaboration avec les carabiniers ou la brigade financière posait un problème. Fossa le rassura, il pensait qu'il fallait plutôt éviter que les patrouilles n'en fassent trop. Quand, au printemps, elles avaient renforcé durement les contrôles sur la Strada Costiera, la sympathie de la population envers la police était tombée en chute libre. Les patrouilles prenaient un plaisir évident à démontrer ainsi leur pouvoir.

« Comment s'est passée la nuit sur le Borgo Teresiano ? demanda Laurenti, pour passer au deuxième point.

– Calme. Trois Colombiennes. Elles sont déjà en procédure de reconduite. Rien d'autre. À part quelques PV pour clients râleurs. D'ici deux ou trois jours, ça aura de l'effet. Sauf si ça repart pendant le week-end. Le *Piccolo* a eu l'information dès ce matin. Et aujourd'hui, ils ont passé une brève concernant l'autre nuit, tu l'as peut-être déjà lue, ajouta Fossa, désignant le journal sur le bureau de Laurenti.

– Pas encore eu le temps, répondit celui-ci, montrant que son quotidien était encore plié, tel qu'il l'avait acheté au kiosque. Il y en avait combien ?

– Treize. On en avait déjà emmené deux. Demain, on va sûrement en retrouver quinze, comme d'habitude, avec des nouvelles. Tu sais bien qu'on n'y peut rien.

– Il faut qu'on y puisse quelque chose, au moins provisoirement. Dans dix jours au plus, il faudra avoir fait le vide. Sinon, ça va chauffer pour nous, proclama Laurenti en regardant Fossa d'un œil sévère. Renforce encore les contrôles, Claudio, envoie deux hommes avec des appareils et des flashs, qu'ils photographient les michetons, ça leur fera monter le sang à la tête, et non où je pense. En plus, je veux voir, demain, dans le *Piccolo*, deux photos de voitures avec des plaques bien lisibles et des numéros d'ici !

– C'est contre les règlements, protesta Fossa. C'est exclu !

– Nous aussi, on a bien droit, un jour, à l'erreur, Claudio, ça n'a rien de tragique. Ces messieurs n'en feront pas une affaire. Quand leurs épouses, comme je l'espère, leur auront demandé ce qu'ils allaient faire chez les putes, ils auront bien d'autres problèmes. Tu verras que c'est dissuasif. Visage, numéro de voiture et une fille à côté. Bonnes photos !

– Bon, mais sous ta responsabilité.

– Mais oui, bien sûr, répondit Laurenti, je prends ça sur moi !

– C'est que la médaille a son revers, commissaire. Depuis que nous avons durci nos interventions, certaines petites annonces fleurissent dans le *Piccolo*. »

Il attrapa le journal de Laurenti et l'ouvrit.

« Tiens, par exemple : "J'aime les minijupes et les mannequins qui défilent avec. Téléphone…" Ou bien : "L'un des plaisirs de la vie est de se faire masser. Si tu as envie d'essayer, appelle-moi. Téléphone…" Ou encore : "Laitière cherche laitier vigoureux. Téléphone…" Ils changent leur fusil d'épaule. On n'avait pas ça autrefois. Mais ça aussi, ça va nous poser des problèmes. Certains commencent à réclamer qu'on rouvre les bordels dans ce pays.

– Eh oui, Claudio, j'ai entendu dire ça aussi. Mais pour l'instant, il faut montrer les dents. Ah, autre chose. »

Laurenti exposa son plan, qui consistait à envoyer Decantro en patrouille, comme il en était convenu avec Rossana di Matteo. Il fallait que ce soit une bonne équipe, avec des hommes fiables, pour que le journaliste en herbe ponde un article élogieux sur le travail de la police. Ce projet ne plaisait guère à Fossa, mais il ne put s'opposer à son chef et promit d'examiner, dans le sens voulu, le planning des prochains jours.

« Tu m'excuseras pour mon allusion à Livia. Je ne savais pas que tu n'étais pas d'accord, dit Fossa. À ta place, je serais fier d'elle, si tu me permets.

– Non, je ne te permets pas ! » répliqua Laurenti en lui tournant le dos.

S'il allait à pied à la Via dei Porta, il y serait un peu avant dix heures. Pas trop tôt, pensa Laurenti, pour une femme qui, de toute façon, n'aurait pas beaucoup dormi, vu qu'elle devait être traumatisée par la disparition de son homme. Il avait mauvaise conscience de ne pas y être encore allé, mais le sous-chef Sgubin y avait fait un saut, il était donc couvert. Avant de partir, il jeta un coup d'œil dans le dossier d'Elisa de Kopfersberg, disparue vingt-deux ans auparavant. Il l'avait depuis la veille au soir, mais, à part les souvenirs qui lui étaient revenus dans l'intervalle, il n'avait pas découvert d'informations capitales.

Il demanda à Marietta d'appeler le collègue de la brigade financière pour qu'il se renseigne sur l'entreprise de l'Autrichien. Qu'il repère sur l'ordinateur central tout ce qui le concernait, lui et son entourage. Laurenti sortit. Il plongea dans une chaleur déjà caniculaire. Le soleil découpait encore des ombres crues, la lumière ne s'adoucirait que vers midi.

Il suait à grosses gouttes lorsqu'il eut terminé l'ascension de la Via Rossetti, puante de gaz d'échappement. Après le parc Engelmann, il tourna dans la Via dei Porta, qui grimpait encore plus raide. Il regrettait de ne pas avoir pris la voiture. Mais comment se garer dans ce boyau sans quasiment le bloquer ? Au fait, se dit-il, ce serait un bon argument pour contrer les projets de sa femme, à qui on faisait miroiter une maison dans cette rue même. Au diable l'agent immobilier !

À hauteur de la villa Ada, il se réfugia sur le trottoir, une Mercedes noire aux vitres teintées qui protègent ses occupants des curieux, dévalait la rue à tombeau ouvert. « Pauvre fou ! » lança Laurenti. Une cinquantaine de mètres plus loin, il s'arrêta enfin devant le numéro indiqué. Une grande porte de fer encadrée de piliers supportant de majestueux lions de Saint-Marc. Complètement déplacé, pensa Laurenti, Trieste n'a pas grand-chose à voir avec Venise. Au-dessus de la porte, une caméra vidéo. Surprise de Laurenti, car, depuis des années, il n'y avait pas eu le moindre cambriolage dans le quartier. Il appuya deux fois sur la sonnette, comme il le faisait toujours. Quelques instants plus tard, il expliqua qui il était à la voix féminine de l'interphone et demanda à voir la Signora Drakič. Après une longue attente, il perçut un grésillement et la porte s'ouvrit par à-coups. Un large chemin pavé, bordé d'une double rangée de lauriers rouge vif, conduisait à la noble demeure, traversant un jardin soigneusement entretenu. En contrebas, un gazon doté de l'arrosage automatique. Laurenti n'aurait pas soupçonné, derrière le haut mur qui entourait la propriété, un tel luxe, une telle richesse, ni une villa aussi imposante. Elle devait dater des années vingt, avec un entresol réservé aux domestiques. Des statues étaient disséminées dans le jardin, principalement des moulages de Vénus dans diverses positions. Sur le flanc gauche de la villa, vers lequel il se dirigea lentement, s'élevait une petite tour qui surplombait les trois étages et d'où l'on devait avoir une vue exceptionnelle sur la ville et le port. Laurenti n'arrivait pas à s'imaginer pouvoir, un jour, vivre ici.

Une jeune femme vint à sa rencontre et, avec un fort accent slave, l'invita à la suivre. Ils pénétrèrent d'abord dans un hall d'où un escalier monumental menait aux étages. Laurenti leva instinctivement les yeux et deux têtes de filles curieuses, penchées par-dessus une balustrade, disparurent en un éclair. Ils traversèrent ensuite deux grands salons au parquet ancien, donc précieux, ornés de tapis, de tentures, de tableaux et de lourds rideaux. Les volets fermés plongeaient les deux pièces dans une semi-obscurité. Les portes qui donnaient sur la galerie attenante restaient entrouvertes, Laurenti entendit des voix féminines qui parlaient une langue inconnue de lui. Il entrevit deux filles qui passaient furtivement. « On dirait un pensionnat de jeunes filles », pensa-t-il. Devant une porte vitrée qui donnait sur le jardin, la jeune femme lui fit signe de rejoindre la Signora au bord de la piscine. Il huma un mélange d'herbe fraîchement coupée et de chlore. Il fut d'abord ébloui par le soleil, puis il distingua une chevelure blonde qui dépassait du dossier d'une chaise longue. Ce devait être Tatiana Drakič.

Il ne s'était pas attendu à être accueilli par une personne entièrement nue, qui ne croisait même pas les jambes à son approche. Laurenti toussota. C'était une femme superbe, il aurait fallu être aveugle pour ne pas s'en apercevoir, car voilà qu'elle se levait sans se presser et s'enveloppait négligemment de soie turquoise.

« Prenez le temps d'admirer, dit-elle à Laurenti, qui fixait désespérément une amphore romaine tandis qu'elle couvrait sa nudité, tout est authentique. »

Elle s'avança vers lui, son voile noué sur la poitrine, et lui tendit la main.

« Que puis-je pour vous ? »

Laurenti se présenta.

« Je dirige l'enquête. Avez-vous des nouvelles du Signor de Kopfersberg ?

– Non, répondit Tatiana Drakič, je suis très inquiète.

– Où est-il allé ?

– Je ne sais pas. Il devait rentrer hier.

– Quelle est la nature de vos relations ?

– Nous vivons ensemble depuis plus de trois ans.

– Et il ne vous dit pas où il va quand il s'en va ?

– Non, pas toujours. Mais j'ai déjà raconté tout ça à votre collègue. Faites donc enfin quelque chose pour le retrouver ! »

La Drakič ne faisait même pas l'effort d'être polie. Son indifférence, sa froideur irritaient le commissaire.

« Il est parti seul ?

– Oui.

– Il fait ça souvent ?

– Non. Rarement.

– Vous vous êtes disputés ?

– Non, lança-t-elle avec un regard furibond.

– Vous ne l'avez pas accompagné ?

– Je ne me sentais pas bien. »

Elle n'était vraiment pas bavarde.

« Il ne vous a pas appelée depuis son départ ?

– Non, répondit-elle obstinément.

– Vous ne vous êtes pas étonnée ?

– Non. Pourquoi voudriez-vous…

– Eh bien, vous avez dit, je crois, que vous viviez ensemble.

– Oui.

– Et ce qui arrive à votre compagnon, si je puis m'exprimer ainsi, vous laisse indifférente ?

112

« – Je n'ai pas dit ça. On peut tout de même se séparer quelques jours sans être pendus au téléphone.

– Bien entendu. Nous avons toutes raisons de penser qu'il s'agit d'un meurtre. Kopfersberg a vraisemblablement quitté son yacht en pleine mer. »

Laurenti entreprit de lui expliquer tranquillement le fonctionnement du pilotage automatique.

« Est-ce qu'il était, euh… bon nageur ?

La dame sursauta, l'air surpris.

« Assez, je pense. Pourquoi ?

– L'Adriatique est très chaude et très salée. Un bon nageur peut tenir longtemps en cette saison. Mais dites-moi, ajouta Laurenti pour profiter de son avantage, il y a du monde dans cette maison. J'aimerais parler à d'autres personnes. Peut-être quelqu'un a-t-il remarqué quelque chose ? »

La Drakič se détourna d'un geste trop brusque pour que Laurenti ne s'en aperçoive pas.

« Le personnel ne sait rien. Il ne pourra rien vous dire. Je préférerais que vous recherchiez Bruno plutôt que de me poser des questions auxquelles je ne peux pas répondre. »

Laurenti réalisa qu'il avait déjà vu cette femme. La veille au soir, en allant se baigner sur la Costiera.

« C'est l'histoire de l'aiguille et de la botte de foin, Signora, dit Laurenti, qui tentait de la ramener dans ses filets. Si nous ne savons pas où chercher, nous aurons du mal à le retrouver. Je comptais sur votre collaboration, mais vous n'y semblez pas disposée. J'imaginais que vous feriez tout pour que l'homme de votre vie, que vous aimez je suppose, soit retrouvé. Au lieu de cela, vous êtes pressée de me voir partir. »

La Drakič resta silencieuse un bon moment. Laurenti se taisait, lui aussi.

« Vous avez raison, dit-elle, hésitante, presque à contrecœur, il arrivait que Bruno se sente surmené,

alors il partait quelques jours avec son yacht. Il préten-
dait que la mer lui donnait un sentiment d'espace et de
paix. Il disait qu'il avait beaucoup de travail en attente
et qu'il voulait reprendre des forces. Pensez qu'il a
cinquante-huit ans. Où est-ce qu'on peut aller en partant de Trieste avec un yacht ? Vers le sud, il n'y a pas
beaucoup d'autres possibilités. Bruno est un homme
sociable, personne ne lui ferait de mal. »

Laurenti était curieux de voir jusqu'où elle irait dans
ses confidences. Elle venait de lui donner des informations qu'il n'avait pas demandées et qu'il ne savait pas
encore interpréter.

« Il a un fils, pour autant que je sache ?

– Spartaco, il habite Vienne.

– Vous lui avez parlé ?

– Il n'est pas là. Il est en vacances. Je ne sais pas où.
Mais il doit rentrer lundi.

– Quels rapports entre le père et le fils ?

– Normaux, fit la Drakič, qui reprenait, petit à petit,
son ton désagréable, des rapports entre père et fils,
voilà tout.

– Et vous, avec le fils ?

– Mais qu'est-ce que ça… contra la Drakič, qui pourtant se mordit la langue, enfin, je ne suis pas sa mère, je
ne suis guère plus vieille que lui. On ne s'aime pas,
mais on se respecte.

– Que savez-vous de la mort d'Elisa ?

– Rien. Écoutez, commissaire, dit la Drakič en
essayant de se maîtriser, je ne vois vraiment pas le rapport avec la disparition de Bruno.

– Pouvez-vous me montrer son bureau ? Les autres
pièces ? »

Laurenti s'attendait au pire et il ne fut pas déçu.

« Non, répondit la Drakič en regardant ailleurs.

– Pourquoi pas ?

114

– Il faudrait que j'y aille moi-même, vérifier qu'il n'y a pas trop de désordre. »

Laurenti n'arrivait pas à s'imaginer que, dans une villa si bien entretenue, ce soit justement la pagaille dans les appartements du maître de maison.

« Allez donc jeter un coup d'œil et voyez si vous pouvez me laisser entrer. Rien qu'une petite note dans l'agenda pourrait nous être utile. Il arrive qu'une personne extérieure voie davantage, Signora. »

Tatiana Drakič se leva brusquement et lui demanda de l'attendre au bord de la piscine.

Ce qui dura une bonne dizaine de minutes, montre en main. À un certain moment, alors qu'il examinait la façade est de la villa, déjà plongée dans l'ombre, il crut apercevoir, à une fenêtre du deuxième étage, un visage qui l'observait. Un ou plutôt deux ? Qui étaient toutes ces filles, la maison n'avait pourtant pas l'air d'un bordel ! Une voix de femme donna des ordres, puis Tatiana Drakič réapparut.

« Si vous voulez bien me suivre… »

Elle passa devant. Le voile turquoise laissait deviner ses formes. En fait, c'était à la maison qu'était censé s'intéresser Laurenti. Dans le salon qu'il traversa, il essaya d'enregistrer un maximum de détails. Style bourgeois conservateur, preuve de richesse, mais pas d'autres indices. Le silence régnait dans la villa. Ils suivirent un long couloir. Un tapis amortissait le bruit de leurs pas. Puis un second escalier que Laurenti ne connaissait pas encore. Le couloir du premier étage était identique à celui du rez-de-chaussée. La deuxième porte à gauche s'ouvrait sur le bureau de l'Autrichien. L'intérieur était capitonné. La fenêtre donnait sur le nord et n'offrait pas la vue grandiose sur la ville que Laurenti s'attendait à découvrir. La pièce mesurait sept mètres sur cinq, le plafond était à quatre mètres de hauteur. Aucun tapis ne recouvrait le parquet parfaitement ciré. Devant la fenêtre, un bureau massif, comme en possédaient, au milieu du dix-neuvième siècle, les patrons de Trieste. Derrière, en rupture de style, un lourd fauteuil en cuir. Dans un coin, un salon à l'anglaise, un canapé et deux fauteuils en cuir, une petite table en bois sur laquelle trônait un énorme cendrier rouge et bleu en verre de Murano. De part et d'autre de la porte, une bibliothèque avec quelques rares livres. Sur un autre mur, une gravure représentant l'Istrie.

Comme Laurenti l'avait craint, la pièce était impeccablement rangée et il était évident que cela ne s'était pas fait à la va-vite. Même pas un papier sur le bureau. À part un sous-main et de quoi écrire, uniquement un téléphone dernier cri. Sous le bureau, un câble servant manifestement à brancher un ordinateur portable. Laurenti s'approcha du bureau, un rien trop vite probablement, car il entendit, derrière lui, Tatiana Drakič, glaciale :

« Vous voyez bien que vous ne trouverez rien ici ! »

Elle avait dû deviner qu'il mourait d'envie d'ouvrir les tiroirs du bureau et d'y fouiller, mais, rien qu'au ton de sa voix, il comprit qu'elle ne le laisserait pas faire.

« Vous avez l'adresse et le numéro de téléphone du fils ? demanda brusquement Laurenti en espérant qu'elle ouvrirait un tiroir pour prendre un bout de papier et noter sa réponse.

– 14, Wiedener Straße à Vienne. Téléphone : 47 98 25 342. »

Laurenti fut interloqué. Elle connaissait par cœur l'adresse du fils, alors qu'elle venait de dire qu'ils n'avaient pas de bonnes relations. Et elle prononçait correctement l'allemand.

« Excusez-moi, je n'ai rien pour écrire. »

Laurenti s'obstinait, il voulait absolument jeter un coup d'œil dans les tiroirs. Mais rien à faire.

« Je vous le noterai en bas. »

Tatiana tenait la porte ouverte et Laurenti obéit. Elle retraversa le long couloir et descendit l'escalier. Elle s'arrêta près du téléphone, nota l'adresse sur une feuille de bloc et la tendit à Laurenti.

« Maintenant, excusez-moi. J'ai à faire. »

Laurenti se demanda bien quoi, mais il s'abstint de poser la question. Il prit congé sans serrer la main de Tatiana Drakič. Mais il se retourna une dernière fois.

« Le sous-chef Sgubin vous a demandé hier une photo du Signor de Kopfersberg. Nous en avons besoin pour les recherches.

– Je lui ai déjà dit que nous n'en avions pas. Bruno avait horreur de se faire photographier.

– Que faisiez-vous hier soir sur la Costiera ?

– Ah oui ! Je m'en souviens. C'était vous ? Vous nagez bien, mais vous chantez faux. Je suis allée avec mon frère voir l'endroit où l'on a retrouvé le yacht. »

La porte de fer se rouvrit automatiquement, Laurenti descendit la Via dei Porta et retourna au bureau. Il repensait à cette visite, l'une des plus singulières qu'il ait faites dans sa carrière de policier. La dame l'avait reçu de façon provocante, nue au bord de sa piscine. Elle ne lui avait fourni aucun indice qui puisse l'éclairer. Et pourtant, il était ressorti de la villa avec une masse d'informations. La photo, il faudrait aller la chercher dans les fichiers du service de recensement. Cela ne donnerait pas grand-chose. Laurenti comprit pourquoi il aimait tant marcher. Cela lui laissait le temps de se remémorer, sans être dérangé, tous les détails de l'interrogatoire. Il passa devant le Caffè San Marco et décida de s'y arrêter pour prendre quelques notes. Il s'interrogeait en particulier sur toutes ces filles qui vivaient dans la villa et n'avaient pas envie qu'on les voie.

« Viktor, dit-elle, énervée, je viens encore d'avoir la visite d'un flic. Un commissaire Laurenti. Il a posé des tas de questions, je ne suis pas sûre qu'il n'ait pas vu les filles.

– Qu'est-ce qui te fait dire ça ?

– Il a demandé qui c'était.

– Qu'est-ce que tu as répondu ?

– J'ai dit "du personnel".

– Bien. Qu'est-ce qu'il voulait savoir à part ça ?

– Spartaco. Je lui ai donné l'adresse. Il ne lâche pas facilement le morceau.

– Tremani arrive demain, l'homme de Lecce. Il logera au Duchi d'Aosta. Nous aurons pas mal de choses à régler. Mais je me fais du souci pour Bruno. J'ai appris qu'il avait rencontré Bogdanovic. C'était avant son départ. Ils ne se sont pas mis d'accord. Mais je ne pense pas qu'il y ait de danger de ce côté-là. Je le crois sur parole. Mais qu'est-ce qui a bien pu se passer ?

– Je me le demande aussi. Je n'ai pas confiance en Bruno, je ne lui ai jamais fait confiance, ajouta Tatiana, crispée.

– C'est la première fois que tu dis ça, Tatia ! Voilà trois ans que tu couches avec lui et maintenant... Pourquoi ?

– Tu sais bien que ça n'a rien à voir, Viktor. Je le crois capable de nous doubler.

– Je ne pense pas qu'il oserait. Ne te fais pas de souci. Cela lui retomberait dessus, il le sait parfaitement. Pour le reste, on peut tout à fait se passer de lui. L'affaire marche déjà très bien. Ce sont les recherches qui m'embêtent. Juste maintenant ! Il faudrait peut-être rajouter ce flic sur la liste ?

– Ce n'est pas son genre, Viktor ! Il faut s'y prendre autrement.

– Imaginons que Bruno ait eu des problèmes. Il ne se passera rien avant qu'il ne réapparaisse ou qu'on le retrouve. Mais ça ne changera pas grand-chose. En cas de besoin, on poussera Spartaco sur le devant de la scène.

– Ils supposent que Bruno a quitté son bord en pleine mer. Loin, au large.

– Alors, ça risque de durer. Tatia, n'oublie pas notre objectif. Si on s'entend avec Tremani, on aura fait un grand pas en avant. Il ne faut pas rater le coup. Et dans trois jours, les invités arrivent.

– Spartaco ne répond pas non plus. J'ai essayé plusieurs fois de l'appeler.

– Du calme, Tatia. On saura bientôt de quoi il retourne. Même s'il est arrivé quelque chose à Bruno, il ne faut pas s'inquiéter. On n'a pas bougé d'ici. Et tu serais enfin débarrassée de ce type. »

13 h 05

Laurenti trouva plusieurs notes sur son bureau. Avant tout, rappeler Ettore Orlando. Puis le rapport de la brigade financière. Et son fils Marco qui avait plusieurs fois essayé de le joindre. Et qu'avait-il fait de son portable ? Dans la voiture depuis hier soir !

Marco était à la maison. Il décrocha à la première sonnerie, comme s'il était resté près du téléphone à attendre l'appel de son père.

« Papa, on a volé ma Vespa, annonça-t-il tout excité. Qu'est-ce qu'il faut que je fasse ?

– Où ça ?

– Je ne sais pas exactement, je l'ai laissée sur le Viale.

– Quand ? demanda le père, contrarié.

– Tard. Après une heure.

– Tu as les papiers ?

– Oui.

– Prends-les, va voir les vigiles urbains et dépose une plainte pour vol auprès du fonctionnaire de service. Photocopie le double qu'il te donnera et va à l'assurance. Demande Piero Molina, il a notre dossier. Raconte-lui tout et donne-lui le papier du commissariat. Et demande-lui combien de temps il faut pour être remboursé. »

Silence au bout de la ligne. Marco se taisait.

« Marco ? Tu es là ?

– Oui, papa, répondit Marco, tout penaud.

– Marco, qu'est-ce qui se passe ?

– Il y a un problème. J'ai oublié de payer l'assurance.

– Tu plaisantes ? riposta Laurenti, effaré. Tu as combien de retard ?

– Six semaines, avoua Marco.

– Ce n'est pas vrai ! Le fils du commissaire Laurenti roule comme un cinglé et il n'a pas d'assurance depuis presque deux mois. Pourquoi ne l'as-tu pas payée ?

– J'ai oublié. Trop de choses sur le dos, papa !

– Trop… Laurenti s'étrangla. Tu es en vacances, tu vas tous les jours à la mer, tu écumes la ville avec tes copains et tu rentres au milieu de la nuit.

– Oui, je sais, mais j'ai oublié, zut ! Qu'est-ce que je fais maintenant ?

– Tu fais ce que je t'ai dit. Et si l'assurance ne paie pas, tu iras à pied. Je ne t'en achèterai pas une autre.

– C'est grand-mère qui me l'a payée !

– Je sais, mais ça m'étonnerait que tu arrives à l'embobiner une fois de plus. Passe-moi ta mère.

– Elle est sortie.

– Où ça ?

120

« – Elle a rendez-vous avec la Massotti. Quelque part Via dei Porta.

– Marco, maintenant tu te bouges et tu fais comme j'ai dit. On en reparlera ce soir. Tu seras peut-être là, exceptionnellement, pour dîner ?

– Papa, tu as déjà lu le *Mercatino* d'aujourd'hui ?

– Non. Pourquoi ?

– Il y a une interview de Livia. Et des photos. Pas mal !

– Marco, comment as-tu voté hier soir ?

– Voté ? s'étonna Marco.

– Oui. À l'auberge. Laura prétend que vous avez pris une décision à l'unanimité.

– Ah oui ! J'étais aux toilettes. Quelle importance ?

– Et que dit le *Mercatino* ?

– Achète-le. Tu le liras toi-même. »

« Quelle belle chose que la famille, pensa Laurenti. Enfin presque toujours. »

Puis il composa le numéro d'Ettore Orlando.

« J'ai deux nouvelles pour toi, Proteo ! »

Le capitaine avait enfin du concret sur son bureau. Une réponse des autorités portuaires de l'Adriatique à la question de savoir si le Ferretti 57 avait été enregistré dans un autre port depuis lundi dernier. Puis les conclusions du laboratoire.

« Kopfersberg est allé à Rimini, expliqua Orlando ; il est arrivé mardi après-midi, venant d'ailleurs des eaux non territoriales. Il s'est fait enregistrer tout à fait régulièrement et il est reparti mercredi soir juste avant dix-neuf heures.

– Rimini ? s'étonna Laurenti. Qu'est-ce que quelqu'un qui a un bateau pareil va faire à Rimini ? Je croyais que les gens à fric évitaient l'endroit.

– Attends la suite. Sur le pilote automatique et sur la commande du treuil, on a effacé les empreintes, qui ne manquent pourtant pas par ailleurs. Pas surprenant sur un bateau de cette taille, qui peut embarquer jusqu'à dix-huit passagers. Mais là, justement, pas la moindre trace. Notre hypothèse se confirme : Kopfersberg a eu de la visite en pleine mer. »

Orlando s'accorda une petite pause et poursuivit :

« Tu te souviens que, quand on a retrouvé le yacht, le câble du treuil était complètement déroulé. C'est un filin plutôt mince, long de cent cinquante pieds, qui peut supporter deux tonnes. À l'extrémité, un nœud coulant. Les spécialistes ont examiné le câble centimètre par centimètre. Sur les deux derniers mètres, ils ont trouvé des petits lambeaux de peau qu'ils sont en train de regarder de plus près.

– Les résultats sont pour…

– Il faut d'abord pouvoir comparer. On s'en occupe.

– Où ça ?

– Chez Kopfersberg lui-même.

– Bonne chance ! J'y étais ce matin, c'est plutôt bizarre.

– Le meilleur est pour la fin. Sur la gaffe qui s'est prise dans l'une des défenses, ils ont trouvé des traces de sang. De groupes sanguins différents. Tu peux donc être certain qu'une bagarre a eu lieu. Il y en a un qui est passé par-dessus bord, l'autre est rentré en marchant sur les eaux.

– Il y a deux mille ans peut-être. Mais les bouts de peau sur le câble ?

– Comme si quelqu'un avait été traîné avec. Comme dans un western, le pauvre héros solitaire derrière un cheval lancé au galop. Sauf que c'était en mer.

– On ne peut pas remonter, à force de tractions…

– Si l'on n'est pas blessé, si l'on a des forces extra-ordinaires, peut-être. Mais un homme de l'âge de Kopfersberg ?

– Sinon, on peut survivre combien de temps ? Accroché comme ça derrière un bateau. On peut respirer ou on se noie ?

– Comment te dire ? On doit être traîné comme un bout de bois, avec une partie émergée. Respirer doit être possible, à condition de ne pas être attaché par les pieds. Je n'ai jamais essayé, Dieu merci !

– On peut donc survivre ?

– Jusqu'à Trieste ? Pendant six heures trois quarts ? Hum. Oui, après tout, avec ces températures.

– On est donc obligé de continuer à chercher.

– Franchement, je n'y crois pas. C'est trop invraisemblable. Or celui qui a conçu ce plan n'est pas homme à laisser quoi que ce soit au hasard. »

Laurenti était perplexe. Toutes les versions possibles défilaient dans sa tête.

« Imaginons que l'Autrichien ait été attaqué sur son yacht, qu'il ait été attaché avec ce câble et qu'on l'ait jeté par-dessus bord, mais qu'il ait survécu, peut-être se cache-t-il ici, par peur de son tortionnaire. Ettore, ça expliquerait cette ambiance bizarre à la villa. Il était peut-être même là pendant que je parlais à la Drakič, à m'observer secrètement.

– À mon avis, on a affaire à des professionnels. Un ou plusieurs. Pas à des dilettantes. C'était parfaitement organisé. »

Orlando restait sur ses positions.

« Je ne sais pas, mais il me semble que dans l'import-export, surtout avec les Balkans, pas mal de choses sont possibles, rétorqua Laurenti.

– Justement, c'est bien pour ça que je pense à un professionnel. Albanais, russe ou *cosa nostra*, en tout cas un tueur !

– Mais pourquoi ne pas le descendre tout simplement dans la rue, comme d'habitude ? Pourquoi tant de complications ? C'est ça qui me tracasse, tu comprends ?

« – S'il a fait des affaires à Rimini, avec qui, crois-tu ?

– Avec les Russes, évidemment !

– Et s'il n'a pas eu de problème avec eux, mais avec d'autres, disons de l'autre bord, qui a pu le protéger à Rimini ?

– Les Russes bien sûr.

– Donc il n'a pas de problème avec eux, Proteo, sinon il ne serait pas reparti. Quand ils protègent quelqu'un, les autres n'ont pas la moindre chance. Tu sais comment ils s'y prennent. Cinq types de la stature de Schwarzenegger autour de toi, parce qu'il ne doit rien se passer là où il ne faut pas. Trop dangereux. Ne reste que la poursuite en mer. Ils savaient qu'il était seul sur le yacht et qu'il fallait lui régler son compte avant qu'il ne rentre à Trieste.

– Tu as peut-être raison, Ettore, même sûrement. Mais il y a quelque chose qui ne colle pas. Pourquoi étaient-ils pressés au point de devoir le liquider en pleine mer ?

– Des informations, des documents, des marchandises ? De la drogue, par exemple, qu'on lui a reprise à l'occasion. Avant qu'il ne puisse la revendre.

– Vous avez tout épluché, Ettore, jusque dans les recoins ?

– C'est ce qu'on a fait, qu'est-ce que tu crois ? Mais qu'est-ce que tu veux trouver quand il n'y a rien ?

– Je ne sais pas, je pose la question, c'est tout, excuse-moi ! J'espère avoir rapidement le rapport du labo. Surtout du toubib.

– Il n'y en a plus pour longtemps. Même avec les gars en congé, ils ne sont pas débordés. »

La mafia, un tueur à gages, les Albanais ? Pas les Russes, ils étaient d'accord là-dessus. Laurenti, énervé, avait raccroché brusquement. Il savait qu'il pouvait faire confiance à Orlando, qu'il n'avait aucune raison de se méfier. Le capitaine avait de l'expérience, il était méticuleux. Ce qui agaçait Laurenti, c'était de devoir repenser toute l'affaire depuis le début, sans espoir d'en retrouver vivant le protagoniste. C'est certain, se dit-il, faire des affaires dans certaines régions de l'Europe du Sud-Est peut devenir dangereux. Les Albanais, en particulier, sont connus pour être peu enclins au compromis. *Cosa nostra*, elle aussi, est partout présente et défend âprement ses parts de marché. Si Kopfersberg s'est mis en tête de contre-carrer qui que ce soit sur ce terrain, on ne pourra jamais éclaircir l'affaire. Pas de piste. Les affaires non élucidées horripilaient Laurenti. Pourtant, ce qui le mettait encore plus en colère, c'était que son vieil adversaire lui sabote la belle saison.

Pour l'achever, un agent lui apporta un fax de la brigade financière. Il le survola en marmonnant, puis il le jeta sur son bureau avec un geste de dépit. Rien qui lui permette d'avancer, pas plus que la conversation avec Ettore. Au contraire, la confirmation qu'il était dans une impasse.

TIMOIC : Trasporti Internazionali e Medioriente – International Containers SRL
Création : 14 septembre 1971
Siège : 7, Via Roma, 34100 Trieste
Capital : 500 000 000 lires
Propriétaire : Bruno de Kopfersberg
Direction : Bruno de Kopfersberg
Fondés de pouvoir : Eva Zurbano, docteur Viktor Drakič
Activités : transports, affrètement
Observations : demande relative aux comptes bancaires de la part de la direction de la police fédérale (Vienne) le 10 avril 1998. Signée du

conseiller Kellerer. Réponse favorable. La TIMOIC est titulaire de trois comptes à la Banca Nordeste, siège à Trieste, de deux comptes à la Cassa Generale de Padoue et d'un compte à la Bank Austria de Vienne. S'y ajoutent deux comptes en territoire off-shore : Double Bar Bank sur l'île de Man et CWC-SECUR à Chiasso (Suisse).

Par son propriétaire, la TIMOIC est liée à :

ATW Austrian Transports Worldwide SRL Vienne (Autriche)
Création : 14 septembre 1971
Siège : 14c, Wiedener Hauptstrasse, 1010 Vienne (Autriche)
Capital : 750 000 shillings autr.
Propriétaire : Bruno de Kopfersberg, Trieste
Direction : Bruno de Kopfersberg, docteur Spartaco de Kopfersberg
Activités : commerce, transports, affrètement
Observations : l'ATW a été impliquée dans une affaire de corruption liée à l'aide publique autrichienne. Détournement de subventions, directement virées sur le compte de la TIMOIC auprès de la Bank Austria (Vienne). L'amende a été fixée à 1 350 000 shillings autr.

Laurenti appela son collègue de la brigade financière pour en savoir davantage. Le major était prudent, il resta évasif. Si Laurenti comprenait bien son discours ambigu, il s'agissait de la fourniture de vedettes rapides et d'un très gros budget. À remarquer que Kopfersberg n'était qu'un maillon de la chaîne et touchait en amont comme en aval. De l'argent sale évidemment. L'objectif inavoué était de maintenir à flot un énorme trafic de cigarettes entre l'Albanie ou le Monténégro et les Pouilles.

Ils avaient surveillé ce versant de la TIMOIC, ils étaient certains que cette manipulation commerciale insensée permettait de blanchir des sommes colossales.

Trois perquisitions de ses locaux avaient abouti à la vente de cette branche de l'entreprise. Direction Malte. On avait supposé que le clan Tremani de Lecce s'en était rendu acquéreur. On n'avait rien pu prouver. L'affaire en était restée là.

« Au fait, précisa le chef de la brigade financière, la TIMOIC a en main l'aide à la Turquie. Ils mettent à la disposition des autorités européennes leurs capacités d'affrètement et se chargent de tout ce qui passe par le port. Il y a beaucoup d'argent à la clé.

– Et quelques morts », ajouta Laurenti, sarcastique.

Le mensuel d'annonces *Mercatino* était grand ouvert sur le bureau de Marietta. Comme elle était en pause déjeuner, Laurenti emporta dans son bureau le périodique, où l'on trouvait tout, de l'aide familiale au bateau d'occasion. Les huit pages dans lesquelles sa fille Livia était présentée à ses concitoyens lui mirent le rouge au front et lui arrachèrent un soupir de désespoir. Livia posait aussi bien dans une légère robe d'été que dans un horrible bikini rose et blanc. Des images épouvantables, qu'un quelconque photographe de troisième zone avait dû trouver sexy : Livia allongée sur la selle de son scooter, Livia devant le théâtre Verdi avec, à la main, un ridicule petit sac verni, Livia sur la plage lisant une édition de poche de *Madame Bovary*, les cheveux retenus par ses lunettes de soleil. Flatterie du mauvais goût populaire. Incroyable ! Mais il n'y avait pas que les photos qui faisaient bouillir Laurenti. Un article abominable et une interview débile servaient d'alibi. Tout ça sur un papier ligneux et grisâtre qui buvait les couleurs. « Porno, marmonna Laurenti, furieux, tandis qu'il lisait le portrait kitsch de sa fille. Soft, mais porno ! »

LIVIA LAURENTI

Douce et romantique, sensible, voire sentimentale (peut-être est-ce la raison pour laquelle elle se consacre à la littérature moderne), Gémeaux ascendant Cancer, bref délicate. Livia dit d'elle-même qu'elle n'est pas compliquée et qu'il lui suffit de peu de chose dans la vie. Elle a vingt ans, elle est en deuxième année à la faculté des lettres. Son hobby est évidemment la littérature et toutes les langues étrangères l'intéressent. Elle parle anglais et allemand, ainsi qu'espagnol. Sinon, dit-elle, elle aime la mer et les animaux. Livia travaille à mi-temps dans une galerie de peinture, elle s'occupe un peu de tout. Elle aimerait bien être serveuse dans un bar, mais ses parents ne sont pas d'accord (son père est dans la police). « Je suis curieuse de voir des gens, déclare-t-elle, et où peut-on en rencontrer davantage que dans un bon bistrot ? Le travail à la galerie me plaît bien aussi, mais là, il faut y mettre les formes. Il est plus facile de mixer un drink que de vendre de l'art. » Livia voudrait devenir écrivain ou journaliste. « Je trouve génial de gagner sa vie partout dans le monde. Être libre, c'est ça le plus important ! »
– *Ce n'est pas courant qu'une fille comme toi, sensible et même sentimentale, participe à un concours de beauté comme « Miss Trieste 1999 ».*
– Oui, c'est vrai. Je suis l'exception qui confirme la règle. Je plaisante, mais je voudrais savoir l'effet que ça fait quand tout le monde vous

regarde. Je n'attends rien d'autre qu'une nouvelle expérience, beaucoup de plaisir et la possibilité d'élargir mon horizon personnel.

– Et que feras-tu si tu gagnes ?

– Gagner n'est pas le plus important, mais je serais heureuse. Si je gagnais, beaucoup de choses changeraient sûrement. Les rendez-vous et tout ça. Peut-être des offres du monde de la mode ou du cinéma. On verra bien. Et naturellement la participation au concours régional et peut-être même à l'élection de Miss Italie. Mais je ferai très attention avant de me décider.

– Quelle sera la conséquence pour tes études, si tu gagnes ?

– Je commencerai par déménager à Berlin ou à New York pour finir mes études. Mais sans me presser.

– Que représente la famille pour toi ?

– Beaucoup. J'aime mon frère et ma sœur et aussi mes parents. Mais il faut se battre longtemps pour qu'ils comprennent qu'on est devenu adulte. Je voudrais, un jour, avoir, moi aussi, des enfants et un chien. Et une maison au bord de la mer.

– Et l'amour ?

– L'amour, c'est merveilleux ! Indispensable ! Et quand on est sincèrement aimé, on n'a plus besoin de grand-chose dans la vie, vous ne croyez pas ? Je donnerais immédiatement mon cœur à celui qui saurait faire ma conquête.

– As-tu un petit ami ?

– Malheureusement, ça n'a pas marché. Il me reprochait de trop lire, alors que je ne peux pas m'en passer. Mais il était gentil. Je ne lui en veux pas.

– Que changerais-tu à ton caractère si tu le pouvais ?

– Ma mère dit toujours que je suis une drôle de combinaison, à la fois « trop bonne » et « trop butée ». Il faudrait que je réussisse à moins me soucier de l'opinion des autres, à être plus indépendante.

– *Qu'est-ce qui est le plus important, pour toi, dans la vie ?*

– Pas besoin de réfléchir : les livres, l'amour, les amis, la mer et le soleil.

« Mon Dieu, pourvu qu'elle ne gagne pas ! » soupira le père mortifié en s'essuyant la sueur du front avec son mouchoir.

13 h 55

Marietta rentra enfin de déjeuner et trouva son chef, les pieds sur son bureau, venant de replier le *Mercatino*. L'image de la désolation. Les vêtements de Marietta étaient encore imprégnés de l'odeur du restaurant où elle avait mangé avec ses collègues, un mélange d'odeur de friture et de fumée de cigarette.

« Je t'apporte les casiers judiciaires des deux Drakič, tu me les aurais demandés de toute façon. Pas grave, mais pas ragoûtant non plus. Ils ont, tous les deux, quatre ans avec sursis. Incitation à la prostitution. Bizarre, mais il n'est pas question de proxénétisme dans le jugement. C'est rare. »

Laurenti jeta un coup d'œil sur les deux documents que lui tendait Marietta et les posa sur son bureau. Il renifla.

« Quel drôle de parfum, Marietta. Tu viens de chez le coiffeur ? fit-il, l'air interrogateur.

– Tu plaisantes ? rétorqua Marietta, fronçant les sourcils, avant de faire un pas en arrière.

– Ah non, pardon, tu es allée déjeuner. Qu'est-ce qu'il y avait de si repoussant ? Un *fritto misto* ? On le dirait, à l'odeur, ajouta Laurenti en mimant une truffe renifleuse.

– Ton chef est l'homme le plus charmant de Trieste, dit Marietta, se parlant à elle-même, jetant un regard assassin au coupable. Il s'y entend à te faire d'incomparables compliments, Marietta. Oui, c'est un très gentil garçon. Mais un jour, Proteo, je t'en collerai une et tout le monde m'approuvera.

– Tu ne peux pas nier que ça ne ressemble pas à ton parfum habituel, Marietta. C'était donc bien un *fritto misto* ?

– Ce n'était pas un *fritto misto*, Laurenti. Quand on va manger avec les collègues, on s'y connaît. Si ça t'arrivait plus souvent… »

Marietta n'avait pas tort de souligner qu'il était déjà arrivé à Laurenti d'être plus aimable que ces derniers temps. Il avait ses périodes. Les semaines précédentes, il s'était contenté, à midi, de prendre un livre, d'aller s'asseoir une heure au Caffè San Marco et de lire en buvant son café. Parce que Laura, une fois de trop, l'avait pincé à la taille en faisant ressortir le petit bourrelet qui commençait à se dessiner et lui avait demandé s'il était suffisamment nourri. Laurenti, il est vrai, n'était pas au mieux de sa forme. Il n'était pas gros, mais tout de même assez vaniteux pour sauter un repas et perdre quatre kilos de surpoids.

« Quoi de neuf ? demanda-t-il par habitude.

– Tu n'es pas au courant de ce qui s'est passé sur le môle VII ? »

Laurenti la regarda, l'esprit ailleurs, et finit par hocher négativement la tête.

« Ils ont ouvert un conteneur de la Far East. Tu sais, les rouges avec de grandes lettres blanches. Il était déjà presque au bout de la chaîne automatique, il allait être chargé sur un camion, c'est là qu'ils ont entendu des bruits. Trente-deux Kurdes. Que des hommes. Trois morts. Les autres sont en clinique à Cattinara. Un jour de plus, ils seraient tous morts de soif. Le conteneur était en route depuis onze jours. Certains ont affirmé qu'ils avaient payé six mille marks chacun pour se rendre en Allemagne.

– C'est terrible, Marietta. Ces pauvres bougres ont toute ma sympathie. Même en étant de la police, je les comprends. On va s'occuper d'eux jusqu'à ce qu'ils soient remis sur pied et puis les expulser. Et ils auront donné leur dernier sou à des voyous qui se foutent de ce qui leur arrive.

– Là-dessus, on a examiné les autres conteneurs de la Far East. Il y en a un avec lequel ils n'en ont pas encore terminé. Il vient de Madras. Des millions de petites araignées rouges. Pas de trace de marchandise. Les pompiers et les types de la désinsectisation n'en sont même pas venus à bout avec les premières mesures d'urgence. Ils en sont aux armes chimiques. Tu te rends compte ? Répugnant !

– Ça t'étonne ? Qui sait tout ce qui passe par le port franc ? Rappelle-toi le conteneur de drogue pour Vienne. Une tonne et demie de cocaïne. deux cent cinquante millions de dollars. La première fois que plusieurs pays coopéraient si étroitement. Mais le trafic humain, c'est pire. Hier soir, le questeur nous a demandé d'intervenir plus sévèrement. »

Depuis que les Slovènes étaient entrés dans l'Union européenne, avait dit le questeur, ils faisaient tout leur possible pour jouer le rôle de frontière de l'espace Schengen. Le week-end précédent, ils avaient arrêté plus de cent clandestins près de Capodistria. Venant de Turquie, du Pakistan, du Bangladesh, de Roumanie, du Kosovo et de Serbie. Un premier groupe avait été découvert à l'aube près de Jelsane, non loin de la fron-

tière slovéno-croate. Des autochtones qui les avaient
aperçus avaient appelé la police. Un peu plus tard, une
patrouille avait arrêté vingt-cinq Pakistanais et Roumains en route depuis plus de vingt jours. Ils étaient
encore à Novi Sad, en Serbie, deux semaines plus tôt.
Ils avaient gagné Zagreb en se cachant dans un train de
marchandises. Trois passeurs les avaient ensuite amenés à Fiume dans deux camions. Ils avaient alors franchi quelque part la frontière slovène et s'étaient cachés
dans un bois où deux autres passeurs les avaient pris en
charge pour les emmener en camion à Udine. Pour
cette dernière étape, chacun avait encore dû payer deux
mille cinq cents marks. Un autre groupe de trente et un
Bangladais, dont des jeunes de treize à dix-neuf ans,
avait été surpris par la police le samedi matin près de
Vrtojba, à quelques kilomètres de la frontière italo-
slovène à hauteur de Gorizia. Les clandestins, à bout de
forces après un long périple, avaient raconté que des
intermédiaires les avaient amenés de Budapest à Lju-
bljana, puis chargés dans un seul camion. Ils avaient
payé trois mille marks aux passeurs, qui avaient pu
s'échapper au dernier moment. Le dimanche matin,
onze Roumains avaient été découverts près de Postu-
mia. Les trois guides, arrêtés en même temps qu'eux,
avaient avoué qu'ils étaient allés les chercher à Buca-
rest une semaine auparavant pour les faire travailler sur
un chantier ou comme ouvriers agricoles près de Pal-
manova et de Pordenone. Entre-temps, les passeurs
avaient offert à leurs « clients » un « contrat » qui pré-
voyait une seconde tentative d'immigration clandestine
en cas d'échec de la première.

Les Allemands, surtout, faisaient pression pour que
les autres pays rendent leurs frontières imperméables.
Ils s'en étaient déjà pris aux Italiens lors de l'arrivée
des premiers gros bateaux de réfugiés albanais. Des
images que personne ne pouvait oublier.

« Je voudrais les voir surveiller huit mille kilomètres de côtes, s'écria Laurenti en tapant du poing sur la table. C'est tout simplement impossible ! On s'en prend toujours aux plus faibles. C'est à nous de combattre l'immigration clandestine ! Alors qu'ils veulent tous rejoindre le nord.

– À propos de nord, intervint Marietta, tu as du nouveau sur Kopfersberg ? »

Laurenti lui parla de sa visite à la villa et des soupçons émis par Orlando.

« Comme d'habitude, il va falloir procéder par étapes et reconstituer le puzzle. Aurais-tu la gentillesse d'envoyer une demande officielle aux collègues de Vienne ? Il faut que quelqu'un interroge le fils. Spartaco de Kopfersberg. Terrible nom. Et le titre de docteur. On doit savoir s'il a des nouvelles de son père, où il était au moment de la disparition, tout le toutim. Essaie de joindre Vienne et de trouver quelqu'un à qui parler. Sinon, tu me repasses la ligne. Autre chose : j'ai bien envie de faire la connaissance de ce Viktor Drakič. Appelle-le et dis-lui de venir. »

« Tu permets ? »

Claudio Fossa avait frappé discrètement, mais il était entré sans attendre et s'était assis en face de Laurenti.

« J'ai fait le tableau de service et j'ai trouvé une bonne place pour ton journaliste. Il ira avec Vicentino et Greco. Tu peux te fier à eux. Tu connais déjà Vicentino. Greco est un nouveau, intelligent et ambitieux.

– On n'est pas à l'abri d'une bonne surprise ! »

Greco ne lui avait pas fait si bonne impression la veille. Mais il était peut-être injuste envers lui, il se pouvait que le pauvre pied-plat ait été surmené.

« J'ai regardé leur parcours en détail et je leur ai donné comme instruction de faire un maximum de contrôles. Ils couvrent le secteur jusqu'à Miramare, en remontant à Opicina. Entre-temps, ils reviennent en ville sur le Borgo Teresiano, ensuite direction Muggia et la zone industrielle. À la fermeture des discothèques, ils surveillent les abords du Machiavelli. Fin du service à six heures du matin. L'homme ne tiendra plus debout.

– Merci, Claudio. »

Laurenti n'était pas mécontent. Il aurait préféré que Fossa choisisse deux policiers que lui aurait mieux connus. Mais il n'y avait aucune raison pour que ça se passe mal. Il appellerait plus tard Rossana di Matteo pour qu'elle mette son stagiaire forcené au courant.

« Qu'il se présente à dix-huit heures chez le chef de service. On le gavera d'abord de statistiques. Il y en a pour deux heures. Ensuite, on l'emmène au Coroneo où il aura le loisir d'examiner ceux qui sont en détention préventive, on leur passe un film. Puis on en arrive aux choses sérieuses. Je fais l'appel des hommes et je leur tiens personnellement un grand discours. Dix ans que je ne l'ai pas fait. Mais là, ça servira peut-être à quelque chose. Au moins à impressionner ton copain.

– Joli programme, mais ce n'est pas mon copain. Qu'est-ce que donnent les contrôles ? »

Laurenti était toujours curieux de connaître les résultats des patrouilles, elles étaient au plus proche du terrain, c'est par elles qu'on savait ce qui se passait réellement en ville.

« De quels contrôles parles-tu ? Sur le Borgo, tout se déroule comme prévu. Quelques nouvelles filles sont arrivées, les photographes sont sur le pied de guerre, tu auras bientôt ta photo. Du côté des clandestins, pas encore de résultat significatif. Et toi, tu avances ?

– Je suis dans le brouillard, Claudio, la vue est bouchée, comme aujourd'hui sur le golfe. Que des suppositions. Mais je voulais te demander : est-ce que vous avez eu, ces derniers mois, un problème quelconque avec la Via dei Porta, un incident particulier, quelque chose qui se serait produit dans la baraque au-dessus de la villa Ada.

– Je vois. Oui, bien sûr. De temps à autre, les voisins râlent parce que la rue est bloquée par une flopée de grosses voitures et, en été, il y a des plaintes pour tapage nocturne. Ils font la fête avec des rupins. Mais rien de spécial.

– Je m'y intéresse, Claudio ; pourrais-tu, à l'occasion, sortir ce que tu as sur eux ? Il est possible que ça nous soit utile.

– Comme tu veux. »

Fossa le regarda d'un œil méfiant, comme pris en faute.

« Sinon ? demanda Laurenti.

– Es-tu au courant de la trouvaille des carabiniers ? » répondit Fossa en se raclant la gorge.

Laurenti fit signe que non.

« Sur le karst. Près du terrain de golf, direction Bassovizza. Un joueur à la recherche d'une balle perdue a découvert dans les buissons le cadavre dénudé d'une jeune femme. Non identifiable. Ce n'est pas un crime sexuel. Cela ressemble à une exécution. Abattue par-derrière. Trois coups. Parabellum. Le légiste tire le portrait de la victime, pour qu'on puisse commencer les recherches. Ce sera fait dès ce soir.

– Vous êtes condamnés à aider les carabiniers. J'espère que votre collaboration sera un succès. Tu pourras m'envoyer une copie du dossier ? Ce serait bien que je sois au courant.

– Pourquoi t'en prendre aux carabiniers ? Je m'entends bien avec eux. Ils n'attirent pas particulièrement la sympathie, mais nous non plus. La police, c'est la police ! Pour beaucoup, nous ne sommes que de la merde ! »

Fossa prit congé après qu'ils eurent, tous les deux, recompté combien il y avait eu d'assassinats, ces dernières années, à Trieste. Ils avaient eu la satisfaction de constater que ça ne dépassait pas les dix doigts de la main. Et sur les cinquante dernières années, seuls huit cas n'avaient pas été résolus.

« Chez nous, il n'y a apparemment que le port franc qui sente mauvais, mais il faudrait qu'on ait le droit d'y mettre le nez. Parce que ça empeste ! »

Sur ces fortes paroles, Fossa sortit.

17 h 30

Laurenti ne pouvait plus faire grand-chose en cette fin d'après-midi. Il avait rassemblé une masse d'informations. Viktor Drakič avait promis de passer, mais il était en retard. En revanche, c'est un Decantro complètement remonté qui se manifestait au téléphone pour se plaindre d'être victime d'un complot qui consistait à l'envoyer en patrouille à une heure où les citoyens normaux sont au lit. Il y voyait le résultat de certaine visite reçue par sa patronne. Laurenti écouta, ne fit pas de commentaire et lui demanda si c'était tout ce qu'il avait à dire. Il ajouta qu'il n'avait rien à voir dans les décisions prises par le journal et raccrocha sans saluer. Il hocha la tête et s'étonna de l'audace du jeune homme, de l'importance qu'il se donnait.

Laurenti appela le légiste, il tomba sur le docteur Galvano qui exerçait déjà cette fonction vingt-trois ans auparavant, quand lui-même avait été muté à Trieste. Il s'apprêtait justement à quitter son antre pour, comme il disait, profiter des loisirs de qualité qu'offre la ville. Il raconta qu'après une violente altercation, il avait ramené de la villa de l'Autrichien un matériel suffisant pour faire son travail.

« Une brosse à cheveux pleine de superbes petites particules, précisa-t-il avec un claquement de langue, nous a été d'une aide précieuse. Les lambeaux de peau sur le câble du yacht appartiennent sans aucun doute à Bruno de Kopfersberg. Mon rapport est sur ton bureau, Laurenti.

– Malheureusement non, docteur !

– Regarde bien, Laurenti. Mais tu as peut-être raison, il va arriver. On ne sait plus, aujourd'hui. Il faut de plus en plus de temps pour faire le même chemin. C'est ce qu'on appelle rationaliser. Alors, bon week-end ! »

Laurenti eut envie de rire. Galvano avait toujours été un original mais, ces derniers temps, il était carrément devenu bizarre. Laurenti songea qu'il partirait bientôt à la retraite et qu'il lui manquerait. Ce que Laurenti ne savait pas, c'est qu'il était effectivement retraité depuis des années, mais qu'il ignorait purement et simplement la mesure le concernant. Le lendemain de la petite fête d'adieu qui lui était destinée, il était revenu au bureau comme si de rien n'était et s'était abstenu de répondre à toutes les questions qu'on lui posait. Les cadavres de Trieste lui appartenaient une fois pour toutes et *basta* !

L'estomac de Laurenti se manifesta. Il demanda à Marietta si elle n'avait rien de mangeable qui soit caché dans un coin de son bureau, un sandwich au jambon ou un morceau de fromage. N'importe quoi sauf du chocolat. Mais il dut se contenter d'un nouveau café. Il le but par petites gorgées, posa sa tasse et c'est alors que Viktor Drakič arriva enfin.

Un homme vigoureux, élégamment vêtu, costume bleu marine et chemise blanche, montre suisse en or, de larges mains. Le costume tombait à merveille, taillé sur mesure, l'étoffe ne se tendait que sur les biceps lorsqu'il pliait le bras.

« Pourquoi m'avez-vous fait venir, commissaire ? »

Il parlait un italien correct, on remarquait à peine des traces d'accent slave. Toute son attitude exprimait l'arrogance et l'agressivité.

« Bruno de Kopfersberg. Il s'est manifesté auprès de vous ?

– Malheureusement non, nous nous faisons du souci.

– Nous nous sommes déjà vus hier soir, si je ne m'abuse ? »

Drakič eut l'air surpris, un regard méfiant sur des mâchoires crispées.

« Vous n'étiez pas avec votre sœur sur la Costiera ?

– Oui, je me souviens. Le nageur solitaire, c'était vous ?

– Un vieux préjugé veut que le coupable revienne toujours sur les lieux du crime. Mais c'est surtout à l'enquêteur que ça arrive.

– Nous sommes venus voir l'endroit où l'on a retrouvé l'*Elisa*.

– Vous êtes fondé de pouvoir de l'entreprise et probablement l'un des proches collaborateurs…

– Le plus proche collaborateur, excusez-moi de vous corriger, fit Drakič en prenant une attitude décontractée.

– Avez-vous quoi que ce soit à me communiquer ? questionna Laurenti posément.

– Malheureusement non. Comme je vous le disais, nous nous faisons beaucoup de souci. Qu'est-ce qui vous intéresse ?

– Excusez-moi, mais le Signor de Kopfersberg avait-il des ennemis ?

– Franchement non ! Pourquoi ?

– L'import-export n'est pas toujours sans danger, surtout avec l'Est…

– Préjugés ! fit Drakič en l'interrompant brutalement, avec un geste condescendant. Nous ne sommes pas des barbares, dans les Balkans, commissaire ! » Il pointait le menton et lançait à Laurenti un brûlant regard de défi. « Kopfersberg est un homme d'affaires respecté, avec d'excellents contacts, sans quoi toute réussite est impossible.

– Des jaloux ? demanda Laurenti, feignant d'ignorer la provocation.

– Il y en a toujours.

– Où étiez-vous avant-hier soir ?

– Chez moi, pourquoi ? répliqua Drakič, le sourcil interrogateur.

– Vous dirigez la TIMOIC en l'absence de Kopfersberg ?

– Oui.

– Seul ?

– Oui, seul.

– Eva Zurbano aussi a une procuration.

– C'est une vieille histoire. Il y a longtemps que Kopfersberg a envie de la lui retirer, il ne le fait pas pour ne pas la vexer. Mais elle n'a rien à dire.

– Qu'avez-vous pensé lorsque vous avez appris que Kopfersberg avait disparu ?

– Les affaires. Il faut qu'elles tournent en attendant qu'il revienne, répondit Drakič. Nous avons tellement à faire en ce moment. J'ai tout juste le temps de dormir.

– Cela ne se voit pas ! L'aide à la Turquie, si je ne me trompe ?

– Oui, confirma Drakič, des milliers de personnes dans le besoin. Il faut faire vite ! »

Laurenti doutait d'une compassion exprimée aussi froidement.

« Vous n'avez pas eu peur que quelque chose soit arrivé à Kopfersberg ?

– Pour être franc : au début, oui ! Et puis ça m'a paru impensable. Aujourd'hui encore, je n'arrive pas à y croire.

– Pourquoi la firme a-t-elle de si grands bureaux ?

– Parce que nous en avons besoin. Nous embauchons régulièrement du personnel intérimaire. En ce moment, par exemple. Il nous faut du renfort pour la Turquie. Kopfersberg a acheté ces bureaux il y a des années, pour payer moins d'impôts. Trieste – cela ne vous a pas échappé – est en pleine croissance, comme beaucoup de villes qui bordent l'ancien bloc soviétique. Les résultats sont encore modestes, mais attendez. J'ai parié sur cette ville. Kopfersberg aussi. Pour gagner, il faut être là au bon moment. »

Laurenti ne voyait pas les choses de la même façon. Naturellement, on construisait, on rénovait un peu partout, mais, à son avis, les Triestins, foncièrement conservateurs, s'opposeraient à tout ce qui troublerait leur train-train. Les filles du Borgo Teresiano étaient finalement leur seul lien avec le temps présent. Mais il n'avait pas l'intention d'aborder le sujet avec Drakič.

« Votre sœur n'a pas été très coopérative quand je lui ai rendu visite. J'ai été choqué de la voir si insouciante.

– Insouciante ? Vous faites erreur ! C'est peut-être que nous cachons davantage nos sentiments. Si vous aviez vécu au milieu des guerres et des crimes, comme nous, vous sauriez de quoi je parle. »

Laurenti n'en croyait pas un mot. Il y avait toujours, chez Drakič, un fossé entre le ton qu'il adoptait et le contenu du discours.

« Bon, elle est donc rongée d'inquiétude. Mais elle ne nous aide pas. Pour une femme qui se fait du souci, elle me semble bien insensible.

– Ce n'est qu'une apparence, fit Drakič en haussant les épaules.

– Et toutes ces filles dans la villa ?

– Demandez à Tatiana. Je ne sais pas. Ils ont un train de vie important.

– Elle prétend qu'il s'agit de personnel domestique.

141

– Eh bien, c'est qu'il s'agit de personnel domestique. Je ne suis pas au courant, je le répète.

– Où Kopfersberg voulait-il aller ?

– Il ne l'a pas dit. Il voulait se détendre deux ou trois jours avant le stress des conteneurs. Dans ce cas-là, il prend son yacht et se relaxe en mer. Une dure période nous attend, ajouta Drakič, toujours calme et objectif.

– Il est allé à Rimini ! lança Laurenti en fixant Drakič.

– À Rimini, répéta Drakič, surpris.

– Vous avez des relations commerciales avec Rimini ?

– Non. Je ne sais pas non plus s'il y est déjà allé. Mais l'Adriatique n'est pas si grande. On peut très bien filer à Rimini pour y profiter de la vie nocturne. Pourquoi pas ? Du moment que l'épouse l'ignore.

– D'accord : pourquoi pas ? On gagne beaucoup d'argent en servant d'intermédiaire dans les transports ? »

Laurenti changeait sans arrêt de sujet pour pouvoir faire des recoupements et mettre le doigt sur d'éventuelles contradictions. Mais Drakič était coriace.

« On y arrive. Mais c'est pour une bonne cause. On ne calcule pas comme d'habitude, mais il faut être prudent, parce que tout le monde ne pense pas comme nous. Personne n'est désintéressé en ce monde. L'argent n'a pas d'odeur.

– Vous avez une société à Vienne.

– Beaucoup d'entreprises ont des filiales à l'étranger.

– Mais l'ATW n'est pas une filiale.

– Elle a sa propre forme juridique. Bruno de Kopfersberg est propriétaire, Spartaco gérant. Pas moi.

– Mais vous connaissez Spartaco ?

– Bien sûr ! C'est le fils de mon chef. Et un collègue ! »

Laurenti avança un pion.

« L'ATW, tout comme la TIMOIC, a été impliquée dans une affaire de corruption. Y aurait-il un lien avec la disparition de Kopfersberg ?

les amphores), étaient intacts. Dix ans après,
nfin trouvé le financement nécessaire au
e et il était clair que Patrizia Isabella vou-
t prix être de la partie. Cela faisait longtemps
intéressait à la question ; elle n'avait que dix-
, mais elle faisait déjà figure de spécialiste et,
utomne suivant, elle irait à Naples étudier cette
ine, ainsi que la philosophie classique.

20

En rentrant chez lui, Laurenti s'accorda un luxe inha-
tuel, vu ses revenus. Il aimait aussi peu le Caffè degli
pecchi, sur la Piazza dell'Unità d'Italia, que de nom-
reux Triestins. Cela avait été, autrefois, un merveilleux vieux café que, déjà, Svevo et Joyce évitaient.
La Piazza était, pour ainsi dire, le ticket d'entrée dans
⬛ ⬛ que sur le golfe était splendide et, même en
⬛ ⬛ sseoir dehors, à l'abri du vent,
⬛ nd bac des Anek-Lines.
⬛ ort, comme beau-
⬛ n misé-

– Voyez-vous, parfois, la prestation offerte ne suffit
pas, il faut, si je puis dire, attirer l'attention par un
geste supplémentaire. »
Drakič essayait de lui expliquer le monde des affaires
comme à un élève.
« Tout le monde fait ça. Il n'est pas condamnable
d'offrir des cadeaux à une administration étrangère,
comme ça le serait dans le pays même. Si vous ne le
faites pas, un autre le fera.
– C'est si simple que ça ? »
Laurenti était écœuré par le ton avec lequel Drakič
justifiait ses magouilles. Mais il savait que cela correspondait à la réalité. On pouvait imperturbablement soudoyer des fonctionnaires étrangers sans être aucunement
inquiété chez soi. Aucun pays au monde n'avait interdit ces pratiques et il était d'usage, dans le domaine
commercial, de virer des sommes importantes sur des
comptes privés pour rafler un marché lucratif. Et pas
seulement dans le tiers-monde. L'Europe ne faisait
pas exception et la corruption n'était pas moindre en
Allemagne et en Autriche qu'en Italie. Les Allemands
justement, du fait de l'importance de leurs exportations,
avaient trop longtemps bloqué un accord international
qui aurait permis de poursuivre les compromissions au-
delà des frontières.

« Alors pourquoi avez-vous payé l'amende ?
– Pour rester dans la course, voyez-vous. *Mi paghi,
te assolvo.* Si vous acceptez la sanction, vous vous
blanchissez. Nous aurions préféré que seule la qualité
de nos prestations nous permette d'obtenir ces marchés. »
À nouveau ce ton horripilant.
« Cela peut-il avoir un rapport avec la disparition de
Kopfersberg ?
– Non, répliqua Drakič avec conviction. Nous avons
refusé de nous salir les mains à nouveau et nous

143

avons perdu des clients. Il ne peut donc pas y avoir de relation. La brigade financière nous a d'ailleurs contrôlés récemment et n'a rien trouvé à redire. Vous pouvez vous le faire confirmer.

– Je n'y manquerai pas. »

Laurenti s'était levé et contournait son bureau.

« Prévenez-moi immédiatement si vous avez des nouvelles du Signor de Kopfersberg. »

Drakič s'était levé, lui aussi, et lui tendait la main.

« Naturellement !

– Dites-moi, avant de partir, dit Laurenti en retenant la main de Drakič, vous aussi avez eu à faire à Rimini, si je ne me trompe ; votre sœur également.

– Ah oui, vous voulez parler de ça. Vous devez aussi savoir que c'était il y a bien longtemps. D'ailleurs, ce n'était pas très *fair-play*. Nous étions innocents et nous le sommes restés jusqu'à aujourd'hui. Mais quand on est étranger, surtout si l'on vient de l'Est, on est vite soupçonné.

– Il ne faut pas trop, non plus, remuer les vieilles affaires, dit Laurenti avec un grand sourire, en lui lâchant enfin la main. Bonsoir. »

En se lavant les mains après cette rencontre, Laurenti sentit la faim lui tarauder l'estomac. Il n'avait pas eu le temps de déjeuner et le dîner n'était pas pour tout de suite. Il décida de manger un *tramezzino* dans un bar. De plus, il avait promis à Laura de l'accompagner à l'inauguration d'une exposition à la galerie Arte contemporanea. Les amis avec qui Livia travaillait en dehors de ses études avaient ouvert, non loin du domicile des Laurenti, cette galerie d'art contemporain qui était rapidement devenue l'une des plus originales d'Italie. Proteo n'aimait pas tout ce qu'ils exposaient. Bien des choses, en particulier dans le domaine de la photographie, lui paraissaient arbitrairement modernistes. Par

exemple, le Macédonien
gual avec son chien de
Mais il aimait bien Mar
et les inaugurations, pour
naient souvent par une réce
de la Via San Spiridione. La
matiquement le métier qu'il e
semblaient bien souvent constitu
ment excentrique.

Et le lendemain, sa mère arriverait
train, car elle ne faisait aucune con
ports aériens et préférait voyager à l
compartiments bondés des Ferrovie Stata
dimanche, ils devaient se rendre à San Dan
Frioul, dont Laura était originaire et où sa mè
sait une grande fête pour son quatre-vingtiè
versaire. Les frères et sœurs de Laura rappliqua
l'étranger, tribus au complet. Parce que, entre a
(mais pas seulement), la belle-famille produisait
meilleurs jambons, qu'elle était ri
attendait quelque cinq ce
accommoderait. La
rement s

le contenu
on avait
renflouag
drait à to
qu'elle s
neuf an
dès l'a
discip

18 h

« – Voyez-vous, parfois, la prestation offerte ne suffit pas, il faut, si je puis dire, attirer l'attention par un geste supplémentaire. »

Drakič essayait de lui expliquer le monde des affaires comme à un élève.

« Tout le monde fait ça. Il n'est pas condamnable d'offrir des cadeaux à une administration étrangère, comme ça le serait dans le pays même. Si vous ne le faites pas, un autre le fera.

– C'est si simple que ça ? »

Laurenti était écœuré par le ton avec lequel Drakič justifiait ses magouilles. Mais il savait que cela correspondait à la réalité. On pouvait imperturbablement soudoyer des fonctionnaires étrangers sans être aucunement inquiété chez soi. Aucun pays au monde n'avait interdit ces pratiques et il était d'usage, dans le domaine commercial, de virer des sommes importantes sur des comptes privés pour rafler un marché lucratif. Et pas seulement dans le tiers-monde. L'Europe ne faisait pas exception et la corruption n'était pas moindre en Allemagne et en Autriche qu'en Italie. Les Allemands justement, du fait de l'importance de leurs exportations, avaient trop longtemps bloqué un accord international qui aurait permis de poursuivre les compromissions au-delà des frontières.

« Alors pourquoi avez-vous payé l'amende ?

– Pour rester dans la course, voyez-vous. *Mi paghi, te assolvo*. Si vous acceptez la sanction, vous vous blanchissez. Nous aurions préféré que seule la qualité de nos prestations nous permette d'obtenir ces marchés. »

À nouveau ce ton horripilant.

« Cela peut-il avoir un rapport avec la disparition de Kopfersberg ?

– Non, répliqua Drakič avec conviction. Nous avons refusé de nous salir les mains à nouveau et nous avons perdu des clients. Il ne peut donc pas y avoir de relation. La brigade financière nous a d'ailleurs contrôlés récemment et n'a rien trouvé à redire. Vous pouvez vous le faire confirmer.

– Je n'y manquerai pas. »

Laurenti s'était levé et contournait son bureau.

« Prévenez-moi immédiatement si vous avez des nouvelles du Signor de Kopfersberg. »

Drakič s'était levé, lui aussi, et lui tendait la main.

« Naturellement !

– Dites-moi, avant de partir, dit Laurenti en retenant la main de Drakič, vous aussi avez eu à faire à Rimini, si je ne me trompe ; votre sœur également.

– Ah oui, vous voulez parler de ça. Vous devez aussi savoir que c'était il y a bien longtemps. D'ailleurs, ce n'était pas très *fair-play*. Nous étions innocents et nous le sommes restés jusqu'à aujourd'hui. Mais quand on est étranger, surtout si l'on vient de l'Est, on est vite soupçonné.

– Il ne faut pas trop, non plus, remuer les vieilles affaires, dit Laurenti avec un grand sourire, en lui lâchant enfin la main. Bonsoir. »

En se lavant les mains après cette rencontre, Laurenti sentit la faim lui tarauder l'estomac. Il n'avait pas eu le temps de déjeuner et le dîner n'était pas pour tout de suite. Il décida de manger un *tramezzino* dans un bar. De plus, il avait promis à Laura de l'accompagner à l'inauguration d'une exposition à la galerie Arte contemporanea. Les amis avec qui Livia travaillait en dehors de ses études avaient ouvert, non loin du domicile des Laurenti, cette galerie d'art contemporain qui était rapidement devenue l'une des plus originales d'Italie. Proteo n'aimait pas tout ce qu'ils exposaient. Bien des choses, en particulier dans le domaine de la photographie, lui paraissaient arbitrairement modernistes. Par exemple, le Macédonien qui échangeait un baiser lingual avec son chien de berger. « À qui ça peut plaire ? » Mais il aimait bien Marco et Cristina, les propriétaires, et les inaugurations, pour la plupart réussies, se terminaient souvent par une réception dans leur appartement de la Via San Spiridione. Laurenti oubliait alors systématiquement le métier qu'il exerçait. Les artistes lui semblaient bien souvent constituer un clan singulièrement excentrique.

Et le lendemain, sa mère arriverait de Salerne. Par le train, car elle ne faisait aucune confiance aux transports aériens et préférait voyager à l'étroit dans les compartiments bondés des Ferrovie Statale. En effet, le dimanche, ils devaient se rendre à San Daniele, dans le Frioul, dont Laura était originaire et où sa mère organisait une grande fête pour son quatre-vingtième anniversaire. Les frères et sœurs de Laura rappliquaient de l'étranger, tribus au complet. Parce que, entre autres (mais pas seulement), la belle-famille produisait les meilleurs jambons, qu'elle était riche et considérée, on attendait quelque cinq cents personnes. Laurenti s'en accommoderait. La parenté par alliance était majoritairement sympathique. Il s'entendait parfaitement avec quelques-uns de ses nombreux beaux-frères et belles-sœurs. Et les enfants viendraient. Depuis des semaines, leur mère insistait pour qu'ils réservent cette journée. Il pourrait peut-être parler tranquillement avec Livia et il reverrait enfin Patrizia Isabella. Il irait la chercher à Grado. Sa fille préférée participait, pendant ses vacances, à l'opération *Julia Felix*, un navire romain du milieu du deuxième siècle. Au cours de l'hiver 1986, un pêcheur avait ramené quelques amphores dans ses filets et signalé sa trouvaille aux spécialistes d'archéologie sous-marine de Marano Lagunare. À y regarder de plus près, il s'agissait d'une découverte colossale : non seulement le bateau, mais son chargement (y compris le contenu des amphores), étaient intacts. Dix ans après, on avait enfin trouvé le financement nécessaire au renflouage et il était clair que Patrizia Isabella voudrait à tout prix être de la partie. Cela faisait longtemps qu'elle s'intéressait à la question ; elle n'avait que dix-neuf ans, mais elle faisait déjà figure de spécialiste et, dès l'automne suivant, elle irait à Naples étudier cette discipline, ainsi que la philosophie classique.

18 h 20

En rentrant chez lui, Laurenti s'accorda un luxe inhabituel, vu ses revenus. Il aimait aussi peu le Caffè degli Specchi, sur la Piazza dell'Unità d'Italia, que de nombreux Triestins. Cela avait été, autrefois, un merveilleux vieux café que, déjà, Svevo et Joyce évitaient. La Piazza était, pour ainsi dire, le ticket d'entrée dans la ville, la vue sur le golfe était splendide et, même en hiver, on pouvait s'asseoir dehors, à l'abri du vent, et regarder manœuvrer le grand bac des Anek-Lines. Mais, un jour, on l'avait rénové à mort, comme beaucoup d'autres, et maintenant il ressemblait à un misérable établissement des années soixante-dix. Des pigeons importunaient les clients assis sur la Piazza en atterrissant sans cesse sur des soucoupes pleines de chips ou de cacahuètes et il était vain de vouloir les effaroucher. Les serveurs étaient lents et désinvoltes, les prix bien trop élevés. Mais le café était situé sur la plus belle place de la ville et il attirait les touristes, ainsi que les Triestines de plus de cinquante ans disposées à engager courtoisement la conversation avec des messieurs qu'elles ne connaissaient pas.

Laurenti avait aperçu Eva Zurbano, la dame si soignée, fondée de pouvoir de la TIMOIC, qui, la veille, s'était montrée plus que réservée en matière de communication. Elle était assise, seule, à l'une des tables situées devant les fenêtres, non loin de l'entrée, à l'ombre d'une marquise. Devant elle, un plateau de métal, avec un verre de *prosecco*, une coupelle d'olives, une autre de cacahuètes. À côté, un petit paquet de cigarettes et un briquet.

Elle avait vu Laurenti avant qu'il ne la reconnaisse. Il lui adressa un signe de tête, elle lui retourna un signe de tête. Une pensée lui traversa l'esprit : il y avait une chance à saisir. Peut-être serait-elle plus bavarde devant un verre. Il s'approcha d'elle et la salua fort poliment :

« Bonsoir, Signora. C'est à cette heure que la lumière est la plus belle sur cette place, n'est-ce pas ?

– Oui, j'adore cet endroit à cette heure-ci. Le soleil n'est plus aussi ardent.

– C'est l'heure de l'apéritif. Permettez-moi de vous tenir compagnie un instant. »

En vérité, un refus ne l'aurait pas empêché de s'asseoir. Il s'était déjà emparé d'une chaise.

Eva Zurbano est vraiment une femme séduisante, pensa Laurenti. Rien d'excessif en elle, règle de l'*understatement*. Mais elle avait la classe, juste ce qu'il fallait de sex-appeal. Elle savait se mettre en valeur.

Ici, près de l'entrée, il était plus facile d'intercepter un serveur. Laurenti commanda un Sprizz Bianco Bitter.

« Le Signor de Kopfersberg s'est rendu à Rimini, dit Laurenti pour engager la conversation. Je ne sais plus si je vous l'ai déjà dit. »

Eva Zurbano hocha négativement la tête.

« Il y allait souvent ?

– Je ne crois pas. Du moins pas à titre professionnel. »

Elle semblait sincère.

« Je suis inquiet, poursuivit Laurenti, je crains qu'il n'ait été assassiné. »

147

Il regardait la mer, vers le large ; il évitait de fixer Eva Zurbano. Il ne voulait pas créer une situation d'interrogatoire officiel, il ne voulait pas non plus sortir de son rôle. Il faisait donc semblant de lui confier ses soucis.

« Moi aussi ! » répondit-elle à sa grande surprise.

Laurenti fit comme si de rien n'était. Il s'obligeait à rester impassible.

« Une bagarre a eu lieu à bord de l'*Elisa*. Les examens pratiqués par le laboratoire et par le légiste sont concordants. »

Il fixait toujours la mer, au loin. Elle le regardait avec stupeur, mais il ne réagissait pas.

« Vous êtes certain ? demanda-t-elle, troublée.

– Quasiment. »

Puis, après une pause :

« Disons à quatre-vingt-dix-neuf pour cent.

– On l'a retrouvé ?

– Non. Mais nous supposons qu'il était mal en point. Il n'aura pas eu une belle mort. »

Il ne souffla mot de son autre hypothèse, à savoir que l'Autrichien aurait pu survivre et se cacher dans la villa. Ce qui l'intéressait, c'étaient les réactions d'Eva Zurbano.

Elle s'était raidie, les yeux fixés sur Laurenti. Elle serrait les poings, pâlissait. Laurenti regardait toujours la mer. Il ne voyait Eva Zurbano qu'à la limite de son champ de vision. Mais aucune de ses réactions ne lui échappait.

« On a probablement voulu le faire souffrir le plus longtemps possible. Nous présumons que son agonie a duré des heures. Il était certainement déjà gravement blessé quand on l'a attaché avec le câble de remorquage et jeté à la mer, tandis que le bateau rentrait au port en pilotage automatique. »

Le visage bronzé d'Eva Zurbino avait perdu toute couleur.

« Nous partons du fait, ajouta Laurenti pour compléter le tableau, que l'intention de l'assassin était que l'on trouve le Signor de Kopfersberg mort derrière son yacht à l'arrivée à Trieste, sa ville. Ayant peut-être perdu tout son sang… »

Eva Zurbano se rentrait les ongles dans la paume de la main. Laurenti regardait imperturbablement la mer. Il fit une pause et but une gorgée d'apéritif. Mains tremblantes, Eva Zurbano extirpa une cigarette de son paquet. Laurenti lui prit son briquet et lui donna du feu. Elle tira deux bouffées. Alors Laurenti la regarda.

« Nous supposons, dit-il en durcissant le ton, que le Signor de Kopfersberg a été mangé en route par les poissons. Hélas, il n'est pas rare que ça arrive. »

Eva Zurbano se laboura la joue gauche de son index gauche, de la commissure des lèvres au coin des yeux. Mais elle ne pleurait pas. Laurenti s'était à nouveau tourné vers la mer. Sa voix était restée monocorde pendant tout ce temps, mais ses sens étaient en éveil. Il voyait clair, il était complètement immergé dans le présent. C'est dans ces moments-là qu'il se sentait le mieux et il se demandait alors pourquoi il ne parvenait pas toujours à une telle concentration. Il se tut et attendit. Eva Zurbano resta également longtemps silencieuse.

« J'ai toujours craint que cela arrive un jour, dit-elle enfin, dans un souffle, pour retomber immédiatement dans un profond silence.

– Quoi ? demanda Laurenti, toujours figé.

– Ça.

– Et pourquoi ?

– Parfois, on sent venir le malheur.

– Je connais le Signor de Kopfersberg depuis longtemps, reprit Laurenti, sous le regard étonné d'Eva Zurbano.

– Je l'ignorais, dit-elle avec une évidente sincérité.

– C'est moi qui ai mené l'enquête quand sa femme a disparu. Je me souviens très bien de toute l'affaire, mais pas de vous. Vous m'avez dit hier que vous travailliez à la TIMOIC depuis vingt-cinq ans. Nous aurions donc dû nous parler à l'époque.

– Pas moi. Après la mort d'Elisa, je me suis occupée de Spartaco, son fils.

– Lui, je m'en souviens, il était encore petit. Au fait, quels étaient les rapports entre père et fils ?

– Excellents jusqu'à il y a un an.

– Que s'est-il passé il y a un an ?

– Spartaco est arrivé un jour à Trieste, il a eu, plusieurs jours de suite, de violentes discussions avec son père et nous avons tout entendu. Il s'en est pris à moi aussi en m'accusant d'être coresponsable de la mort de sa mère, parce que j'étais la maîtresse de son père. Il m'a accusée d'être complice et n'a pas voulu admettre que ce ne soit qu'un accident. Bruno m'a dit que Spartaco, depuis peu, était persuadé qu'il avait tué sa femme.

– Et vous ? Vous êtes sûre que c'était un accident ? dit Laurenti sans la regarder.

– Oui, j'en suis absolument sûre, répondit-elle d'une voix sourde. Je sais qu'il ne l'a pas tuée.

– Vous l'aimiez, n'est-ce pas ? Beaucoup ?

– Oui. »

Eva Zurbano se ficha à nouveau un doigt dans la joue, rejeta derrière l'oreille une mèche rebelle de ses cheveux noirs et s'éclaircit la voix.

« Je l'aimais beaucoup. Mais, comme je vous l'ai dit, c'était il y a longtemps. Nous sommes restés ensemble pendant plus de vingt ans.

– Quand vous êtes-vous séparés ?

– Il y a un peu plus de trois ans. Bruno avait une nouvelle liaison. »

Eva Zurbano prit son sac, y rangea nerveusement ses cigarettes et son briquet, sortit un billet de dix mille lires et le glissa sous son plateau.

« Tatiana Drakič ?

– Oui.

– Et son frère ?

– Il est arrivé un peu plus tard dans l'entreprise.

– Spartaco vient souvent à Trieste ?

– Une ou deux fois par mois. Cela dépend. »

Eva Zurbano regarda sa montre. Elle se leva et tira sur sa jupe.

« Il faut que je parte. Excusez-moi. »

Laurenti ne la retint pas. Il lui dit simplement : « Bonsoir, Signora ! »

Eva Zurbano partit et disparut, après la Casa Stratti, vers la Piazza della Borsa. Dans son porte-monnaie, Laurenti avait aperçu la photo d'un homme qu'il connaissait. Benedetto Rallo était le directeur de la Banca Nordeste et siégeait dans un certain nombre d'associations et de conseils d'administration. Eva Zurbano avait manifestement une relation étroite avec lui. Mais les autres informations qu'elle lui avait livrées l'accaparaient davantage. Il se repassa mentalement le film de leur entretien et finit tranquillement son verre. Lui aussi glissa un billet sous son plateau et partit.

Borgo Teresiano

Laurenti n'attendit pas minuit pour s'absenter une petite demi-heure de la réception. Il avait le sentiment qu'un peu d'air frais lui ferait du bien. Il avait trop bu trop vite et le vin blanc avait fait son effet. C'est peut-être la chaleur qui l'avait achevé, lui qui, sinon, tenait bien le coup. De plus, une plantureuse sexagénaire à la peau bronzée, aux cheveux décolorés et au

151

décolleté profond l'avait submergé d'un tel flot de paroles qu'il avait carrément pris la fuite. Il avait suivi la Via Trento, puis le Borgo Teresiano et avait abouti là où ses hommes étaient censés mettre en place des contrôles nocturnes renforcés : sur le « boulevard du péché », selon l'expression favorite du sieur Decantro. Laurenti voulait vérifier par lui-même comment les choses se passaient. Les prostituées que la police avait contrôlées ces derniers temps venaient, pour la plupart, de Colombie ou du Nigeria. Il n'en découvrit pas plus de sept, par deux le plus souvent, à proximité des carrefours où les clients pouvaient stopper. Il ne se passait pas grand-chose. Plusieurs filles court vêtues l'abordèrent, il les gratifia d'un sourire, mais poursuivit son chemin avec un geste de refus. C'est alors qu'il entendit prononcer son nom.

« Commissaire Laurenti ! » C'était une voix de femme, très grave.

Il se retourna et aperçut effectivement, de l'autre côté du carrefour, une femme qu'il connaissait. Il traversa pour la rejoindre.

« Il y a longtemps que je ne t'ai vue, Lilli. Toujours au turbin ? »

Lilli s'appelait en fait Annamaria Berluzzi, elle était un peu plus vieille que lui, la cinquantaine passée, et diablement fardée. Une large ceinture, sur une robe blanche quasi transparente sous laquelle elle ne portait pour ainsi dire rien, lui serrait le ventre. Elle était née à Trieste et faisait déjà le trottoir quand Laurenti s'y était installé.

« Pour toi, moitié prix, dit Lilli en soulevant, à deux mains, ses seins que presque plus rien ne dissimulait.

– Laisse tomber, Lilli, dit Laurenti en souriant, tu sais ce qu'il en est.

– Dommage, commissaire, dit Lilli en laissant retomber ses splendeurs. Mais des comme moi, tu n'en trouveras plus souvent. Première qualité italienne.

152

– Comment ça marche ? Il y a de la concurrence !

– À qui le dis-tu ! Et avec ça, la police pourchasse les clients. C'est le merdier. Tu ne peux pas siffler tes hommes ? On s'ankylose au lieu d'ouvrir les cuisses.

– On est obligé, Lilli. On subit une pression terrible. Tu connais les autres ?

– À peine, c'est pour ça que je reste ici ; là-bas, il y a trop de concurrence. Elles vont et viennent, elles ne s'arrêtent pas longtemps. Quelques jours, quelques semaines à tout casser. Aucun respect de la tradition. Il y en a rarement une qui reste. Pourquoi aussi ? C'est mieux ailleurs.

– Tu n'as rien vu de suspect ?

– Je ne balance pas, Laurenti. Tu l'as oublié ? D'ailleurs, il n'y a rien à balancer. C'est devenu plus dur, les jeunes étrangères me chipent les clients. Le commerce de détail disparaît au profit des produits de masse.

– Tu n'as pas assez mis de côté pour te faire une vieillesse dorée ? Ça va bientôt être le moment de fermer boutique, Lilli. »

Lilli avait eu un protecteur jusqu'à l'âge de trente ans. Un petit voyou qui faisait un casse de temps en temps. Il vivait avec Lilli, mais un jour il s'était retrouvé en prison et on ne l'avait plus jamais revu. À partir de là, Lilli avait pu garder pour elle tout ce qu'elle gagnait.

« Tu dérailles ! J'ai un travail régulier. Il n'y a que ces jeunettes qui soient vraiment dans la merde. Mais quoi faire ? Tiens ! On a de la visite ! »

Quatre patrouilles avaient bloqué les carrefours les plus proches et une voiture spéciale, qu'on appelait le « commissariat ambulant », barrait la rue.

« Lilli, je me sauve. Tu devrais en faire autant.

– Pourquoi ? Moi, ils ne me feront rien. Avec moi, tout est en règle, tu le sais bien. »

Laurenti la quitta avec une tape sur l'épaule. S'il ne s'était pas trompé, Vicentino, Greco et Decantro étaient de la fête. Il ne tenait pas à ce que le journaliste le voie ici. Dix minutes plus tard, il était de retour à la réception. Personne n'avait remarqué son absence. Y compris Laura. S'il avait commis un crime, toute l'assistance lui aurait fourni un alibi.

Trieste, 19 juillet 1999

Nouvelle manchette du *Piccolo* sur une alerte au requin. Laurenti était allé chercher le journal au kiosque dès huit heures. Il avait préparé le café et une grande carafe de jus d'orange. Le samedi, c'était à lui de s'occuper du petit déjeuner. Il était encore seul, assis à la grande table de la cuisine et lisait.

Un requin bleu aurait été vu en deux endroits, un spécimen de choix, plus de quatre mètres de long, ce qui est rare pour l'espèce. Les garde-côtes allaient encore avoir fort à faire, car sur les quarante kilomètres de côte du golfe de Trieste, les premiers baigneurs recherchaient, dès l'aube, les meilleures places. Pour se garer comme pour se baigner. Les vieux occupaient Barcola dès le matin, mais les retraités, pour la plupart, ne restaient que jusqu'à midi, répondant à l'appel de leur estomac. Changement d'équipe sur les plages. Les plus jeunes, qui dormaient mieux – et pour cause – arrivaient alors et c'était le seul moment où ceux qui prenaient leur voiture, au lieu de rouler en scooter, avaient une chance de trouver une place de parking pas trop éloignée de la mer. Par ce temps, le week-end, avec une eau à vingt-cinq degrés, plus de cent mille personnes voulaient se baigner. Là-dessus une alerte au requin. Il serait très difficile de retenir les gens, la canicule poussait tout le monde à l'eau. Suffirait-il de trois unités de garde-côtes ? On pouvait craindre le pire car, contrairement à ce qui se passait auparavant, à chaque nouvelle tentative sérieuse de chasse au requin, les « animalistes » jouaient les trouble-fête. On ne possédait pas, à Trieste, comme à Hawaii ou sur d'autres côtes où ces animaux pullulent, d'équipement sous-marin à ultrasons pour les faire fuir. Leurs apparitions étaient trop rares pour que l'acquisition soit rentable. Trois requins avaient été repérés, pour la dernière fois, en 1996, une sérieuse alarme avait eu lieu en 1992, le pire s'étant produit en 1987, trente monstres s'ébattant, paraît-il, dans le golfe. Pour finir, on supputait qu'en 1977 Elisa de Kopfersberg, la femme de l'affréteur bien connu, avait été victime d'une bête particulièrement dangereuse. Voire ! Laurenti n'était pas d'accord avec cette version des faits. Les recherches alors entreprises n'avaient rien donné. On n'avait jamais retrouvé la trace d'Elisa de Kopfersberg.

Laurenti se souvenait parfaitement de cette époque. Il revoyait l'Autrichien devant lui, le petit garçon qui pleurait, environ six ans, en compagnie d'une jolie femme qui, il le savait depuis la veille, devait être Eva Zurbano. Il se souvenait de la façon dont, quinze mois plus tard, l'affaire avait été close et le dossier archivé, après qu'un juge eut déclaré que la femme était morte. Une simple mention, un tampon, une signature, et le tour était joué. Et Laurenti se souvenait que Kopfersberg avait froidement signalé qu'une assurance-vie particulièrement élevée pour l'époque (quatre cents millions de lires) avait été souscrite au nom de sa femme. En cas d'accident, les ayants-droit touchaient le double. Les assurances avaient payé. Kopfersberg héritait également de toute la fortune d'Elisa. On savait que sa propre entreprise n'était pas une réussite et que, financièrement, il dépendait de sa femme. Laurenti avait tendu ses filets, mais l'Autrichien ne s'était pas laissé prendre. Le juge n'avait pas suivi Laurenti dans son argumentation et le procureur n'avait pas fait d'objection. Bruno de Kopfersberg avait donc quitté le tribunal comme nouveau riche et veuf. Laurenti n'avait pas souvenir pas que le deuil ait été douloureux.

Laura le tira de ses réflexions. Elle portait un léger peignoir blanc, elle avait les cheveux mouillés, elle embaumait la cuisine avec ses crèmes et son shampoing. Elle embrassa distraitement son mari, qui tenta vainement de l'attirer contre lui. Elle se versa un café.

« Quelle nuit encore ! » soupira-t-elle.

Les ventilateurs avaient fonctionné jusqu'à quatre heures du matin et comme, au cours de la réception, elle avait beaucoup moins bu que son époux, qui, lui, avait dormi profondément, elle avait davantage souffert. Au bruit des ventilateurs s'ajoutait un léger ronflement, inévitable quand Proteo avait bu.

« Je suis allée hier Via dei Porta, dit-elle après avoir avalé la première gorgée de café. La petite maison est très belle et le jardin aussi. Ce serait l'idéal, sauf la vue. Quitte à habiter là-haut, autant voir la ville et la mer. Mais, deux numéros plus loin, il y a une vieille bâtisse avec une tour. Ça fait trop cher. Je vais continuer à chercher.

– Moi aussi, je suis allé Via dei Porta, annonça Proteo. Moi aussi, j'ai visité une maison, devine laquelle.

– Aucune idée. Mais je me réjouis de constater que tu cherches, toi aussi, assura-t-elle, manifestement surprise.

– J'ai visité la maison avec la tour.

– Mais c'est bien trop grand pour nous ! »

Laurenti lui raconta alors sa visite à l'étrange Signora Drakič.

« Ah oui, je sais de qui tu parles. Ton vieux traumatisme : Kopfersberg. Dommage, je m'imaginais déjà… »

157

Laura, déçue, haussa les épaules.

« Au fait, reprit-elle, ton Kopfersberg a beaucoup acheté chez nous ces derniers temps. Beaucoup et cher. Pas toujours de bon goût. C'est incroyable qu'il y ait tant de gens qui ont de l'argent pour se payer de belles choses et qui, en fait, n'achètent que de la merde. »

La maison de vente Aste Trieste connaissait un succès croissant ces dernières années. La vague de successions qui gagnait les riches maisons bourgeoises approvisionnait le marché en objets précieux, meubles, bijoux, bibliothèques entières et beaucoup de peinture. Laura en profitait largement, elle faisait le tri *a priori*, négociait directement avec le propriétaire et achetait pour elle-même.

Marco fit alors son entrée, les cheveux en bataille, mal réveillé. Il marmonna un laconique « *Ciao !* » et se versa un grand verre de jus.

« Alors ? Ton scooter ? demanda Laurenti.

– Je l'ai retrouvé, répondit sobrement Marco après un bref regard à son père.

– Où est-ce qu'il était ?

– Là où je l'avais laissé.

– Et pourquoi tu ne l'avais pas trouvé avant ?

– Parce que j'avais oublié.

– Comment peut-on oublier ce genre de choses ? interrogea Laurenti qui, lui-même, ne savait jamais où il avait garé sa voiture.

– Ça peut arriver, dit Marco en baissant les yeux.

– Et avant, tu étais où ?

– À une *party*, répondit Marco en évitant de regarder son père.

– Où ça ?

– Chez Sandra.

– Quelle Sandra ? Elle est gentille ? demanda Laurenti, qui entendait ce prénom pour la première fois.

– Ce n'est pas ce que tu penses, papa, répondit Marco, dont les oreilles rosissaient.

– Alors, dis-moi comment on peut oublier où on a laissé son engin !

– J'en connais d'autres », fit Laura avec un sourire moqueur.

Laurenti comprit qu'il avait intérêt à changer de sujet pour échapper à une avalanche d'anecdotes qui n'étaient pas à son avantage. Celle que Laura préférait raconter, c'était comment un matin, cherchant sa voiture, perdu dans ses pensées, il était passé trois fois devant elle, parce qu'il avait déjà oublié qu'il la cherchait.

« Tu étais soûl ? demanda Laurenti en attrapant Marco par le menton pour le forcer à lever la tête.

– Un peu seulement, répondit Marco en rougissant.

– Voilà pourquoi. Un peu soûl ! Qui te croira ? Heureusement que tu n'as pas retrouvé la Vespa à ce moment-là ! Tu as payé l'assurance ?

– Je vais à la poste tout de suite après et je paie, fit Marco en écartant la main de son père.

– Tu vas à pied à la poste et tu n'utilises le scooter qu'à partir de mardi. C'est le minimum pour que le chèque soit arrivé. D'ici là, tu n'es pas couvert.

– Ton père a raison, intervint Laura. Imagine-toi, si on t'avait pris, ce qui se serait passé ! Maintenant, tu me donnes la clé, tu l'auras mardi, quand on aura appelé l'assureur. C'est clair ? »

Marco savait que toute résistance était inutile quand sa mère se rangeait du côté de son père. Il n'y avait plus aucune marge de manœuvre. Du moins pour l'instant.

« Il faut sans arrêt te surveiller, dit son père. Tout le monde t'aime bien. Tu es un gentil garçon, mais tu es trop gâté. Un garçon avec deux grandes sœurs ! On dirait qu'on t'a baptisé du nom du pingouin, le pingouin Marco, dans les années soixante-dix. Son soigneur lui faisait faire une petite promenade tous les après-midi, de l'aquarium à la Piazza dell'Unità d'Italia. Tout le monde l'adorait et il se rengorgeait. Mais il ne fallait pas que son soigneur le lâche, parce que, alors…

– C'est bon, papa, fit Marco en levant la main, ton histoire, je la connais en long et en large. Elle n'est pas vraiment cool.

– Les bonnes histoires ne s'usent pas, n'est-ce pas, Laura ? Simplement, elles ne font pas plaisir quand…

– Ah oui, papa, il m'en vient une autre, fit Marco, une lueur d'impertinence dans les yeux. Tu t'appelles bien Proteo Laurenti, si je ne me trompe. Vrai ? Presque comme ces bestioles blanches : *Proteus Anguinus Laurenti*. N'est-ce pas ? »

Laurenti, à la torture, ne put qu'approuver. Il y avait longtemps qu'ils ne la lui avaient pas servie, celle-là.

« Alors, j'ai une histoire super qu'on raconte aux petits enfants en Slovénie pendant les longues soirées d'hiver.

– Marco, on est en été et je ne suis pas sûr de vouloir l'entendre. »

Mais il était trop tard. Laura se régalait d'avance.

« Vas-y, Marco, raconte, dit-elle en se versant un second café.

– OK. Il y avait une fois un petit animal aquatique, un ophidien, blanc et aveugle, qui vivait dans une rivière souterraine, à proximité de sa source. C'était naturellement dans le karst. Les habitants du village voisin l'évitaient, mais un petit garçon, qui n'avait pas peur, devint son ami. Ils jouaient et nageaient ensemble dans la grotte sombre et profonde.

« De nombreuses années plus tard, une troupe de bandits fit irruption dans le village et menaça de le mettre à feu et à sang. Le garçon, depuis longtemps adulte, courut instinctivement jusqu'à la grotte et revint avec un dragon aux yeux de braise, qui soufflait le feu par les naseaux et dispersa les bandits.

« Le petit animal blanc était, dans l'intervalle, devenu un dragon ! Mais il n'avait pas oublié le petit garçon d'autrefois. À partir de ce moment, le monstre fut vénéré par la population et aucun bandit ne se risqua plus dans le village avec de mauvaises intentions. »

Marco savoura une gorgée de jus d'orange.

« Alors ? Tu as terminé ? demanda Laurenti, perplexe. Quel est le rapport avec le scooter ?

– C'est tout simple. Puisque tu t'appelles comme ça, tu devrais moins râler, je trouve, et plus me protéger. »

Avant que Laurenti eût trouvé une réponse adéquate, qui aurait rétabli son autorité, le téléphone sonna. On l'appelait à Montebello, un cadavre. Diable, que se passait-il soudain à Trieste ? Les criminels et les requins se déchaînaient. Le samedi tranquille était fichu.

Avant son départ, un certain nombre de choses restaient à régler. Sa mère arrivait par le train de midi trois, il fallait aller la chercher à la gare. Elle aurait voyagé toute la nuit, de façon plutôt inconfortable, parce qu'elle avait manqué le train qui venait directement de Naples et où un compartiment-couchette lui avait été réservé. Marco se proposa pour aller chercher la vieille dame si son père n'était pas rentré d'ici là. Mais il aurait bien aimé l'accompagner. Laurenti s'étonna de cette serviabilité inattendue. Son fils avait apparemment surmonté son dépit, il espérait probablement récupérer plus tôt que prévu la clé de son scooter, sans lequel, en été, un jeune de son âge est radicalement ringardisé.

Laurenti était sur le point de sortir, quand le téléphone sonna une seconde fois. Il allait devoir s'entretenir avec quelqu'un qu'il évitait chaque fois que c'était possible, parce qu'il ne le supportait pas. « Je vous passe le Dr Cardotta », annonça une voix féminine.

Puis silence sur la ligne, comme il convient aux gens importants. Deux bonnes minutes. Laurenti trouva le procédé particulièrement déplacé, surtout un samedi matin, et alors qu'il était sur le point de sortir. Il raccrocha rageusement. La sonnerie retentit à nouveau, la même voix, sur le ton du reproche, lui assura qu'elle allait établir la liaison, qu'il veuille bien patienter. Un nouveau blanc, un peu plus court que le précédent.

Lorsque Cardotta se présenta enfin, il se comporta comme si c'était Laurenti qui l'avait appelé. Comme si un petit flic se permettait d'abuser du temps précieux d'un homme politique.

« Oui ?

– Laurenti, fit sèchement Proteo.

– Commissaire, avez-vous retrouvé le Signor de Kopfersberg ?

– Non, docteur. »

Laurenti ignorait qu'il y avait un lien entre les deux hommes.

« Pourquoi non ? Il y a un certain temps qu'il a disparu… commissaire. »

Cardotta avait marqué un temps d'arrêt avant le « commissaire ». L'usage n'était plus d'appeler son interlocuteur par son grade, sauf si l'on voulait lui témoigner du respect ou lui rappeler un rapport hiérarchique.

Laurenti était surpris, il sentait que sa bonne humeur se gâtait, mais il se domina.

« On ne l'a pas encore retrouvé !

– Pourquoi rien n'est-il fait ? »

Ou bien on apprenait à parler sur ce ton dans les écoles de management, ou bien ces personnages l'avaient tellement subi en début de carrière qu'ils l'adoptaient eux-mêmes dès qu'ils avaient une parcelle de pouvoir.

« Qui vous dit que rien n'est fait ? répliqua Laurenti. On le retrouvera. Avec le temps, tout réapparaît.

– Je voudrais savoir exactement quelles initiatives vous avez prises. »

Pour qui se prenait-il ? Il n'avait pas d'ordres à lui donner !

« La mer est vaste et profonde, déclama Laurenti sur un ton pathétique, faisant une pause avant d'ajouter : docteur. Nous faisons tout notre possible.

– Le Signor de Kopfersberg est un honorable citoyen, très important pour cette ville, surtout maintenant, avec l'aide humanitaire pour la Turquie qui passe par Trieste. Il faut le retrouver rapidement. Nous comptons sur vous. »

Le chef de parti avait changé de ton, la stratégie de Laurenti avait porté ses fruits.

« Toujours rester en mouvement, prêchait-il autrefois aux nouveaux recrutés. Ne jamais se laisser entraîner à une guerre de position. Soi-même ne jamais constituer une cible fixe. Toujours créer des situations dont on puisse sortir. C'est le B-A-BA du métier. Sans oublier de toujours rester courtois. »

Il s'en souvint et se détendit. Pour l'instant, c'est lui qui avait gagné le duel.

« Mais certainement, fit Laurenti sur un ton doucereux. Nous vous tiendrons au courant.

– Au revoir, commissaire », dit Cardotta d'une voix sombre. Il avait raccroché avant que Laurenti ne lui rende son salut.

Laurenti était sûr que, lors de son prochain dîner avec le questeur, Cardotta reviendrait sur l'affaire. « Dites-moi, cher ami, dirait-il peut-être, ce Laurenti a, certes, bonne réputation, mais le tenez-vous vraiment en si haute estime ? Je veux dire : n'est-il pas quelque peu surestimé ? »

Mais le plus important, c'était la question : pourquoi Cardotta a-t-il appelé ? Un samedi matin ? Était-il ami avec l'Autrichien ? Que celui-ci soit un « honorable citoyen », c'était bien la première fois que Laurenti entendait ça. Il avait au moins appris que Kopfersberg avait des amis influents.

De la Via Diaz à Montebello, la route est longue. Et la pente est raide. Le scooter de son fils peinait dans les rues étroites. Vu le retard dû à l'appel de Cardotta, Laurenti avait subrepticement pris la clé de la Vespa. Il avait sûrement, une fois de plus, oublié sa voiture devant son bureau. Mais le niveau du réservoir commençait à l'inquiéter.

La Via del Castelliere commençait par longer un terrain vague, suivi, à intervalles réguliers, de maisons à deux étages sur de grands terrains. Lorsque Laurenti eut enfin dépassé les piliers de béton de la Nuova Sopraeleveta, il aperçut, de loin, les voitures de police. Il gara le scooter sur le bas-côté et gravit le talus à gauche de la route, la pente étant alors moins raide. En haut, il faisait terriblement chaud et ce versant ensoleillé devait fourmiller de bestioles venimeuses. Laurenti était pieds nus dans ses chaussures basses, mais il se consola en imaginant que le brouhaha causé par ses collègues avait dû faire fuir depuis longtemps tous les reptiles du coin.

Les agents en uniforme le saluèrent lorsqu'il les eut rejoints, les autres articulèrent un discret « Bonjour ».

Sgubin était là, Laurenti lui serra la main.

« Salut, Sgubin, je croyais que tu faisais relâche.

– C'est ce que je croyais, moi aussi, mais il y en a un qui s'est fait porter pâle et on a gentiment fait appel au brave Sgubin. C'est par là, derrière le buisson. »

Laurenti avait repéré la lice rouge et blanche et les numéros qui délimitaient le lieu de la découverte. Avant de s'en approcher, Laurenti se retourna. On était à moins de cinquante mètres de la route, mais elle était peu fréquentée la nuit.

« Merci, Sgubin, dit Laurenti en s'avançant, suivi du sous-chef. Qu'est-ce qu'on sait ?

– Rien, pour l'instant. Pas beau à voir, je vous préviens. Manque la moitié du crâne. Il a encore le Beretta à la main. Ça ressemble à un suicide.

– Des papiers ?

– Non. Rien pour l'identifier.

– Qui l'a trouvé ?

– Le vieux, là, avec le chien. »

C'était un petit homme chauve d'environ soixante-dix ans avec un berger allemand à la peau galeuse qui, lui aussi, faisait son âge. L'homme se rendit compte qu'on parlait de lui et se mit à hocher la tête dans leur direction.

« Il faisait sa promenade du matin, ajouta Sgubin. C'est le chien qui a trouvé. »

Ils étaient derrière le buisson. L'habituelle feuille de plastique noir recouvrait le cadavre, dont le contour avait été dessiné sur l'herbe sèche à la poudre de craie. Des policiers munis de bâtons, pour se protéger des vipères, passaient le terrain au peigne fin. Laurenti souleva le plastique. Apparut un visage dont la moitié était en bouillie, on devinait que le chien s'était régalé d'un morceau de cervelle. L'autre moitié était intacte, l'œil restait ouvert. Il s'agissait d'un homme encore jeune, environ vingt-cinq ans. Cet œil. Laurenti eut une illumination.

« Je le connais ! »

Les policiers le regardèrent, étonnés. Il examina le mort quelques instants encore, puis il laissa retomber le plastique et se détourna.

« Je le connais, répéta-t-il. On a eu affaire à lui récemment. Il a été entendu comme témoin après les incidents sur l'Ausonia, à l'embarquement des camions. Je ne sais plus comment il s'appelle. Un Russe, je crois. On trouvera le nom et l'adresse au bureau. J'aurai le rapport quand ? »

La question s'adressait au collègue de l'identité judiciaire.

« Lundi midi, répondit celui-ci, l'air innocent.

– Quoi ? Pourquoi pas ce soir ? »

Le collègue ne répondit pas. Il connaissait l'impatience de Laurenti si le travail n'allait pas assez vite à son gré et, chaque fois, il avait dû céder. Il avait compris que Laurenti ne supportait guère la contradiction.

« Les voisins ? »

Laurenti s'adressait de nouveau à Sgubin.

« On les a déjà tous interrogés. Rien. Absolument rien.

– Je retourne au bureau et je rassemble les informations. J'aimerais te parler. Tu m'accompagnes ? »

Sgubin le suivit.

« Tu crois vraiment que c'est un suicide ?

– Ça y ressemble ! Pourquoi ? Vous pensez à quoi ?

– Que ça doit y ressembler, Sgubin. Mais je n'y crois pas. »

Ils étaient arrivés en haut du talus. Laurenti se laissa glisser le premier et, lorsqu'il fut sur la route, retira ses chaussures pour secouer la saleté.

« Je n'ai encore jamais vu quelqu'un choisir un endroit pareil pour mettre fin à ses jours. Ça n'a pas de sens. »

Sgubin opina.

« Il est venu comment ? Vous avez trouvé un véhicule ? »

Sgubin fit signe que non.

« On a vérifié les voitures. Elles appartiennent toutes aux gens d'ici.

– Il aurait pris un taxi ? La nuit dernière ? Ou bien il se serait fait déposer là pour ensuite se tuer ?

– Et s'il habitait par ici ?

– Il se serait brûlé la cervelle chez lui. Pourquoi serait-il sorti ? D'ailleurs, il n'habite pas ici. J'en suis sûr.

– Alors un meurtre ?

– Si tu veux mon opinion, oui. Je vais regarder le dossier. On en reparlera quand on saura qui c'est. J'ai quelque chose à te demander, puisque tu es encore en service pour un moment. Il faudrait que quelqu'un aille Via dei Porta pour interroger les voisins de la villa, savoir ce qui s'y est passé ces derniers temps. Ton chef, Fossa, m'a fait une allusion. Ne lui en parle pas. Je voudrais avoir une nouvelle version. Ça me turlupine, je ne sais même pas pourquoi. »

Sgubin promit d'y être dans moins d'une heure. Laurenti enfourcha le scooter rouge de son fils et reprit le chemin de la ville. Il n'irait pas chercher sa mère tant qu'il n'aurait pas le nom du mort. C'était urgent, il espérait avoir assez d'essence.

À onze heures, Laurenti était à son bureau et il se mit à fouiller dans les armoires de Marietta. Il ne s'y retrouvait pas dans son propre secrétariat et il lui fallut un certain temps pour mettre la main sur ce qu'il cherchait.

L'homme s'appelait Leonide Tchartov, il habitait depuis neuf mois au 46 de la Via Ponzanino. Né en Ukraine, permis de séjour valide. Travaillait comme docker. Début juin, une bagarre avait éclaté sur le terminal Ausonia, où les poids lourds s'embarquaient pour la Turquie. Bilan : un mort. Tchartov avait été interrogé comme témoin, mais ça n'avait rien donné.

Laurenti prit des notes et replaça le dossier sur le rayon des affaires récentes.

Puis il appela le *Piccolo* et demanda Rossana di Matteo. Il voulait savoir si Decantro lui avait déjà donné son article.

« Il vient d'arriver. Apparemment de bonne humeur. Il a dit qu'il avait à peine dormi, qu'il avait vadrouillé jusqu'à six heures du matin. Maintenant, il s'affaire sur son ordinateur. Il y retourne ce soir. Ça a l'air de lui plaire. »

Laurenti était trop curieux, il chercha le numéro de Vicentino et le composa.

« Allô, fit celui-ci d'une voix embrumée.

– Excuse-moi de te déranger en plein sommeil. Je voulais savoir comment ça s'était passé avec le journaliste.

– C'était calme, chef, il ne s'est pas passé grand-chose. Au début, il nous a bombardés de questions sur la collaboration entre services, sur le nombre d'arrestations, surtout sur les putes. Ça avait l'air de l'intéresser particulièrement, les prix, les pratiques. Sur le Borgo, il était bien réveillé, mais vers quatre heures, pendant la patrouille normale, il s'est endormi sur le siège arrière. Il s'est plaint ensuite qu'on ne l'ait pas réveillé. Greco lui a dit : "Le sommeil, c'est sacré et moi, je suis croyant !" Il était un peu vexé.

– Rien d'autre ?

– Si, tout de même : les carabiniers ont fait beaucoup de contrôles cette nuit. Beaucoup plus que nous. Et il nous a demandé pourquoi on n'en faisait pas plus.

– Et qu'est-ce que tu as répondu ? »

Silence au bout de la ligne. Vicentino finit par répondre :

« Pas de consigne !

– Vous rempilez ce soir ?

– Oui.

– Alors essayez de faire meilleure impression. Donnez-vous un peu plus de mal que d'habitude. Il faut qu'il chante vos louanges et celle de toute la police. Compris, Vicentino ? »

Avant que celui-ci ne réponde, Laurenti perçut un long bâillement dans l'écouteur.

« Alors, dors bien ! Récupère !

– Merci, commissaire ! »

Vicentino avait besoin de sommeil. Il est vrai que le service de nuit est éreintant. Ça n'était pas très délicat de la part de Laurenti de l'avoir réveillé.

Suivit un appel d'Orlando. Laurenti s'étonna, car il pensait que les garde-côtes étaient accaparés par le requin du golfe.

« Ça me console de ne pas être le seul à travailler le samedi, dit Orlando, je voulais te dire que nous savons où était Kopfersberg avant d'aller à Rimini.

– Dis !

– À Zadar. Les Croates ont répondu rapidement, tout de suite après les Slovènes qui ne l'ont pas enregistré. Je n'attends pas de réponse du Monténégro ou d'Albanie. Là, il faut d'abord que le ministère des Affaires étrangères fasse pression pour qu'ils se bougent. D'ailleurs, ça ne m'étonne pas, la moitié de la mafia est dans le coin et tient les autorités. On dit même que le ministre des Affaires étrangères du Monténégro tire les ficelles dans la contrebande de cigarettes. Mais ton homme a été vu à Zadar et, ce qui va encore plus t'intéresser, il y en a un deuxième au même nom imprononçable qui est arrivé et s'est rangé à côté du premier. Mais le tien est reparti un jour avant l'autre, qui s'appelle Spartaco et qui pilote un Corbelli. Sacré engin !

– Doucement, Ettore ! Un Corbelli, c'est quoi ?

– Un bateau à moteur. Plutôt un bijou. Sert à la contrebande de cigarettes entre le Monténégro et les Pouilles. Il n'y en a pas de plus rapide. Nous n'avons rien de comparable. Le constructeur est un ancien champion du monde de hors-bord. Il a été arrêté récemment, en route pour Milan, avec une belle liste d'adresses et quatre cent cinquante mille dollars dans une valise. Pour la mafia, semble-t-il. Ses bateaux font du soixante nœuds.

– Son fils y était donc aussi. Ils se sont retrouvés là-bas. Intéressant. Nous, plus exactement les collègues de Vienne, le recherchons, à cause de son père. On avance pas à pas, Ettore. Si ça ne te dérange pas, je ferai un saut chez toi pour récupérer la note des Croates. »

Il était trop tard pour qu'il aille chercher sa mère à la gare. Avec Sgubin, qui n'avait pas mis longtemps pour interroger les voisins de la Via dei Porta, et un autre agent, Laurenti prit la direction de la Via Ponzanino. Il se proposait de fouiner chez le mort de Montebello. Les collègues de l'identité judiciaire étaient également en route, mais ils devraient attendre que Laurenti se soit fait une première impression.

Tandis qu'ils roulaient, Sgubin raconta que l'un des voisins lui avait fourni la liste des jours où il s'était plaint, sans succès, auprès de la police. La prochaine fois, il irait directement chez le questeur. L'homme avait également dressé une liste des modèles et des plaques minéralogiques des voitures. Excusez du peu : BMW et Mercedes venaient en tête, une Jaguar se montrait aussi de temps à autre. Elles n'étaient pas, en majorité, immatriculées en Italie, mais en Autriche, en Allemagne, en Slovénie, en Croatie, en Yougoslavie, l'une venait de Bosnie-Herzégovine et deux d'Albanie. Quel toupet de se pavaner dans ce genre de carrosse ! L'argent que ça coûtait ne pouvait pas se gagner hon-

nêtement ! Laurenti ne saurait jamais à qui appartenaient les véhicules en provenance des Balkans. Il
faudrait attendre une éternité et il était fort probable
que les noms, adresses et entreprises communiqués
seraient faux. Tout en trompe-l'œil ! Laurenti demanda
à Sgubin, quand ils en auraient terminé, d'aller, liste en
main, consulter les registres des grands hôtels ; il fallait
bien que tout ce petit monde couche quelque part ; ils
ne pouvaient pas tous camper dans la villa.

« Il suffirait peut-être, dit Laurenti, d'éplucher ceux
du Savoya Palace ou du Duchi d'Aosta. »

Via Ponzanino, Sgubin gara la voiture sous un porche
d'immeuble. La rue était étroite et encombrée. Ils
grimpèrent un escalier qu'on n'avait manifestement
jamais songé à rénover. Au troisième étage, Laurenti
poussa la porte sur laquelle s'inscrivait le nom de
Tchartov. Elle n'offrit aucune résistance et les trois
hommes comprirent immédiatement qu'ils n'étaient
pas les premiers sur les lieux. Mais leurs prédécesseurs
n'étaient pas venus avec des intentions pacifiques, ils
avaient même laissé derrière eux un épouvantable
chaos. Plus rien ne tenait debout, sauf quelques meubles,
tout était par terre, éparpillé, écrasé, en morceaux,
même les coussins et les matelas avaient été éventrés.
Mais Laurenti remarqua deux choses qui lui parurent
importantes. Il y avait deux chambres et deux lits, deux
individus habitaient l'appartement, un homme et une
femme, à en juger par certains objets. Laurenti en
ramassa un du bout des doigts et le glissa dans une
enveloppe en plastique. C'était une photo en noir et
blanc, représentant une famille de six personnes vêtues
simplement, manifestement originaires d'un pays étranger. Le reste, Laurenti l'abandonna aux « saupoudreurs »,
c'est ainsi qu'il avait baptisé ses collègues de l'identité
judiciaire. Avec Sgubin, il irait interroger les voisins,

car ce saccage n'avait pu avoir lieu sans que personne n'entende rien.

Ils quittèrent l'immeuble vers quinze heures, n'ayant rien appris d'autre que cette seule information : la veille, vers minuit, il y avait eu, dans l'appartement, des cris et un grand chambard. Les Tchartov, le frère et la sœur, habitaient là, on ne savait pas grand-chose d'eux. Seule la Signora Bianchi les connaissait.

La voisine, une petite bonne femme aux cheveux blancs, les quatre-vingts ans bien sonnés, eut tellement peur qu'elle ne retira même pas la chaîne de sécurité de sa porte. Elle se contenta de dire qu'elle n'avait rien vu, rien entendu. Laurenti se proposa de revenir lui parler quand ses collègues en auraient terminé dans l'appartement et que l'immeuble aurait retrouvé son calme. Il ne servait à rien de la bousculer. Laurenti savait parfaitement qu'une telle agitation rendait méfiants les vieux Triestins. Il repasserait le soir ou le dimanche matin. Après que, successivement, sa femme, son fils et sa mère lui eurent insidieusement demandé, par l'intermédiaire du portable, quand il serait enfin de retour, il se pressa de rentrer. Le brave Sgubin le déposa Via Diaz.

Invité de marque, 13 heures

Vincenzo Tremani ne faisait l'objet d'aucun mandat d'arrêt. Il s'en tirait toujours, il avait l'art de se disculper. La presse nationale le soupçonnait pourtant d'être un caïd. Mais ni le GICO, groupe spécial de la police financière contre le crime organisé, ni le DIA, les chasseurs de *mafiosi* qui s'inspiraient du FBI, n'avaient jamais réussi à réunir de preuves contre lui, bien qu'étant, depuis longtemps, sur ses talons. Vincenzo Tremani restait intouchable.

Ses mains étaient manucurées et il ne parlait jamais trop fort. Ses yeux bleus au regard d'acier contrastaient avec un teint hâlé, une barbe fournie et des cheveux noirs séparés, sur la droite, par une raie tracée au cordeau. Il avait quarante-deux ans, il était issu d'un excellent milieu. Sa famille, dont la fortune n'était pas neuve, passait pour l'une des plus influentes de la ville baroque de Lecce. Rien ne se décidait sans Tullio Tremani, son père, dans cette cité de cent mille habitants dans le sud des Pouilles. Vincenzo, le fils aîné, était considéré comme devant lui succéder dans la dynastie. Rien n'avait été laissé au hasard dans son éducation. Il avait étudié la jurisprudence à Lecce et l'économie à Milan. Il avait passé brillamment ses examens et avait acquis une expérience professionnelle dans l'une des plus grosses multinationales milanaises. Il s'était spécialisé dans le commerce et les transports maritimes. Personne, dans sa famille, ne concluait aucune affaire importante sans le consulter. Mais d'autres venaient également lui demander conseil. Comme il était souvent en voyage, il avait instauré un jour fixe par semaine, où tous les citoyens de Lecce pouvaient le voir. Ce jour-là, il appartenait à la population et il s'efforçait de ne jamais leur faire défaut. Cette loyauté était réciproque. Tout le monde savait que le « docteur » Tremani ne prenait jamais de notes, n'écrivait jamais de lettres et n'utilisait qu'exceptionnellement le téléphone. Il était persuadé que l'on pouvait quasiment tout régler par le dialogue. C'est ainsi qu'avait été décidé quels cargos de quelle capacité et venant de quels ports seraient envoyés à Trieste. Tout était dirigé depuis Lecce. Il n'y avait nul besoin d'un port pour ce faire. Que le navire fût à Bari, Marseille, Haïfa ou Alexandrie n'avait aucune importance. Seul comptait le contact avec les « sources ». Dans le cas du petit commerçant de Trieste, l'affaire était réglée depuis longtemps. Sans eux, il ne maîtriserait jamais cet énorme marché. Ils le tenaient et, s'il faisait des difficultés, sa vie serait immédiatement en danger.

Tremani avait atterri à treize heures sur l'aérodrome de Trieste. Il avait toujours un homme à ses côtés : Pasquale Esposito. Trente-deux ans, grand et parfaitement entraîné, sans avoir la carrure d'un garde du corps. Lui aussi venait de Lecce et c'est grâce aux subsides de Don Tullio qu'il avait pu fréquenter une école de commerce. Il n'était pas de haute extraction, mais il était doué et Don Tullio s'en était aperçu. Le clan Tremani soutenait beaucoup de gens pauvres qui, dès lors, lui étaient fidèlement dévoués.

Esposito avait positionné l'appareil sur l'espace réservé aux visiteurs, à gauche des bâtiments de l'aérodrome. Il avait attendu que s'éteigne le vrombissement du moteur, puis il avait ouvert la porte de la cabine et sorti l'escalier hydraulique. Il avait réservé une limousine sans chauffeur, elle était déjà prête. Tremani, un porte-documents à la main, était descendu le premier, tandis qu'Esposito fermait l'appareil et portait deux valises et un sac de voyage jusqu'à la voiture. Toute maintenance était inutile, le vol à partir de Lecce était bref ; avec un bateau rapide, ils n'auraient pas mis plus d'une demi-journée, mais Tremani préférait l'avion.

Comme d'habitude, une suite était réservée à l'hôtel Duchi d'Aosta au nom de Romano Rossi. Ils y resteraient trois jours. Le lieu était favorable aux affaires avec le nord-est de l'Europe. Il était plus facile de faire venir ici, plutôt qu'à Lecce, les partenaires hongrois, slovènes, croates ou autrichiens. D'autre part, on ne risquait guère d'être dérangé dans cette ville plutôt calme. Esposito avait fixé les rendez-vous et les connaissait par cœur. Lui aussi, comme son patron, avait une excellente mémoire.

« Pasquale, dit Tremani à Esposito, qui venait de brancher l'ordinateur portable et tentait d'établir la connexion avec Internet, je veux que Rallo nous fasse le point sur les comptes de Kopfersberg à la Banca Nordeste. Ça fait trop longtemps qu'il se fout de nous. Il faut qu'il nous lâche l'information. On a quelque chose sous la main en ce qui le concerne ?

– Pour l'instant, rien de concret où nous ne soyons nous-mêmes impliqués », répondit Esposito sans cesser de fixer l'écran. L'ordinateur fit entendre son indicatif habituel et la connexion s'établit. Pasquale consulta les derniers messages.

« Sinon rien.

– Et sa copine ?

– La vieille Zurbano ? fit Esposito en refermant l'ordinateur. Pourquoi pas, s'il refuse de coopérer.

– Prends un rendez-vous avec Rallo. Tout de suite, cet après-midi. Tu y vas seul. Parle-lui. Je veux savoir de combien Kopfersberg nous a roulés. »

16 h 15

« Tu viens faire une petite promenade ? » demanda Laurenti à sa mère.

Rentré avec une faim de loup, il avait englouti les restes du déjeuner qu'on lui avait mis de côté, puis il avait bu un café. Il se rappela alors qu'il devait passer à la capitainerie prendre le rapport des autorités croates, qui l'attendait chez Ettore Orlando.

« Où veux-tu me traîner par cette chaleur ? »

À Salerne, sa mère ne mettait jamais les pieds dehors l'après-midi, elle sortait au plus tôt à dix-huit heures. En revanche, aussi loin que remontaient les souvenirs de son fils, elle était debout tous les matins à six heures.

« Faire quelques pas sur le bord de mer. Il faut que j'aille chercher quelque chose. Au retour, je t'offre l'apéritif sur la piazza. Et puis je te montrerai la capitainerie et nous en profiterons pour jeter un coup d'œil au vieux port. Normalement, on n'y a pas accès.

– Toi si, je suppose. »

Sa mère avait toujours été fière de sa réussite et elle pensait que les lois ne s'appliquaient pas à lui exactement comme aux autres. Mais surtout, elle était fière de sa famille à lui, de ses petits-enfants, ce qu'elle lui répéta pendant tout le temps de la promenade.

À hauteur de la gare maritime, d'où, une heure plus tôt, le *Sophokles Venizelos* avait appareillé pour Corfou, ils traversèrent la rue pour longer le quai, seuls en pleine chaleur. La mer était calme et la vue dégagée. Laurenti avait déboutonné le col de sa chemise et, pourtant, il était en sueur. Il se demandait comment faisait sa mère pour toujours rester fraîche malgré les habits noirs qu'elle portait depuis son veuvage, dix ans auparavant.

« Regarde ! La vue est magnifique ! Là-bas, tu vois le château de Duino, là sur le rocher. On dit que Dante y a été exilé et que Rilke y a écrit ses élégies. À gauche, à côté de la tour blanche du château de Miramare. Tout à fait à gauche, tu aperçois des îles sur la lagune de Grado. C'est là qu'est Patrizia Isabella. »

Laurenti pointait du doigt les îlots qui semblaient flotter sur d'étincelantes bandes de lumière, comme chevauchant un mirage.

« La mer, Proteo, je la vois aussi de chez moi ! Mais qui diable est ce Rilke ? Et Patrizia, elle arrive quand ?

– Demain, maman. Nous irons la chercher à Grado avant d'aller à San Daniele. Rilke, c'est un poète allemand.

– Aussi grand que Dante ? dit-elle, dubitative. Je ne connais que Goethe. Faut-il vraiment que Livia participe à ce concours de Miss ? » Elle s'était arrêtée et lui avait pris le bras. « Je crois bien que ce n'est pas convenable !

– Il faudrait peut-être que tu dises un mot, maman, répondit Laurenti en haussant les épaules. Moi, ils ne m'écoutent pas !

– Oui, je sais, les Laurenti sont têtus. Mais pourquoi avoir épousé une femme encore plus têtue ? Je lui parlerai !

– Essaie. Tu auras peut-être plus de chance que moi ! »

Ils venaient de traverser le pont sur le Canal Grande quand Laurenti aperçut, devant la capitainerie, un groupe d'environ trente personnes qui brandissaient des pancartes et des banderoles. Cri de guerre : « Le requin, c'est l'homme ! Protégez les animaux ! » Mais les clameurs s'interrompaient à intervalles réguliers, comme si les manifestants avaient conscience de leur manque d'efficacité.

À distance, trois vigiles urbains, appuyés contre leur voiture, s'ennuyaient visiblement en observant le spectacle. L'un d'eux fit un petit signe de la main en apercevant Laurenti. Le fonctionnaire de service à l'entrée de la capitainerie le salua et lui ouvrit le portail électrique. Orlando les accueillit chaleureusement, de sa voix grave, dans son bureau. Il se pencha vers la vieille dame, l'embrassa sur la joue et la lança sur les dernières nouvelles de Salerne.

« Et comment va la poiscaille ? intervint Laurenti au bout d'un moment.

– Comme vous avez pu vous en rendre compte, elle a de nombreux amis. Ils protestent contre le fait qu'on lui fasse la chasse. Regardez-moi ce tract : "La fondation suisse pour la protection des requins a établi que, chaque année, on compte environ sept cent mille tonnes de requins massacrés. Chaque animal pèse entre dix et vingt kilos. Cela fait donc cent millions de requins par an, deux cent soixante-dix mille par jour,

onze mille quatre cents par heure ou trois par seconde !"
Je ne savais pas que la Suisse était au bord de la mer !
Ils sont fous ! »

Laurenti s'approcha de la fenêtre pour observer le
bassin de la capitainerie et le vieux port. À ses pieds, le
Ferretti 57 de l'Autrichien.

« Celui-là, je voudrais bien y jeter un coup d'œil !
– Allons-y, je vais te le montrer. »

Orlando s'était levé et Laurenti invita sa mère à les
accompagner, ce qui lui permettrait de visiter pour
ainsi dire les coulisses.

« Ça coûte combien, un yacht comme celui-là ?
demanda-t-elle à Orlando.
– À peu près deux milliards de lires. On peut dire que
chaque cheval-vapeur coûte un million. Mais circuler
avec revient encore plus cher. Quatre mille litres de
carburant, sept cents litres d'eau… »

La mère de Laurenti faisait les yeux ronds.

« Quatre mille litres…
– Ce n'est pas le pire. Il y en a qui sont encore plus
gros.
– Même quand les enfants étaient encore à la maison,
on n'a jamais consommé plus de quatre mille litres de
fuel par an. Et lui, il va loin avec ça ?
– S'il descend d'ici jusqu'aux Pouilles et qu'il veut
remonter vers chez vous par le détroit de Messine, il faudra qu'il refasse le plein. Donc il en a pour deux jours.
– Ça me dépasse, dit-elle en hochant la tête.
– C'est pourtant simple. Si l'on commence par se
demander si on peut se payer un bateau, on ne l'achète
jamais. »

Orlando leur fit visiter l'intérieur comme s'il était le
propriétaire.

« Regardez ! Deux salles de bains, quatre chambres,
salon, cuisine avec trois frigos, climatiseur et naturellement tous les gadgets : radar, navigation par satellite,

télécoms, ordinateur, etc. Et pourtant, il suffit d'une personne pour piloter ce monstre. Sur ce genre de bateaux, il y a même des hélices de manœuvre qu'on peut orienter, pour accoster, avec une télécommande. Moi, ça me paraît excessif… »

Orlando était intarissable. Laurenti l'abandonna avec sa mère dans le salon cossu et remonta sur le pont. Il voulait se mettre dans la situation de l'Autrichien quand il avait reçu de la visite.

Qu'est-ce qui se passe quand un autre bateau vous aborde ? On était en hauteur. Laurenti s'assit dans le fauteuil de cuir blanc, derrière le gouvernail. L'Autrichien devait voir loin, peut-être pas de nuit, mais de jour, même à l'aube ou au crépuscule. On ne pouvait guère se laisser surprendre. Et Orlando disait que les défenses étaient sorties. De quel côté ? Laurenti regarda par-dessus le bastingage, elles étaient encore là. Il descendit sur le ponton du côté opposé au quai et s'assit en laissant ses jambes se balancer dans le vide. Il observa la coque du yacht, qui faisait bien cinq mètres de haut. Comment est-ce qu'on y grimpait en pleine mer ? Par la coupée ? Mais elle se situait à la poupe et alors, pourquoi les défenses ? L'échelle était également à la poupe. Avec la grue ? Sûrement pas. Et si le second bateau avait la même hauteur, il suffisait d'un pas, ou d'un bond, pour passer de l'un à l'autre. Le Ferretti se reflétait tranquillement dans l'eau, à l'abri dans le bassin de la capitainerie. Laurenti laissait glisser son regard le long de la coque. Soudain, il sursauta.

« Ettore ! Ettore ! »

Orlando apparut, un verre de whisky à la main. Le chef des gardes-côtes et la mère du commissaire se régalaient aux frais du disparu.

« Qu'est-ce qui se passe ?

– Est-ce que le rapport fait état de traces de peinture provenant d'un autre bateau ?

179

– Je n'en ai pas vu moi-même.

– Alors viens par ici et dis-moi ce que c'est que ça ! fit Laurenti en montrant du doigt l'une des défenses. Là, derrière le pare-battage. Une tache violette de la taille d'un billet de mille lires. Pas étonnant que vous ne l'ayez pas remarquée, vu la façon dont vous avez placé l'engin. »

Orlando passa de l'autre côté, donna un peu de mou au câble d'amarrage, revint en position initiale et tira, de toutes ses forces, le Ferretti vers lui. Maintenant on la voyait bien : une éraflure comme sur une voiture qu'on gare en forçant le passage.

« Chapeau, Proteo, dit Orlando en lui tapant sur l'épaule, tu as toujours eu un don de visionnaire ! »

Il examina la tache sans rien dire. Laurenti s'impatientait, mais n'en laissait rien voir. C'est sa mère qui rompit le silence.

« Vous allez rester encore longtemps à admirer cette égratignure ? Tout monde voit bien, même une vieille femme comme moi, qu'un autre bateau lui est rentré dedans !

– Justement, répliqua Orlando, je ne le crois pas. Je ne pense pas que nous soyons plus avancés.

– Pourquoi ça ? demanda Laurenti en fronçant les sourcils.

– Parce que le yacht avait sorti les défenses. Ce qui veut dire tout simplement que l'Autrichien était d'accord pour qu'on l'aborde. Quand les défenses sont dehors, les bateaux ne se touchent pas. C'est même pour ça que ça a été inventé, ô terriens. Mais que ça ne nous empêche pas d'y regarder de plus près. »

Il siffla dans ses doigts et fit signe à un homme qui regardait par la fenêtre du premier étage.

« Il y a du travail pour les saupoudreurs. Appelle-les. Nous avons fait une découverte. »

Eux aussi seraient heureux de se remettre au travail un samedi après-midi.

De la capitainerie, Laurenti et sa mère s'étaient rendus, comme prévu, sur la Piazza dell'Unità d'Italia pour l'apéritif. Les tables du Caffè degli Specchi étaient presque toutes occupées et il leur fallut patienter un certain temps avant que le garçon ne prenne leur commande et les serve. Entre-temps, Laurenti avait repéré Eva Zurbano, de dos, à distance. Elle regardait régulièrement sa montre, comme si elle attendait quelqu'un. Dès que l'horloge de l'hôtel de ville eut affiché six heures, un beau brun, nettement plus jeune, se présenta à sa table, lui serra la main et s'assit. Très soigné de sa personne et très sûr de lui. Sûrement pas un Triestin. D'après ses gestes, ce ne pouvait être qu'un méridional. Laurenti l'avait vu, auparavant, traverser la place. Il devait venir de l'hôtel d'en face. Un quart d'heure plus tard, il se leva, sans avoir consommé, et fit le chemin inverse.

« Maman, tu vois cet homme, là-bas ?

– Le Sicilien que tu ne cesses d'observer au lieu de regarder ta mère quand elle te parle ? »

La vieille dame avait compris, depuis longtemps, qu'il était ailleurs.

« Je ne sais pas s'il est sicilien, mais fais-moi plaisir, je crois qu'il rentre à l'hôtel. Suis-le et essaie de savoir comment il s'appelle et quelle chambre il occupe.

– Et comment je m'y prends ?

– Trouve une idée, maman. De toute façon, tu arrives toujours à savoir ce que tu veux savoir ! »

Mais la petite dame de soixante-dix-huit ans n'avait pas attendu qu'il ait fini de parler, elle s'en allait déjà, trottant menu, avec un geste qui signifiait qu'elle saurait bien se débrouiller.

Eva Zurbano s'était également levée. Laurenti se pencha pour éviter d'être reconnu. Lorsqu'il releva la tête, il prit une gorgée d'apéritif en regardant devant lui. Sa mère revenait déjà avec un prospectus à la main.

« Il s'appelle Romano Rossi. Le portier l'a salué fort respectueusement. Il n'a pas de chambre, mais une suite à neuf cent mille lires la nuit. »

Laurenti était stupéfait.

« Comment as-tu fait ?

– C'est simple, mon garçon, répondit-elle en se rengorgeant. J'ai simplement demandé s'ils n'auraient pas quatre chambres pour ce soir ou deux suites. Alors l'homme a ouvert son grand livre et j'ai bien lu "Romano Rossi" à la rubrique "Grande suite". C'est tout. J'ai demandé les prix et un prospectus et voilà.

– Tu aurais fait un excellent détective, maman. »

Il avait déjà son portable à la main.

« Laurenti. Sgubin, c'est toi ?

– Oui, répondit l'infatigable, qui n'avait manifestement pas encore réussi à décrocher. J'allais rentrer chez moi.

– Rends-moi encore un petit service. Regarde dans l'ordinateur si on a quelque chose sur un certain Romano Rossi. »

Laurenti lui donna le signalement et attendit.

« Dommage, murmura-t-il, lorsque Sgubin lui eut affirmé que l'homme n'était pas fiché. Vraiment dommage. »

18 h 20

Il avait demandé à sa mère de rentrer seule. Pour trois cents mètres… Il avait promis d'être de retour pour le dîner, avec mauvaise conscience naturellement. Il voulait, sans tarder, rencontrer la Signora Bianchi, la voisine des Tchartov, Via Ponzanino. Sa voiture, comme le scooter de son fils, était devant son bureau, à un petit quart d'heure de marche. Laurenti fouilla dans sa poche et ne trouva que la clé de la Vespa. Au moins, il n'aurait pas besoin de chercher à se garer à San Giacomo.

Au 46 de la Via Ponzanino, l'escalier retentissait du vacarme des téléviseurs allumés dans les appartements. Il connaissait les lieux. Il grimpa au troisième étage et sonna à la porte à côté de celle sur laquelle on avait apposé les scellés. Au bout d'un moment, il entendit des pas furtifs derrière la porte, puis un long « Ouiii ? ».

« Commissaire Laurenti, Signora. Nous nous sommes déjà vus, mais j'ai encore quelques questions à vous poser. »

La porte s'était entrouverte, la chaîne de sécurité, qui, d'ailleurs, n'aurait empêché personne d'entrer en force, restant accrochée. La tête de la vieille dame à cheveux blancs parut dans l'entrebâillement.

« Je vous ai déjà dit que je ne pouvais pas vous renseigner. D'ailleurs vous ne portez pas d'uniforme. Qu'est-ce qui me prouve que vous êtes policier ?

– Voyez ma carte. »

Elle la regarda longuement, puis hocha la tête.

« Ça ne prouve rien. Vous pouvez être n'importe qui, ajouta-t-elle en s'apprêtant à refermer la porte.

– Signora, je vous en prie. Si j'avais de mauvaises intentions, j'aurais sûrement un pistolet à la main.

– Cette nuit, ils n'en avaient pas non plus ! »

Elle semblait déjà regretter ce qu'elle avait dit.

« Donc vous les avez vus ! Pouvez-vous me les décrire ?

– Je n'ai rien vu !

– Nous avons vraiment besoin de votre aide, Signora. Croyez-moi, je vous en prie. Je vais vous faire une proposition. Prenez ma carte, appelez le 113 et demandez si elle est valable et si c'est bien moi.

– Et qui me paiera le téléphone ?

– Moi ! »

Laurenti sortit de sa poche un billet de mille lires et le lui tendit. Elle ne le prit pas.

« Attendez ! »

Elle referma la porte. Laurenti s'aperçut qu'on les écoutait au deuxième et au quatrième étage. Il monta trois marches et entendit une porte se refermer au-dessus de lui. Beaucoup de curieux, mais peu d'aide. Comme d'habitude !

Laurenti dut attendre un moment que la Signora vienne lui ouvrir.

« Entrez ! »

Ce qu'il fit. La Signora raccrocha la chaîne de sécurité derrière lui. Il se trouvait dans un étroit corridor avec un papier à fleurs jauni au mur et, par terre, un lino marron. Trois portes, dont deux ouvertes, une cuisine, un séjour. Devant la fenêtre de la cuisine, une cage avec deux canaris tout excités ; sur la cuisinière, une casserole avec l'eau bouillante, une autre avec la sauce tomate.

« Je vous dérange à l'heure du repas, Signora. Je suis vraiment désolé, dit Laurenti en espérant qu'elle ne l'inviterait pas.

– Je n'y suis pas encore. Vous avez faim ?

– Non, merci. J'ai la visite de ma mère. Nous sortons ce soir.

– Et que fait votre mère pendant que vous êtes ici ? Vous la laissez seule ?

– Non, elle est avec ma femme et mes enfants. Je ne vais pas rester longtemps.

– Oui, moi aussi, j'avais une famille. »

Elle le précéda dans la salle de séjour. Sur un énorme et antique appareil de télévision s'alignait une collection de photos à la mode ancienne.

« Deux filles et un mari, naturellement… »

Laurenti l'interrompit avant qu'elle ne déroule l'histoire familiale, ce qui aurait pris un certain temps, comme il est normal quand on est âgé et qu'on vit seul.

« On dit que deux personnes occupaient le logement d'à côté. Le frère et la sœur. Nous ne connaissons que Leonide Tchartov. Qui est sa sœur ? C'est bien sa sœur, je suppose ?

– Une gentille fille. Ça fait deux jours qu'elle n'est pas rentrée. Ça ne s'était jamais produit.

– Comment s'appelle-t-elle ? Racontez-moi !

– Olga. Après ce qui s'est passé cette nuit, c'est terrible, j'espère qu'il ne lui est rien arrivé ! Elle aussi était seule dans la vie, avant que son frère ne la rejoigne. Comme moi. Mais elle rentrait tous les jours.

– Signora, pouvez-vous me la décrire ? »

Il fallut un certain temps à Laurenti pour se faire une idée d'Olga. La Signora Bianchi l'avait invité à s'asseoir dans un fauteuil défoncé, elle-même avait pris place sur un canapé également d'époque. D'une bouteille poussiéreuse, elle lui avait versé une grappa dans un verre qui, autrefois, avait dû être transparent. Alors elle lui raconta qu'Olga venait de temps en temps chez elle manger une assiettée de spaghettis, qu'elle lui faisait des courses, en particulier ce qui était trop lourd pour elle. Elle se leva et prit une photo encadrée sur le téléviseur.

« Voilà Olga. Dieu la protège ! »

Elle lui tendit le cadre. Laurenti reconnut immédiatement la femme sur la photo.

« Pourrais-je l'avoir ? »

Devant l'air circonspect de la vieille dame, il promit de la lui rendre le plus vite possible.

Il allait prendre congé quand la Signora Bianchi dit soudain : « Attendez ! »

185

Elle sortit et Laurenti l'entendit ouvrir la troisième porte, certainement celle de sa chambre. Il se dépêcha de reverser le contenu de son verre dans la bouteille. La Signora Bianchi revint avec un carton entre les mains.

« Olga m'a dit de le remettre à la police s'il lui arrivait quelque chose. J'ai lu sur votre visage que le moment était arrivé. Pauvre Olga !

– Et c'est quoi ?

– Je ne sais pas. Olga m'a seulement dit de bien y faire attention.

– Auriez-vous un sac en plastique ? »

Laurenti la suivit dans la cuisine. Elle lui trouva un sac de supermarché et il y fourra le carton.

« Vous ne regardez pas ce qu'il y a dedans ? demanda la vieille dame.

– Il faut d'abord l'examiner. Mais je vous dirai ce qu'il contient, dès que nous le saurons. Merci beaucoup, ajouta-t-il en lui tendant la main. Je dois partir. Ma mère m'attend. Je crois que vous nous avez bien aidés. »

Il rentra Via del Coroneo avec le scooter de son fils, sans respecter les feux rouges. Il était pressé, tout excité. Il avait oublié sa carte professionnelle chez la Signora Bianchi, sur la table de la cuisine, à côté du verre sale et de la bouteille de grappa.

C'est à plus de vingt et une heures que Laurenti se présenta pour dîner. Laura avait emmené Livia, Marco et sa belle-mère au Tre Merli. C'était le seul restaurant de Trieste situé directement au bord de la mer. Tous les autres en étaient séparés par des routes. Le Tre Merli était une aubaine, avec vue sur des couchers de soleil romantiques derrière le château de Miramare. Quand Laura avait téléphoné pour réserver, le patron avait demandé si elle prendrait un « vrai » repas ou seulement une pizza. Laura lui avait posé la question de savoir quelle différence cela faisait, il avait répondu qu'il ne refusait personne, même pour une simple pizza. Elle avait cependant compris que, selon le cas, on n'était pas placé de la même façon. Elle voulait évidemment une table près de la fenêtre.

Proteo avait prévenu, par téléphone, qu'il irait directement sur place. Il avait insisté pour que Livia vienne. Il avait absolument besoin de son aide. Il apporterait une grosse enveloppe avec des photocopies en allemand, Livia saurait les traduire. Il avait mis les originaux à l'abri dans le coffre de son bureau après que les « saupoudreurs », déjà de mauvaise humeur pour avoir été obligés de retourner à la capitainerie, eurent fait leur travail en ronchonnant.

Porec, Croatie, 20 juillet 1999, 20 heures

Porec (Parenzo) était, à l'origine, une colonie romaine sur la côte occidentale de l'Istrie. La ville avait toujours été belliqueuse, ce qui lui avait valu bien des malheurs. Lorsque Frédéric Ier, au début de l'an 1180, avait attribué au patriarche Ulrich II les biens du patriarcat d'Aquilée, Parenzo faisait partie du lot. Mais les comtes de Görz ne cessèrent de revendiquer ce territoire, sur quoi les villes d'Istrie ouvrirent leurs ports aux bateaux vénitiens. La domination de Venise ne fut pas sans dommage pour la ville, mais ce furent les Génois qui la détruisirent et, suite à la peste de 1601, la population se réduisit à trois cents habitants. Jusqu'en 1883, on n'y parlait qu'italien, langue qui, après la Seconde Guerre mondiale, devint ici *lingua non grata*.

Viktor Drakič ne savait rien de tout cela. Il avait mis une heure pour venir en voiture de Trieste, il avait longé le petit morceau de côte slovène, puis franchi la frontière croate. Avec une plaque italienne, on était rarement contrôlé. La mallette était en vue sur le siège du passager, le Beretta 100 caché sous le tableau de bord.

Viktor Drakič connaissait la petite ville bourrée de touristes allemands et autrichiens qui profitaient du change favorable pour envahir les bijouteries kitsch du centre historique. Il savait que les environs étaient faiblement peuplés et que la côte plate, mais pierreuse, était protégée par de nombreuses îles. Il savait aussi que, jusque dans les années quatre-vingt, la péninsule istrienne avait été le point de départ des contrebandiers qui, de nuit, se frayaient un chemin à travers l'archipel et débarquaient en Italie des cigarettes provenant des nombreuses fabriques yougoslaves qui travaillaient pour les géants américains.

Drakič gara sa Mercedes noire sur le port, sortit le Beretta et le glissa dans son dos, sous sa ceinture. Il prit la mallette et franchit les remparts par la porte sud. Tout de suite après, il tourna dans une ruelle dont le calme contrastait avec l'animation du centre-ville. Quelques centaines de mètres plus loin, il frappa à la porte d'une vieille maison de pierre. Un colosse musclé, aussi grand que Drakič, le visage couturé de cicatrices, ouvrit, jaugea le visiteur et le palpa superficiellement. Drakič était heureux que le cerbère n'ait pas trouvé le Beretta. Bien qu'il n'ait aucune chance de s'en servir ici sans être descendu avant, il se sentait tout de même davantage en sécurité. Il grimpa un escalier grinçant et entra dans la pièce unique. Au milieu, une grande table en bois ; au plafond, une lampe aveuglante ; autour de la table, des hommes dont le visage était plongé dans l'obscurité, il fallait s'asseoir pour les distinguer. Drakič s'empara de la chaise libre et bredouilla un salut en croate. Les voix répondirent sèchement. On se fréquentait depuis quelques années, mais les rencontres se limitaient à un règlement rapide et sans émoi des affaires.

« C'est prêt ? »

Il posa la mallette devant lui.

Son vis-à-vis opina et fit un signe en levant un seul doigt de la main droite. L'homme à sa gauche jeta un paquet de photographies sur la table, devant Drakič qui s'en saisit et les compta.

« Huit seulement ? On était d'accord pour dix !

– Les chemins sont plus difficiles. Les frontières sont mieux surveillées. Ça revient plus cher ! »

L'homme parlait en phrases courtes, hachées.

« Le risque est pour vous. Dix ! rétorqua Drakič, impassible.

– Les Slovènes ne marchent plus. Huit !

– On ne peut pas faire monter les prix sans que tout le monde soit d'accord !

– Ne parle pas tant. J'ai dit : huit !

– Alors je vais voir ailleurs ! »

Drakič repoussa les photos. L'autre les reprit négligemment.

« Ne dis pas de conneries. Tu n'en auras pas d'autres. Nulle part. De toute façon, tu en as besoin maintenant. Huit ! »

Le paquet de photos atterrit de nouveau devant Drakič.

« Neuf pour le prix de dix !

– Neuf ! »

Trois nouvelles photos glissèrent sur la table. Drakič les examina tranquillement.

« Quand ?

– Comme convenu. La nuit de demain, deux heures trente. Comme la dernière fois. »

Drakič approuva et poussa la mallette au milieu de la table. L'homme aux photos la tira à lui, fit sauter la serrure et se mit à compter les dollars. Pendant quelques minutes régna un silence total. On n'entendait que le souffle des hommes et le froissement des billets. Pas un mot. Le caissier hocha enfin la tête. Le vis-à-vis de Drakič sortit un paquet de Marlboro et lui en offrit une. Une flamme jaillit d'un briquet en or et Drakič tira une bouffée. L'autre fumait aussi, mais pas ses hommes. Une bouteille sans étiquette surgit du fond de la pièce et atterrit sur la table. Quelqu'un remplit deux verres, qui furent vidés cul sec. Drakič empocha les photos, se leva et débita un « au revoir ! ». La réponse fut aussi chaleureuse qu'à son arrivée. La porte s'ouvrit et se referma immédiatement derrière lui. Il descendit l'escalier. Le malabar ouvrit la porte d'entrée et Drakič se retrouva dans la ruelle. Il gagna, d'un pas rapide, la rue mieux éclairée.

Lorsqu'il eut pris place dans la Mercedes, il s'aperçut que, sous sa veste, sa chemise était trempée de sueur. Une fois sur la route, il remit le Beretta sous le tableau de bord. Il avait rejoint Trieste avant minuit.

« 11 septembre 1977 : j'ai peur. C'est de pire en pire. Je referme ce journal. Je l'enferme dans le tiroir secret de mon bureau. Un jour, quelqu'un le trouvera et pensera à moi. Je n'en peux plus. »

C'était la dernière note d'Elisa de Kopfersberg dans son journal, vingt-deux ans auparavant. Proteo Laurenti n'avait pas beaucoup dormi. Livia non plus. Elle s'était installée devant son ordinateur et avait entrepris de traduire de l'allemand en italien les copies du journal d'Elisa de Kopfersberg. Elle ne rencontrait guère de difficultés. Elisa de Kopfersberg avait une écriture déliée, elle s'exprimait en phrases simples. Le recours au dictionnaire n'était pas nécessaire. Elle en était à plus de la moitié lorsque son père entra. Il s'assit sur son lit et lut les pages déjà imprimées. Au bout d'un moment, il se leva, vint près d'elle et lui posa la main sur l'épaule.

« Merci, Livia. Tu peux arrêter. Tu as fait du bon travail ! »

Livia était ravie. Enfin une passerelle entre eux deux.

« Dommage que tu ne sois pas traductrice assermentée. Tu m'as bien aidé. Mais pour un juge, il faut un tampon. Il faudra que tu fasses la demande. Pour cette fois, c'est moi qui te paierai. Choisis-toi un beau cadeau !

– Ne t'en fais pas pour moi, papa. Tout ce que je souhaite, c'est que tu viennes au concours de Miss. Ça me ferait vraiment plaisir. Là, je termine, tu peux aller te coucher. Je te laisserai le tout sur la table de la cuisine. »

Proteo s'octroya encore un verre de grappa, puis il entra dans la chambre sur la pointe des pieds, pour ne pas réveiller Laura.

Il était déjà à son bureau en ce dimanche matin. C'était le grand jour à San Daniele, il ne devait le manquer sous aucun prétexte. Mais il n'aurait pas pu partir sans avoir, encore une fois, passé en revue les éléments dont il disposait et discuté avec quelqu'un. Il avait réveillé le pauvre Sgubin pour lui annoncer qu'il avait besoin de lui d'urgence. Sgubin avait pesté, cela faisait déjà trois jours qu'il aurait dû être au repos, en compensation de ses heures de nuit. Mais sa conscience professionnelle prit le dessus. Il arriva peu après huit heures au commissariat, pas rasé, d'énormes cernes sous les yeux. Laurenti lui fit lire les dernières pages de la traduction et Sgubin l'interrogea du regard.

« Sgubin, c'est la première affaire dont j'aie eu à m'occuper personnellement quand je suis arrivé à Trieste. Je n'ai pas eu de chance. Je n'ai rien pu prouver. Et vingt-deux ans après apparaît un document qui m'aurait beaucoup servi à l'époque. Je suis sûr que l'Autrichien ne s'en serait pas tiré si facilement. Maintenant, c'est lui qui y est passé, vraisemblablement. Dis-moi ce que tu en penses.

– C'est simple. Quelqu'un a fait ce dont cette femme avait rêvé. Ce que je me demande, c'est pourquoi il l'a tuée. Ou bien elle s'est tuée elle-même ?

– Ça fait un peu longuet pour une vengeance, tu ne trouves pas ? Et puis regarde, il y a autre chose. »

Il lui donna les photos qui accompagnaient le journal dans le carton que lui avait remis la Signora Bianchi.

Sgubin fit des yeux ronds et les considéra attentivement, une par une. Certaines filles y réapparaissaient régulièrement, mais les hommes changeaient chaque fois. Tous étaient nus, dans des positions sans équivoque.

« Pour une revue porno ? demanda Sgubin.

– Je ne crois pas. Pas avec ce genre d'hommes. Rien que des bureaucrates.

– Alors chantage ? dit Sgubin en reposant les photos sur le bureau, avec un profond soupir. Il y a de l'argent à se faire avec ça !

– J'ai l'impression que quelques-unes ont été prises à la villa, mais d'autres non. Regarde, Sgubin, celle-ci. Derrière, tu vois un minibar. Personne n'a ça chez soi. C'est donc un hôtel.

– Et sur celle-là, on devine qu'il y avait deux femmes, remarqua Sgubin en mettant le doigt sur une jambe nue, un peu floue, qu'on apercevait en bordure d'image et qui n'appartenait manifestement à aucun des deux personnages en action. Autre chose. Là, c'est la morte du terrain de golf, j'en suis certain. On a enquêté sur le Borgo, mais aucune des filles ne la connaît, il n'y a pas assez longtemps qu'elles sont là.

– Bon sang, je l'avais oubliée ! »

Il fouilla dans son porte-documents et en tira la photo qu'il avait prise chez la Signora Bianchi. Depuis, il n'avait pensé qu'à Elisa de Kopfersberg et à sa première affaire. Il posa la photo sur le bureau.

« Oui, c'est elle. Où l'avez-vous eue, commissaire ? On la tient enfin ! »

Sgubin était éberlué par les tours de magie de son chef, qui lui raconta sa visite Via Ponzanino.

« Il faut vérifier les registres de l'immigration, dit Sgubin. Je m'étonne que vous n'y ayez pas pensé, chef », ajouta-t-il en hochant la tête.

Il prit le téléphone sur le bureau de Laurenti et composa un numéro. Il prit quelques notes et raccrocha.

Laurenti était embarrassé, surtout furieux contre lui-même. C'était la plus banale des routines qu'il avait négligée, parce qu'il avait entrevu une chance de racheter sa défaite d'autrefois face à Kopfersberg.

« Olga Tchartov, arrivée le 24 mai 1996. Née le 15 septembre 1970 à Volovets, Ukraine. Demeurant 46, Via Ponzanino. C'est sans doute la sœur de notre cadavre de la Via del Castelliere. »

Laurenti prit l'appareil et demanda si Olga Tchartov avait un casier judiciaire. Ils attendirent dix minutes qu'une préposée ensommeillée ait consulté l'ordinateur. Réponse : pas de casier, mais la mention que, jusqu'en avril 1997, Olga Tchartov était enregistrée comme prostituée sur le Borgo Teresiano.

« Bizarre, dit Sgubin. C'est probablement la seule prostituée étrangère qui n'ait pas bougé.

– Et comment a-t-elle récupéré le journal et les photos ?

– Elle les a volés. À Kopfersberg en personne ! »

Sgubin avait sûrement raison. Le journal, les photos – la villa.

« Viens, dit Laurenti. On y va ! »

Tatiana Drakič les reçut plus aimablement que la fois précédente. Une soubrette en tablier blanc leur avait ouvert et les avait conduits dans un petit salon où la maîtresse de maison les avait rejoints. Elle portait une robe lilas sans manches. Elle leur tendit la main, les pria de s'asseoir et servit le café. Surprenante amabilité ! Son frère avait dû lui dire que Laurenti s'était plaint.

« Du nouveau ? demanda-t-elle.

« – Rien en ce qui concerne M. de Kopfersberg, Signora. Et vous ?

– Rien, malheureusement !

– Et du côté de son fils ?

– Non plus !

– Les collègues de Vienne ne l'ont pas trouvé. »

Laurenti ajouta, pour répondre au regard interrogateur de son interlocutrice :

« Dans ce genre d'affaires, on interroge toute la parenté. Les collègues autrichiens nous donnent un coup de main. »

Il but une gorgée de café.

« Autre chose : saviez-vous qu'Elisa de Kopfersberg tenait un journal ? »

Laurenti sortit l'objet de son porte-documents et le posa sur la table. Tatiana Drakič le regarda du coin de l'œil, puis le prit en main.

« Non, je ne l'ai jamais vu. »

Laurenti tira alors de sa poche la photo d'Olga Tchartov et la posa près du journal.

« Connaissez-vous cette femme ? »

Tatiana Drakič prit son temps.

« Non. Je regrette.

– Vous êtes sûre ? Peut-être est-elle venue, un jour, en compagnie de l'un de vos invités ?

– Non, je ne crois pas. Vous savez, quand on organise une grande réception, on ne dévisage pas tout le monde. Mais je pense que non.

– C'est tout, Signora Drakič. J'aurais juré que vous connaissiez cette femme. Nous n'allons pas vous déranger plus longtemps. »

Laurenti se leva et Sgubin, qui n'avait fait qu'examiner attentivement et silencieusement le salon, se dépêcha de finir son café. On se quitta poliment. Aussi bien Tatiana Drakič que Laurenti avaient veillé à ne pas rompre la trêve.

« C'était bien la villa ! » dit Sgubin, une fois dans la voiture.

Il mit le contact sans démarrer.

« C'est une belle femme, mais elle ne me plaît pas, chef ! Pourquoi mentir ?

– Nous n'avons pas la certitude qu'elle mente, Sgubin. Entre nous, je ne vois pas d'autre explication. Ou alors, c'est qu'elle est incapable de se comporter normalement face à la police. »

Sgubin démarra. Ils restèrent silencieux. Lorsqu'ils enfilèrent la Via Carducci, Laurenti bondit, saisit Sgubin par le bras, la voiture fit une embardée, Sgubin fut obligé de freiner sec.

« Qu'est-ce qui se passe ? fit-il, l'air contrarié.

– Rien. Tu sais quoi ? Il faut mettre la main sur quelqu'un qui connaisse Olga. Quelqu'un du milieu. Elle était à Trieste depuis longtemps, elle devait être connue. Tu te souviens de Lilli ?

– Sûr, répondit Sgubin en riant. Qui ne la connaît pas ?

– Elle travaille encore. Elle sait peut-être quelque chose. Il nous faudrait son adresse.

– 15, Via Tigor, répliqua Sgubin, qui avait déjà changé de direction. Il est peut-être un peu tôt, mais elle s'en accommodera.

– Dis-moi, Sgubin, comment se fait-il que tu aies son adresse en tête ? Tu es son client ?

– Non, Dieu merci, répondit Sgubin en rougissant jusqu'aux oreilles. Mais on l'a déjà si souvent interrogée que la moitié des effectifs iraient chez elle les yeux fermés. »

Ils longèrent les quais, pénétrèrent dans la vieille ville à hauteur de l'Aste Trieste et gagnèrent la Via Tigor par un dédale de petites rues. Il n'y avait pas beaucoup de circulation à cette heure.

Sgubin gara la voiture sous un porche et sonna. Une seconde, une troisième fois. La voix de Lilli leur parvint à l'interphone.

« C'est qui, merde ?

– Ce n'est que la police, très chère Lilli. MM. Sgubin et Laurenti.

– Revenez plus tard ! »

Et elle raccrocha. Sgubin se remit à sonner et longtemps.

« Allez vous faire foutre ! hurla l'interphone.

– Lilli !

– Qu'est-ce que vous voulez, bon Dieu ? Je ne suis même pas levée, ajouta-t-elle au milieu d'une quinte de toux.

– Je n'arrive pas à croire qu'on te dérange, Lilli. Que tu sois lavée ou non nous est parfaitement égal. Mais ouvre, sinon on va réveiller tout le quartier. Ce ne sera pas long. »

Elle déclencha enfin l'ouverture du portail et les deux policiers grimpèrent jusqu'au quatrième étage. La porte de Lilli était entrouverte. Ils entrèrent dans un long couloir au parquet grinçant.

« Lilli, appela Sgubin.

– Dernière porte à gauche ! »

En suivant sa voix, ils aboutirent dans sa chambre à coucher, dont les rideaux étaient encore tirés. Seul un rayon de lumière éclairait la pièce. Lilli était au lit, mal démaquillée, le drap tiré sous les aisselles. Ses vêtements gisaient par terre dans un parfait désordre.

« Va dans la cuisine, Sgubin, et fais-moi un café, un fort ! »

Elle renchérit avec une bordée de jurons. Laurenti poussa l'unique chaise vers le lit. On entendait Sgubin s'affairer dans la cuisine.

« Lil', cria-t-il, tu ne crois tout de même pas que je vais faire ta vaisselle. Où est ce foutu café ? »

« – Quelque part. Sûrement là où je le mets d'habitude. Ouvre les yeux ! »

Elle était de mauvaise humeur. Encore plus contre Laurenti.

« Et toi, ne me pose pas de questions avant que ce débile ne m'apporte mon café ! Et ne me reluque pas comme un amoureux transi ! Ce n'est pas la première fois que tu vois une pute sans maquillage !

– *Sublata laterna nullum discrimen inter feminas !* fit Laurenti en levant l'index gauche.

– Qu'est-ce que tu déblatères ?

– La lumière éteinte, toutes les femmes se ressemblent. C'est Casanova qui l'a dit, un jour qu'il passait justement par Trieste. Je ne suis pas de son avis, mais c'est quand même lui le spécialiste !

– Tu m'emmerdes. Je vais te dire une chose : à l'avenir, évitez de me menacer. Parce que, si je l'ouvre, il y en aura pour tout le monde. Et je le ferai ! »

Au bout d'une minute de silence, pendant laquelle elle resta les yeux fermés, elle dit enfin :

« Bon, vas-y. Qu'est-ce que tu veux ?

– Tu la connais ? demanda Laurenti en lui montrant la photo.

– Qui ne la connaît pas ?

– Dis voir !

– Elle a eu du succès il y a quelques années. Pas étonnant, avec ses nichons. Les miens aussi, autrefois…

– Alors ?

– Aujourd'hui, ils ne sont plus ce qu'ils étaient.

– Qui est-ce ? Qu'est-ce que tu sais ?

– Elle s'appelle Olga.

– Tu la connaissais bien ?

– Pas particulièrement. »

Sgubin arriva enfin avec un bol de café. Lil' s'assit, le drap glissa, mais ça n'eut pas l'air de la perturber.

« Pas trop tôt, pied-plat ! T'en as mis du temps ! »

Elle avala plusieurs gorgées d'affilée et s'en trouva de meilleure humeur. Laurenti revint à la charge :

« Lilli, qu'est-ce qu'elle est devenue ?

– Elle a assez rapidement trouvé un emploi. Chez des gens riches. Après, je ne l'ai plus beaucoup vue. »

Elle avait repéré l'œil en coin de Sgubin et remonta son drap.

« Ne regarde pas comme ça, tu sais exactement à quoi ressemblent mes seins ! »

Laurenti s'efforça de la ramener sur le sujet.

« C'était où ?

– Quoi ?

– Le boulot.

– Via dei Porta. Grosse villa. Plusieurs fois, ils sont venus chercher des filles sur le Borgo, mais c'était plutôt rare. Ils avaient les leurs.

– Chez l'Autrichien ?

– Oui, chez l'Autrichien.

– Et toi, tu y es allée ?

– Il y a longtemps ! Ils veulent des jeunettes, sans rides. L'expérience ne les intéresse pas.

– Et qu'est-ce qui se passait ?

– Les filles étaient pour leurs invités. Des hommes importants. Mais c'est toujours la même chose. Quand ils ont trop de pouvoir, ça leur monte à la tête.

– Lilli, regarde ces photos. »

Elle posa son bol et jeta un coup d'œil.

« Merde ! Ça, ça vaut de l'argent !

– Qu'est-ce que tu veux dire ?

– Tu crois que les types étaient volontaires pour la séance de photo ? Imbécile ! Vous les avez trouvées où ?

– Tu reconnais quelqu'un ? »

Lilli rendit le paquet de photos à Laurenti.

201

« Olga est dessus. Il y en a d'autres qui ont fait une apparition sur le Borgo, mais pas longtemps.

– Et les hommes ?

– Les hommes, je ne les regarde jamais. Pas la peine. Et vous, quand est-ce que vous disparaissez ? »

Les deux policiers comprirent que la consultation était terminée.

« Réfléchis, Lilli. Et si quoi que ce soit te revient à l'esprit, fais-le-nous savoir ! »

Il était déjà près de la porte quand Lilli le héla :

« Commissaire, je crois bien que toi aussi, tu es sur les photos ! »

Il s'arrêta, interloqué.

« Moi ? Tu plaisantes ?

– Peut-être ! Et fermez bien la porte ! »

Il disposait d'une heure avant de se changer et d'aller chercher Patrizia Isabella à Grado. Laura et Livia étaient parties tôt. Il acheta, au coin de la rue, l'édition dominicale du *Piccolo* et entra dans son bureau. Il feuilleta le journal pour se changer les idées. Le directeur du laboratoire expérimental de biologie marine du WWF et un pêcheur en haute mer qualifié d'expert débattaient de la dangerosité du requin.

« La présence du requin, affirmait l'homme du WWF, est un signe de qualité, cela signifie que l'eau est propre. D'autre part, le danger est limité. Aucun incident grave n'a jamais été signalé ici. L'une des causes est que, dans des eaux chaudes comme les nôtres, la voracité du requin diminue. Je conseille aux estivants de ne pas s'aventurer trop loin, mais ils peuvent continuer à se baigner. Nous ne sommes pas chez Hemingway, ni à Hollywood, nous sommes à Trieste. »

Le pêcheur en haute mer, champion du monde de pêche et, selon le *Piccolo*, fin connaisseur des requins, était d'un avis opposé.

« Il est indispensable d'être prudent, parce que les requins suivent souvent les thons, dont ils se régalent, et en cette saison, les thons sont nombreux dans l'Adriatique nord. Cela n'aurait rien d'exceptionnel que de rencontrer un requin non loin de la côte. Ce sont des poissons qui peuvent rester tranquilles pendant des semaines, s'ils n'ont pas faim. Mais, dans les quinze jours qui suivent, ils ressentent impérieusement le besoin de dévorer. Alors ils se mettent en chasse et toute proie est bonne, ils sont insatiables. Même en plein été, nos eaux contiennent assez d'oxygène pour expliquer leur présence. »

Le requin bleu était donc devenu blanc. « Le *Piccolo* a de la matière pour les jours suivants », pensa Laurenti. Il se mit à bâiller, allongea ses jambes sur son bureau et piqua du nez. Il se réveilla dix minutes plus tard. Il se sentit soudain frais et dispos. Le journal était toujours sur ses genoux.

Porec/Trieste, 21 juillet 1999 après minuit

On leur avait dit qu'on viendrait les chercher vers onze heures et demie. Le groupe de trente-cinq personnes, principalement des hommes entre vingt et trente ans, attendait dans un sous-bois près de Lovrec. Personne ne parlait, personne n'avait de bagages. Ils ne possédaient que ce qu'ils avaient sur le corps, ce qu'ils avaient pu cacher sous leurs vêtements, leurs papiers et peut-être quelques dollars. Leur argent, ils l'avaient donné le matin même. Ils avaient trimé pendant des années, vendu quasiment tout ce qu'ils avaient au pays pour réunir les cinq mille dollars. Mais ils avaient l'espoir.

Beaucoup, parmi eux, étaient sur les routes depuis des semaines. Aucun ne savait où il se trouvait. Dans ce coin de forêt, les premiers d'entre eux étaient arrivés trois jours auparavant. On leur avait laissé de l'eau et quelques vivres. Ils avaient dormi à même le sol. L'un d'eux avait une forte fièvre, deux autres avaient attrapé des tiques. Ensuite, le groupe grossit. Il en arrivait sans cesse de nouveaux. On parlait cinq langues, mais ce soir-là, tout le monde se taisait en attendant la suite. On leur avait dit que c'était la dernière étape et ils avaient encore payé beaucoup d'argent. Si tout allait bien, dans quelques heures ils pourraient se dire que tous les

205

tracas, toutes les fatigues des dernières semaines valaient la peine.

Deux camions quittèrent la route pour emprunter le petit chemin forestier. Ils éteignirent leurs phares. On n'entendait plus que le bruit des moteurs diesel. Cinq hommes en descendirent. L'un d'eux, certainement le chef, lançait des ordres. Il parlait une langue inconnue, mais ses gestes étaient explicites. Les clandestins grimpèrent dans les camions. Ils durent se serrer pour trouver place. Les portes sans fenêtres se refermèrent derrière eux. Ils se tenaient l'un à l'autre pour résister aux cahots de la route. Le trajet fut bref. Les portes s'ouvrirent, les cinq passeurs les poussèrent dans un petit chemin à travers les fourrés. Ils devinèrent un plan d'eau à leur droite. On était à la veille de la nouvelle lune, l'obscurité était dense, le sentier humide, difficilement praticable. Dix minutes plus tard, ils aperçurent des hommes qui fumaient au bord de l'eau.

Le Limski Zaliv est un bras de mer qui, à la façon d'un fjord, entaille la péninsule istrienne à quinze kilomètres au sud de Porec. Seuls des bateaux plats peuvent y naviguer. Des champs, des prés et des broussailles l'entourent. De loin en loin, une ferme isolée. Les rives sont boueuses. Un sentier pratiqué depuis des décennies conduit de la E 751 à la Rtic Kric, la pointe de terre en face de Vrsar.

Deux bateaux pneumatiques aux puissants moteurs avaient quitté, dans l'obscurité, le petit port de Porec et emprunté le canal en contournant les bouchots. En face du hameau de Sveti Mihovil, ils s'étaient amarrés à un vieux ponton au milieu des ronces. Deux hommes par bateau, grands, aux larges épaules, vêtus de sombre. Les cheveux courts, un cou de taureau. Dans l'obscurité, on ne reconnaissait d'abord que des silhouettes, on suivait leurs mouvements grâce à la pointe rouge de leurs cigarettes. Les bateaux étaient peints en bleu nuit, tous les signes distinctifs étaient dissimulés sous des bandes de plastique noir qu'on pouvait décoller rapidement en cas de nécessité. Un moteur de six cents chevaux permettait de pousser jusqu'à quarante-deux nœuds. Le gouvernail se trouvait à deux mètres de la poupe et les huit mètres qui restaient jusqu'à la proue pouvaient, sur trois mètres de large, accueillir une vingtaine de personnes serrées les unes contre les autres, qui devaient s'accrocher aux cordages tirés d'un bord à l'autre quand le bateau filait sur les vagues.

Neuf jeunes femmes de moins de vingt ans, dont les profils arrachèrent aux quatre marins des commentaires salaces, avaient été amenées sur le ponton peu après vingt-trois heures. Chacune portait un sac à main et une petite valise. On leur avait dit de s'habiller en sombre. Des fichus cachaient tant bien que mal leurs cheveux décolorés. Mais on n'avait pas pensé aux chaussures. Celles qui portaient des talons aiguilles durent se déchausser. Les hommes leur donnèrent l'ordre de s'asseoir dans l'un des bateaux. En les aidant à s'installer, ils se firent pressants. Mais les filles n'y faisaient pas attention, elles chuchotaient entre elles dans différentes langues slaves. L'une voulut allumer une cigarette, elle se fit rappeler à l'ordre par l'un des hommes qui, lui-même, fumait. Mais elles n'en avaient pas le droit. Elles durent attendre en silence.

L'homme qui leur avait dit d'attendre avait à nouveau disparu dans l'obscurité, mais on entendait une discussion animée. L'homme revint et appela ses complices. Il parlait bas en montrant les bateaux et les trente-cinq clandestins. Deux hommes sortirent des pistolets de l'armée russe qu'ils cachaient sous leur veste. Le groupe reçut l'ordre de descendre vers les bateaux.

Au passage, le chef les examinait avec insistance. Il en choisit quatre à qui il ordonna de rester à côté de lui. Il laissa passer celui qui avait de la fièvre ; il suait sang et eau et tenait à peine sur ses jambes. Il valait mieux se débarrasser de lui le plus vite possible, ne pas créer de problèmes inutiles. Lorsque les derniers furent passés, les quatre qui avaient été sélectionnés voulurent les suivre. Le chef donna un ordre bref et les deux hommes armés leur barrèrent le chemin. On leur dit qu'ils partiraient plus tard, le lendemain ou le surlendemain, mais ils ne comprenaient pas. Ils savaient simplement que des pistolets les menaçaient et qu'il leur était interdit d'avancer. Le chef leur fit signe de faire demi-tour. Ils obéirent. Chacun d'entre eux avait déjà vécu la même situation au cours de son périple. Il fallait parfois attendre des jours avant qu'un nouveau passage ne s'ouvre. Ils n'étaient pas encore bien loin quand ils entendirent les moteurs démarrer. Le premier s'arrêta, hésita, puis reprit sa marche.

Le temps était favorable. Le golfe était plongé dans le noir et les chalutiers avec leurs projecteurs pour attirer les maquereaux et les sardines évoluaient plus au large. Par beau temps, après un orage ou une tempête, les pêcheurs restaient près de la côte et la lumière des lampes halogènes se reflétait dans l'eau jusqu'aux falaises. Il était alors impossible de débarquer discrètement. La côte du golfe de Trieste servait beaucoup aux transports de clandestins. Les autorités italiennes avaient concentré leur attention sur la liaison entre l'Albanie et les Pouilles ; deux heures à peine suffisaient, avec un bateau rapide, pour faire ce trajet qu'empruntait surtout la mafia pour la contrebande de cigarettes et le trafic humain. Au nord, les passages par voie maritime étaient plus récents. Les autorités ne s'y attendaient pas. Le parcours était plus complexe, il ne

correspondait pas à une liaison classique pour les Balkans et, de plus, le golfe était couvert par un réseau de
radars sans faille. Les bateaux pneumatiques faisaient
l'aller et retour en une heure. Les radars ne les repé-
raient pas. Ils se déplaçaient parallèlement à la côte
croate, n'avaient pas de lumières, seulement des instru-
ments de navigation. À un mille de la côte, ils ne ris-
quaient pas de croiser d'autres embarcations. Cap nord
nord-est à hauteur de Porec, Novigrad, Umag ; rien à
craindre jusqu'à Punta Salvore. C'est là, à la frontière
slovène, quand ils prenaient le cap nord-est, qu'il fallait faire attention. Le dernier tiers du parcours était
très fréquenté par les bateaux privés, mais surtout, on
croisait les lignes maritimes qui partaient de Capodistria et de Trieste. De nombreux cargos mouillaient
entre les deux ports. En outre, les autorités slovènes et
italiennes travaillaient en étroite collaboration pour
régler les problèmes de navigation dans ce secteur.
Mais ce qui les soulageait, c'était le phare de la Vic-
toire de Trieste, le plus puissant du nord de l'Adriatique. Il était visible jusqu'à trente-deux milles de
distance. Il suffisait d'aborder deux milles et demi à
l'ouest pour se retrouver sur la Costa dei Barbari. Au
pied des falaises abruptes, non loin de l'endroit où le
yacht de l'Autrichien s'était échoué, les deux bateaux
pneumatiques se frayèrent un chemin à travers les bouchots. Les neuf filles descendirent les premières et
rejoignirent la côte. Ça n'était guère commode, avec
leurs talons, mais on avait tendu des cordes auxquelles
elles s'agrippaient. Deux Mercedes noires les attendaient sur le parking. Les trente et un clandestins
seraient pris en charge, sur la Strada Costiera, par deux
camions qui les conduiraient à une ferme entre Palma-
nova et San Giorgio di Nogaro.

Les deux bateaux pneumatiques reprirent, peu avant
deux heures, la direction du sud, d'où ils venaient. Le

retour à vide fut très rapide. Les quatre hommes étaient de bonne humeur. Ils avaient gagné beaucoup d'argent en peu de temps.

À deux heures trente, les deux Mercedes passèrent le portail de la villa Via dei Porta. On fit entrer les filles dans les chambres aux fenêtres grillagées de l'entresol et on referma à clé derrière elles. On s'occuperait d'elles le lendemain. Il y avait trop à faire. Il fallait les habiller. Il fallait leur expliquer ce qu'elles avaient à faire. C'était, jusque-là, le travail d'Olga Tchartov. Tatiana Drakič serait donc obligée de s'en charger en attendant de trouver une remplaçante. Les filles avaient aussi besoin de nouveaux passeports et d'autorisations de séjour. Il y en avait pour deux jours.

Trieste, 21 juillet 1999

La réunion chez le questeur était fixée au lundi matin, huit heures. Les Laurenti avaient couché chez la mère de Laura à San Daniele et Proteo avait dû se lever à six heures, bien que la fête ait commencé tôt et fini tard. Tout le monde adorait la vieille dame, on attendait cinq cents personnes au déjeuner, dont certaines venaient de loin.

Les tables avaient été dressées dans la cour normalement réservée aux camions, voitures et chariots électriques, à deux pas du bâtiment où la famille produisait ses fameux jambons séchés à l'air, qui se vendaient dans le monde entier sous le label San Daniele. Le gravier de la cour rappelait le parc d'un château et des parasols protégeaient du soleil les invités qui avaient pris place autour de trois longs alignements de tables disposés perpendiculairement à un quatrième où se trouvaient les places d'honneur.

Le patron du Cacciatore avait été chargé du repas. Dès la veille, il avait investi la cuisine et quelques pièces attenantes du corps de logis. Pour commencer, on servit du pinot spumante de Cormons. Le chardonnay et le cabernet franc venaient du Chili, d'une propriété du troisième fils de la vieille dame, le plus jeune frère de Laura. Les vins de dessert et les digestifs arrivaient du Collio.

Laura était partie, dès le matin, à San Daniele, avec Livia, pour soutenir sa mère qui ne savait plus où donner de la tête. Mais lorsque les invités commencèrent à affluer, Sofia Tauris ne se contenta pas, comme ses enfants l'avaient prévu, de rester assise sur le sofa bordeaux installé sous le magnolia toujours vert, dont les branches arboraient encore les dernières fleurs. La vieille dame était solide, elle s'occupait du domaine tous les jours depuis cinquante-six ans. Elle eut un mot gentil pour chacun et elle rayonnait sous l'avalanche de compliments et de vœux de longue vie. Sur une table, qui se révéla bientôt être trop petite, s'entassèrent les cadeaux. Les premiers invités étaient arrivés vers midi, mais on ne passa à table que vers deux heures. Le fils aîné, qui dirigeait l'entreprise, fit un grand discours. Il rappela que les parents de Sofia Tauris étaient de simples paysans et que c'était bien leur opiniâtre fille qui avait fait de leur ferme une entreprise rentable. Il n'y avait pas de jambon au menu. Après l'*antipasto*, un *misto* de poissons marinés, l'évêque présenta ses vœux et en profita pour bénir l'assistance. À l'entrée, des tagliatelles aux truffes, succéda l'hommage du président de l'Union des producteurs de jambon qui, contrairement à son prédécesseur, n'en finissait pas et les cuisiniers commençaient à s'énerver. Après le plat principal, une pintade au goût exquis, ce fut le tour du maire. Avant le dessert, vers seize heures, tout le monde ayant bien bu et les convives étant de plus en plus nombreux à se manifester bruyamment, la vieille dame se leva et réclama le silence. D'une voix ferme, elle remercia les invités pour leur amitié, leurs marques de sympathie et leur indulgence à son égard. Puis elle porta un toast en leur honneur. Vers dix-sept heures, certains commencèrent à s'éclipser. Les enfants avaient depuis longtemps quitté la table et s'étaient regroupés à l'écart, les adultes étaient restés entre eux. Les derniers partirent vers vingt heures, il faisait déjà frais sur le plateau. Le chef de cuisine avait préparé un petit dîner, puis il avait débarrassé les tables et chargé verres et vaisselle dans sa camionnette.

Sofia Tauris avait toujours été dure à la tâche et, à quatre-vingts ans, même quand elle était fatiguée, elle n'en laissait rien voir. Il y avait longtemps qu'elle n'avait pas réuni autour d'elle tous ses enfants et petits-enfants. C'était un grand jour. Le calme ne revint que vers deux heures du matin.

San Daniele est à quatre-vingts kilomètres de Trieste et il faut compter une heure de trajet malgré l'auto-route. Proteo Laurenti n'avait pas assez dormi et fut pris de bâillements intempestifs. Il passa en revue la journée écoulée. Sa plus grande joie avait été de revoir enfin Patrizia Isabella, sa fille préférée. Ils avaient fait une petite promenade ensemble et elle lui avait parlé avec enthousiasme de l'archéologie sous-marine, des trouvailles provenant du navire romain, en particulier d'une petite statue en bronze de Minerve qui lui plaisait énormément. Laurenti était persuadé que sa fille serait un jour une célèbre archéologue.

Lorsqu'il eut quitté l'autoroute et emprunté la Strada Costiera, le travail revint lui accaparer l'esprit. Il passa devant la Trattoria Costiera, sur la Costa dei Barbari, là où le yacht avait été retrouvé. Puis il enfila le Viale Miramare en direction du centre-ville. Les premiers retraités avaient déjà installé leurs chaises longues sur la promenade.

Il se présenta à l'heure chez le questeur. C'était la première réunion-bilan depuis le renforcement des contrôles en matière d'immigration illégale. Laurenti se demanda pourquoi le questeur et ses collègues le saluaient d'un air si réservé, presque sombre. Il mit cela sur le compte de l'heure matinale et se dit qu'il n'était pas le seul à avoir besoin d'un peu plus de sommeil pour voir la vie en rose.

« Messieurs, dit le questeur, qui tenait à la main la dernière édition du *Piccolo*, je me demande par où commencer. Il y a une heure encore, j'étais de la meilleure humeur. Celle-ci s'est envolée et ce pour deux raisons : tout d'abord, nos côtes ne sont pas, ne sont plus sûres. D'autre part, ajouta-t-il en brandissant le *Piccolo*, notre police nationale passe pour une bande d'imbéciles. Je ne sais pas si vous avez déjà lu l'article. Nous y reviendrons. Mais abordons d'abord l'ordre du jour initial : les clandestins. Colonel, je vous en prie ! »

Le patron des carabiniers était en uniforme de la tête aux pieds, ce qu'il ne faisait habituellement qu'à l'occasion des manifestations officielles ou en hiver, car l'épaisse étoffe lui évitait de mettre un manteau et lui donnait l'air particulièrement martial. Mais, par cette chaleur, c'était de la folie pure. Il leva son crâne anguleux et donna un coup de menton.

« Cette nuit à deux heures dix-huit, nous avons arrêté trente et un clandestins sur la Costa dei Barbari. Cinq Afghans, cinq Bangladais, six Roumains, huit Kurdes, trois Russes, deux Pakistanais, deux Irakiens. Les Kurdes et les Irakiens ont demandé l'asile politique. Leur interrogatoire a fait apparaître qu'ils avaient été transportés par bateaux pneumatiques. Durée du trajet : environ une demi-heure. Selon les calculs de nos collègues de la Marine, cela permet de situer leur point de départ entre Piran et Rovinj. Pour des raisons inconnues, leurs passeurs ne sont pas venus ou sont arrivés trop tard. L'une de nos patrouilles les a découverts marchant sur la nationale 14 en direction de Sistiana.

– Merci, colonel. La situation est grave. Les passeurs cherchent de nouvelles routes. Nous devons admettre que ce n'est pas la première fois, ni probablement la dernière, qu'ils débarquent à cet endroit. C'est là que passait autrefois la contrebande de cigarettes. Jusqu'à la fin des années quatre-vingt, ils utilisaient différents secteurs de la côte difficiles à surveiller, de Muggia jusqu'à la lagune de Grado. Mais ils ont toujours évité la Costiera. Qu'en est-il des contrôles effectués par les garde-côtes ?

– S'ils utilisent le même type d'embarcations que dans les Pouilles, répondit le major des garde-côtes, l'un des principaux officiers d'Ettore Orlando, c'est-à-dire des bateaux pneumatiques rapides, le radar ne peut pas les repérer. La nuit dernière, l'obscurité était totale ; dans ce cas, ils ont toutes les chances de passer au travers, même si nous doublons les patrouilles. D'ailleurs, aucun de nos bateaux n'est aussi rapide que leurs bolides. Tablez sur une différence de dix nœuds ; Lancia contre Porsche !

– Il faut tout de même renforcer les patrouilles, major, lui signifia le questeur avec insistance.

– La décision est déjà prise. Tous les bateaux vont sortir, même de nuit. Nous tendrons des filins juste sous la surface de l'eau, dans lesquelles les hélices risquent de se prendre. C'est une dure période qui s'annonce pour nos hommes : de jour le requin, dont on ignore si c'est un bleu ou un blanc, et la nuit la surveillance de la côte. Nous sommes désormais en alerte jaune. »

Ce qui constitue le stade préalable à l'alerte proprement dite : pas de permission, pas de journée libre sans compensation en service de nuit. Les hommes seraient ravis.

« Et que donnent les contrôles renforcés sur les routes ? »

Le questeur écouta les comptes rendus. Les arrestations n'avaient pas augmenté, mais il exigea qu'on poursuive dans cette voie, en particulier qu'on intensifie les patrouilles nocturnes le long de la côte.

« Afin que tout soit clair, annonça le questeur avec gravité, le ministère de l'Intérieur nous fait savoir que cinquante mille réfugiés venant du Moyen-Orient attendent, dans les anciens pays de l'Union soviétique, de passer à l'Ouest. Il y en aura un certain nombre pour nous. Au Monténégro et en Albanie, la situation empire. Des milliers de Roms fuient les Kosovars qui rentrent chez eux.

– Peut-être faudrait-il, proposa le colonel des carabiniers, éviter d'en informer la presse. Nous avons une chance d'intercepter les passeurs l'une des prochaines nuits. Jusqu'à présent, on ne poursuivait que les clandestins. Je plaide toujours pour que l'on bouche le trou là où il est.

– Au contraire, dit le questeur en levant le doigt en signe d'avertissement, vous l'avez entendu comme moi, leurs bateaux sont plus rapides et plus maniables. Un chiffre communiqué par les collègues des Pouilles : pendant l'année écoulée, ils ont saisi cent quatre-vingt-sept vedettes rapides, chacune valant quelques centaines de millions de lires. Cela représente une saisie tous les deux jours. La mafia s'en moque ; en ce qui concerne la contrebande de cigarettes, ils parlent simplement de deux pour cent de pertes. Non, il faut demander aux médias de collaborer. À onze heures aura lieu une conférence de presse sur le sujet. Il faut faire savoir tous azimuts qu'ici on ne passe pas. »

Il s'empara du *Piccolo* et le brandit comme une menace.

« Puisque nous en sommes aux médias, j'en arrive à la deuxième chose qui m'a mis de mauvaise humeur ce matin. »

Puis il se tourna vers Laurenti.

« Commissaire, je croyais que vous étiez un mari comblé à la réputation sans tache ! »

216

Laurenti tombait des nues. Il constata seulement que le chef des carabiniers ne se retenait plus et ricanait bêtement. Les deux autres collègues regardaient ailleurs. Le questeur avait ouvert le *Piccolo* à la page-titre des informations locales et le colla sous le nez de Laurenti. Celui-ci, frappé de stupeur, n'en croyait pas ses yeux. Il arracha le journal des mains du questeur.

« Échec de la police ! » annonçait la manchette en gros caractères sur cinq colonnes.

Le sous-titre ne valait pas mieux : « Contrôles peu rigoureux et troupes indisciplinées. Un commissaire suspect. » Avec, en dessous, une photo prise à son insu sur le Borgo Teresiano, le soir où il s'était échappé de la réception des « galeristes ». Le commissaire, parfaitement reconnaissable, était en grande conversation avec Lilli. Celle-ci exhibait ses seins nus qu'elle tenait à deux mains. C'est donc cela que la vieille pute de Trieste avait voulu dire, la veille, avec ses fines allusions. La légende de la photo disait : « Vendredi, 23 h 30 : Le chef de la police judiciaire, le commissaire Proteo Laurenti, occupe le terrain même en dehors des heures de service. » Naturellement, l'article était signé Luigi Decantro.

Le rouge au front, Laurenti resta interdit. Bouillant de colère, il essaya de se dominer.

« Quel salaud ! bredouilla-t-il. Je n'arrive pas à y croire. Excusez-moi, je ne l'avais pas encore lu. »

Il suait à grosses gouttes.

« Mais comment est-ce possible ? »

Il se demandait comment Rossana di Matteo avait pu laisser passer ça.

« C'est ce que j'allais vous demander ! » dit le questeur, qui reprit le journal et cita quelques passages de l'article.

« Un journaliste du *Piccolo* a eu la possibilité de suivre une patrouille deux nuits de suite. Il avait précédemment attiré l'attention de nos lecteurs sur la déplorable situation du Borgo Teresiano et sur l'inaction de la police devant la prolifération de la prostitution. Les résultats de son enquête sont inquiétants, pour ne pas dire déprimants. » Suivait un récapitulatif un peu longuet des horaires et des trajets. Apparemment, il ménageait ses effets avant d'enfoncer le clou. « Malgré la présence du journaliste qu'on avait préalablement gavé d'interminables et insipides statistiques pour gogos, les deux policiers se sont arrangés pour en faire le moins possible, tandis que les carabiniers faisaient la chasse aux criminels, aux clandestins, au vice ! Les deux hommes ne se sont d'ailleurs pas montrés avares de remarques perfides concernant leurs confrères. »

Le colonel ricanait de plus en plus ouvertement ; lui s'en tirait avec les honneurs. Laurenti enrageait. Le questeur poursuivit :

« La razzia sur le Borgo a fait chou blanc. Quatre voitures ont bloqué les rues, le "commissariat ambulant" à portée de la main. Pourtant, les prostituées étaient peu nombreuses, bien qu'il s'agisse d'un vendredi, début du week-end, habituellement période d'intense activité. Plutôt bizarre ! Le hasard a voulu que le commissaire Laurenti soit vu en train d'"interroger" l'une de ces dames (voir photo). Laurenti est officiellement chargé de mettre un terme à la prostitution à Trieste. On ne peut s'empêcher de se poser la question de savoir si la présence du commissaire, ce soir-là, n'a pas découragé celle des prostituées et, de ce fait, compromis le succès de l'opération. Le commissaire est marié, il a un fils et deux filles, dont l'une est candidate à l'élection de Miss Trieste. »

Le questeur lança le journal sur la table.

« Je crains, Laurenti, que vous ne deviez participer à la conférence de presse. Vous aurez à répondre à de nombreuses questions. Mais dites-moi d'abord quelle mouche vous a piqué ! »

Laurenti, hésitant, parla d'abord des conséquences du renforcement des contrôles sur le Borgo, qui étaient la vraie raison de la présence réduite des prostituées. Il rappela que l'accord avec le *Piccolo* avait pour but de calmer la population en lui faisant voir le travail intensif de la police, ce qui avait assurément produit l'effet inverse. Il mentionna que l'opération avait été soigneusement préparée avec Fossa, le chef des patrouilles, qui avait dit le plus grand bien des deux policiers, Vicentino et Greco. Puis il en vint aux plaintes pour tapage nocturne provenant de la Via dei Porta, qui avaient, certes, été enregistrées par la police, mais n'avaient jamais eu de suite. Laurenti parlait vite et esquissait un lien obscur entre le comportement de Fossa et l'article du journal. Il avança le mot de trahison.

On avait décidé de ne pas parler de Fossa en dehors du cercle réuni autour du questeur. On avait évoqué la possibilité d'une enquête qui n'empiète pas sur celle qui concernait Kopfersberg. Le questeur avait proposé que, dans un premier temps, on se contente d'observer Fossa. On ne passerait à des mesures concrètes que si le soupçon se confirmait.

« Vous savez tous, messieurs, combien il est difficile d'échapper à la suspicion, surtout exprimée publiquement, même si elle s'avère infondée. »

Laurenti comprenait. Il était profondément blessé. Il n'avait plus beaucoup de temps pour se préparer avant la conférence de presse. Il avait peur de passer dans les couloirs. Il avait l'impression que les coups allaient pleuvoir.

« Et cette histoire de Miss Trieste ? lui demanda le questeur une fois la réunion terminée.

– C'est la seule chose exacte de tout l'article », admit Laurenti.

Le colonel des carabiniers gardait son air entendu. Les deux autres souhaitèrent bonne chance à Laurenti.

« Essayez d'empêcher ça ! » dit le questeur.

Laurenti salua Marietta d'un ton grincheux et la refoula lorsqu'elle voulut le suivre pour avoir des informations de première main. Le journal était ouvert sur son bureau. Laurenti referma derrière lui. La première chose à faire était d'appeler Laura. Pas plus que les invités de la réception du vendredi soir, sa femme n'avait remarqué sa brève absence. Il fallait tout de même se laver de tout soupçon. Laura en était encore au petit déjeuner à San Daniele. Elle poussa un juron, puis l'écouta silencieusement.

« Ça passera, Proteo, dit-elle pour finir. Ce sera dur pour toi pendant quelques jours, mais ils savent tout de même qui tu es. Ta réputation est trop solide pour être si vite anéantie. Je me demande comment Rossana a pu laisser faire. Il faut qu'elle arrange ça. Je vais l'appeler.

– Plus tard, s'il te plaît. Il faut d'abord que je lui dise ma façon de penser. »

Il composa le numéro du *Piccolo* et demanda qu'on lui passe Rossana di Matteo. Marietta l'entendait malgré la porte fermée. Il ne criait pas, mais il était hors de lui.

Rossana s'excusa par le fait qu'elle avait pris un jour de congé et qu'elle était allée se reposer sur une plage d'Istrie. Elle regrettait sincèrement l'incident et elle promit de tout faire pour aider Laurenti à s'en sortir.

« On se prétend amie et on se défile justement quand il faudrait intervenir ! cria-t-il dans l'appareil.

– Je suis désolée, Proteo. Je te le répète : désolée !

– Ce trou du cul fait de moi la risée du pays, Rossana. Le salaud a de la chance d'avoir un père haut placé. Je l'étranglerais. »

Il raccrocha brutalement et appela Marietta.

« Je voudrais que tu te procures discrètement l'emploi du temps de Fossa. Et pas un mot, à qui que ce soit ! C'est un ordre. Maintenant, je ne veux être dérangé par personne. Surtout pas de fausse commisération ou de manifestations de solidarité ! »

Via dei Porta

Tatiana Drakič avait fait réveiller les filles dès sept heures. Il y avait longtemps qu'elle-même ne s'était pas levée si tôt. Son frère Viktor arrivait à neuf heures ; d'ici là, les filles devaient être habillées, coiffées et maquillées. Tatiana Drakič parla avec chacune en particulier, lui fit remplir un questionnaire (nom et prénom, ceux des parents, des frères et sœurs, lieu et date de naissance, lieu d'où elle venait, quelle école elle avait fréquentée, quel métier elle avait appris). Elle les rappelait ensuite une par une, posait les mêmes questions et vérifiait la concordance avec les réponses au questionnaire. Viktor s'occuperait de celles qui faisaient de fausses déclarations. Mais il ne pouvait pas encore se permettre de les frapper, corps et visage devaient être impeccables pour la séance de photos qui allait suivre. Elles avaient été suffisamment battues au cours des semaines précédentes. Elles sursautaient dès qu'on haussait le ton. Mais on les tenait à sa merci par la simple promesse d'un permis de séjour.

Tatiana Drakič percevait la moindre nuance dans le comportement des filles. Elle observait leurs gestes, leur physionomie, leur façon de parler, essayait de jauger leurs talents. Parmi celles qui les avaient précédées, trois avaient été employées à la villa, quatre avec Olga. Une qualification particulière leur valait ce privilège. Une Moldave s'occupait de la cuisine, une Ukrainienne faisait office de coiffeuse. Elles avaient été rendues dociles en partie par la force, en partie par la menace : leurs familles paieraient pour leur éventuelle insubordination. Elles savaient que ce n'étaient pas de vaines promesses. Au-delà des frontières, elles avaient été maltraitées jusqu'à briser chez elles toute velléité de résistance. Tatiana Drakič tentait de repérer si l'une d'elles avait les capacités pour endosser une responsabilité particulière. On pourrait alors en demander un meilleur prix. Peut-être même y en avait-il une qui pourrait remplacer Olga si on la formait en conséquence.

La coiffeuse avait fort à faire ce matin-là. En deux heures, les filles devaient avoir l'air crédible sur une photo d'identité. Il fallait qu'elles puissent passer pour des Italiennes et qu'elles soient bien maquillées. Pour la photo, on les décorait de bijoux de pacotille qu'on leur retirerait par la suite.

Viktor Drakič aimait ce travail. Il avait installé un petit studio photo dans l'une des chambres. Un écran jaune, un noir et un bleu descendaient, à volonté, du plafond pour servir d'arrière-plan. Il disposait d'un projecteur et de deux appareils, un polaroïd pour les petits formats et un reflex automatique. Outre les photos d'identité, il avait besoin d'autres clichés où les filles montraient plus que leur visage. Il leur faisait prendre des poses suggestives afin d'émoustiller les clients. C'était la seule façon de les revendre avec profit.

À midi, il rencontrerait son contact au bureau des étrangers et lui remettrait les documents : passeports, signalements et photos. Vingt-quatre heures plus tard, il aurait les nouveaux papiers indispensables pour la revente aux partenaires de Rimini. Bruno de Kopfersberg avait tout organisé pour le mieux. Avec ce système, il faisait la culbute. Les acheteurs payaient cash et en dollars. Avec les Russes, l'amortissement était particulièrement rapide en haute saison. Les filles ne voyaient pas un sou de l'argent de leurs clients. Viktor Drakič remettrait à l'intermédiaire une enveloppe de dix millions de lires. Tout le monde y trouvait son compte et le risque était limité. À partir de mardi, il ne pouvait plus rien arriver. D'ici là, les filles resteraient sous clé. Mais ce n'était pas du temps perdu. Avant qu'elles ne repartent, on avait besoin d'elles à la villa. Il fallait encore les y préparer.

10 h 12

Malgré la consigne, Marietta lui passa une communication. C'était Ettore Orlando qui piaffait. Après l'avoir assuré de sa sympathie, il abattit sa carte maîtresse.

« On a retrouvé Kopfersberg.

– Quoi ? s'écria Laurenti, sidéré.

– Ils l'ont tiré de l'eau à hauteur de Chioggia. C'est lui, sans aucun doute. Il est donc resté deux heures accroché au filin, jusqu'à ce que ça lui arrache les mains.

– Qu'est-ce que tu dis ? Que ça lui arrache quoi ?

– Les mains, je te dis. Il a dû se prendre dans quelque chose. Le pilote automatique garde la vitesse programmée. Mais que quoi que ce soit freine, le moteur donne un coup d'accélérateur. Il est clair qu'à ce moment-là, ça casse quelque part. Le maillon le plus faible, c'est toujours l'homme. Il est plutôt mal en point. Ils viennent de me transmettre les photos. Un petit poisson a dû le trouver à son goût. Mais ce n'est pas la cause de sa mort. Il avait de l'eau dans les poumons.

– Donc noyade. Et ils l'ont identifié comment ? interrogea Laurenti pour être sûr qu'il ne subsistait aucun doute. Plus d'empreintes digitales, je suppose ?

– Qu'est-ce que tu crois ? Quand un cadavre a séjourné dans l'eau ! Tu as vu tes doigts quand tu es resté un quart d'heure dans ta baignoire ? Ses mains ou ce qu'il en reste, on les retrouvera peut-être un jour en repêchant une bombe de l'OTAN. Non, il portait un pantalon avec ses papiers dans une poche. Les autres tests n'ont pas pris bien longtemps. Il n'y avait pas beaucoup à chercher.

– Et pour la livraison ?

– Où voudrais-tu qu'il aille ?

– De préférence Via dei Porta !

– Pour les jours qui viennent, il va se retrouver à la fête chez Galvano ! Tu es satisfait ?

– Oui et non. Franchement, trop de questions restent ouvertes. La seule certitude, c'est qu'il est mort. Rien d'autre. »

Salle de réunion de la questure, 11 heures

Laurenti s'était préparé tant bien que mal pendant le peu de temps qui lui restait. Il tenait en main le compte rendu des derniers contrôles. Chaque jour, on avait arrêté quelques prostituées sur le Borgo, celles qui n'avaient pas de papiers en règle et on les avait immédiatement expulsées. Laurenti ne comprenait pas que les proxénètes prennent ce risque, car la procédure était extrêmement rapide. Il fallait croire que l'affaire était, malgré tout, rentable. Il voulut établir des statistiques, mais s'aperçut que cela frisait le ridicule. Quatre arrestations sur quinze contrôles, cela représentait tout de même 26,7 % ; en revanche, quinze prostituées au lieu de treize, cela revenait à une augmentation de 15 %.

Les statistiques sont l'invention du diable, elles ne lui servaient à rien.

La RAI et Tele Quattro avaient installé leurs caméras dans la salle de réunion de la questure. Sur la table trônaient les micros des stations de radio. Six autres journalistes avaient pris place dans la salle, dont deux du *Piccolo*. L'un des deux était Decantro. Il osait donc se montrer. C'était tout ce que les médias du coin avaient à offrir !

À gauche du questeur, le colonel des carabiniers se pavanait en racontant par le menu l'arrestation des clandestins et en vantant l'efficacité de ses hommes. Il s'abstint toutefois de polémiquer avec la police nationale. À droite du questeur, Laurenti se prenait à espérer qu'on l'oublie. Mais les journalistes s'intéressaient davantage à son cas qu'à ces obscurs bateaux pneumatiques auxquels ils réserveraient, bien sûr, la place qui s'imposait.

« Quelle est la position du questeur face aux allégations du *Piccolo* d'aujourd'hui ? demanda le correspondant de l'agence de presse nationale.

– Je n'ai aucune raison de douter de l'intégrité du commissaire, répliqua le questeur. Laurenti est un policier estimé et de grand mérite. Le travail de la police est indiscutable. Je me suis entretenu avec les deux policiers que Decantro a accompagnés. Ils rejettent les accusations portées contre eux. Dans la nuit de vendredi à samedi, ils ont contrôlé quarante-quatre personnes, retiré deux permis, fait enlever six voitures. Ils sont intervenus trois fois pour tapage nocturne. Sur le Borgo Teresiano, ils ont vérifié plus de vingt véhicules et infligé onze contraventions. Ils ont arrêté une personne ivre qui se livrait à des voies de fait, mis fin à une rixe dans un bar et admonesté un quidam qui se soulageait en public. Sur dix heures de service, cela représente, en moyenne, une intervention toutes les huit minutes et demie. Comment peut-on parler de négligence ? Dans la nuit de samedi à dimanche… »

Le questeur reprit son énumération. Sa stratégie consistait, à l'évidence, à endormir les journalistes. Ceux-ci, mécontents, manifestèrent leur impatience par quelques discrets toussotements et murmures. Le questeur les invita enfin à poser des questions.

« Est-il exact que le commissaire ait des relations dans le milieu ? »

Laurenti n'en pouvait plus d'attendre. Cela faisait un bon moment qu'il frétillait sur sa chaise.

« Oui ! »

Il fit alors une pause pour ménager ses effets. Tout le monde le fixait.

« Oui, j'ai des relations dans le milieu, comme tout policier. Nous avons des contacts et des indicateurs, parce que c'est nécessaire pour obtenir certaines informations.

– Et qu'avez-vous demandé à cette dame vendredi soir ? interrogea un journaliste en brandissant le journal à la bonne page, provoquant ainsi l'hilarité de certains de ses confrères.

– Je lui ai demandé si elle était encore au turbin. Nous la connaissons depuis plus de vingt-cinq ans. Elle souffre de la concurrence et de son âge. Je lui ai même rendu visite chez elle dimanche matin, pour le cas où quelqu'un m'aurait vu. D'ailleurs en compagnie d'un autre fonctionnaire, pour éviter tout malentendu, Signori. Dans le cadre du même interrogatoire. »

Laurenti épiait les réactions du public.

Il raconta que les prostituées ne séjournaient que brièvement dans la ville, parce que leurs autorisations de séjour étaient limitées à trois mois, six au plus quand elles arrivaient à se faire passer pour des « artistes ». Jamais plus. Les filles devaient bouger pour ne pas se mettre en situation illégale. Les proxénètes avaient une réserve de passeports que les filles utilisaient quand les délais étaient dépassés. Ou bien ils les envoyaient dans d'autres pays et le jeu recommençait.

« C'est un plus pour la sécurité du citoyen, ajouta-t-il, quand la police a un œil sur la prostitution. Pourquoi croyez-vous que même l'Alleanza Nazionale réclame l'abrogation de la "loi Merlin", ce qui, en clair, signifie la réouverture des bordels dans le pays ? »

Ces derniers temps, les postfascistes avaient, en effet, proposé cette mesure à plusieurs reprises.

« Le danger, mesdames et messieurs, ce ne sont pas les prostituées. Aujourd'hui, ce sont des victimes. De jeunes femmes venant de Russie, de Roumanie, d'Albanie, d'Afrique ou d'Amérique du Sud. Enlevées ou vendues par leurs propres familles pour quelques milliers de marks ou de dollars. Elles entrent clandestinement dans le pays avec la promesse d'un travail d'employée de maison. On les menace, on les viole, on les torture tant qu'elles résistent. On les promène de ville en ville et, la plupart du temps, elles ne savent même pas où elles se trouvent. Non, mesdames et messieurs, il vaut mieux que nous sachions où elles sont pour mieux les protéger – remous dans l'assistance – et essayer de remonter jusqu'aux proxénètes, ces bandes qui tirent les ficelles dans l'ombre. Le vrai danger pour l'ordre public, c'est eux.

– Si je comprends bien, dit la représentante d'une radio privée, vous prenez parti pour la prostitution ?

– Pour les femmes qui se prostituent contre leur volonté, Signora, pas pour la prostitution ! Et pour la sécurité publique. On n'arrive à rien si l'on se contente de dissimuler un problème dont on n'arrive pas à se débarrasser, comme l'exige le sieur Decantro ! »

Laurenti le fixait, mais celui-ci regardait ailleurs.

« Que faisiez-vous réellement sur le Borgo ? poursuivit la journaliste.

– Grâce à cette dame, avec qui j'ai été photographié, je me suis fait une idée de la situation. »

Hilarité dans la salle.

« Au moins, vous n'ignorez plus rien de son tour de poitrine ! »

Il n'avait jamais pu souffrir cette hypocrite avec ses lunettes carrées.

« Nous nous demandons tout de même comment on peut en arriver à ce genre d'article. On ne peut pas tout inventer ! »

Laurenti était prêt à exploser. Qu'un incapable comme ce misérable Decantro le mette dans une telle situation, cela criait vengeance !

« Posez la question à Monsieur Propre. L'auteur de ces lignes, le Signor Decantro, est parmi vous. »

Celui-ci ne se fit pas prier.

« Je n'ai rien écrit, clama-t-il en se levant, que je n'aie vu de mes yeux. Chacun d'entre vous aurait fait le même constat. Les citoyens honnêtes ont droit à une ville propre, à la sécurité. Si une razzia sur le Borgo ne donne rien, alors qu'à chaque carrefour une étrangère se prostitue, c'est que quelque chose ne va pas. On peut tout de même se demander ce que le commissaire faisait, un vendredi soir, dans cette situation compromettante ! »

Les caméras cadraient Decantro, c'était son heure de gloire.

« Nous autres journalistes, déclara-t-il d'un ton pathétique, avons une responsabilité particulière. Si je n'avais pas, dans le *Piccolo*, attiré l'attention sur les agissements scabreux dont le Borgo Teresiano est le théâtre, il ne se serait rien passé, le mal aurait continué à proliférer et, un jour, il serait devenu impossible de le maîtriser. C'est le devoir des médias ! »

Son discours moralisateur agaçait ses confrères.

« Le commissaire sera-t-il suspendu en attendant d'être blanchi ? demanda le correspondant de l'ANSA.

– Il n'y a aucune charge contre lui, répondit le questeur. Il n'y a que des accusations infondées !

– Infondées ? s'écria Decantro. Je sais ce que j'ai vu ! » Laurenti était prêt à sonner l'hallali.

« Signor Decantro, dit-il calmement, depuis quand êtes-vous journaliste ?

– Quel rapport ? Il y a longtemps que je suis dans le métier !

– Et moi, je suis dans la police depuis vingt-sept ans, dont vingt-quatre à Trieste. Pendant tout ce temps, nous n'avons jamais eu de problème avec ce dont vous avez fait votre cheval de bataille. Si vous êtes resté sur votre faim vendredi soir, c'est que nous avions effectué un certain nombre d'arrestations la veille. Il est facile de constater que Trieste ne suit pas la tendance générale du pays. En Italie, la délinquance a augmenté, en moyenne, de 30 % par rapport à l'année précédente, à Trieste de 17 % seulement.

– J'ai eu ma dose de statistiques vendredi dernier. Je ne crois que ce que je vois.

– Cette statistique, le *Piccolo* l'a publiée il y a huit jours, Signor Decantro. Vous auriez pu la lire, si vous savez lire. Est-il exact que vous soyez stagiaire au journal ? Au fait, saviez-vous que c'est moi qui vous ai envoyé en patrouille ?

– Je n'ai pas à me laisser insulter !

– Messieurs, intervint le questeur, pour empêcher Laurenti d'asséner le coup de grâce, ce qui ne lui aurait valu aucune sympathie, restons objectifs. Je voudrais rassurer l'assistance, il n'y a aucune raison de s'inquiéter. Considérons qu'il est de bon augure que les attentes du Signor Decantro aient été déçues. Grâce à l'excellente collaboration des forces de police – à ce moment, il regarda ostensiblement aussi bien le colonel des carabiniers que Laurenti –, la ville est calme et le restera à l'avenir… »

La conférence de presse était terminée et les trois responsables de la police quittèrent la salle. Les journalistes se dispersèrent également. Le colonel des carabiniers était resté près du questeur, Laurenti l'imaginait en train de le tourner en ridicule. Il reprit le chemin de son bureau, sans cesser de penser à Fossa. « Farcesque et provincial ! » se dit-il, sourcils froncés. Puis il s'en fut avec un haussement d'épaules.

Son téléphone portable le tira de sa réflexion. C'était à nouveau Ettore Orlando.

« J'ai encore du nouveau pour toi ! Le jeune Kopfersberg est revenu !

– Comment le sais-tu ?

– Parce qu'il a dû se faire connaître quand il s'est présenté avec son bateau. J'ai pensé que ça t'intéresserait.

– Énormément. Merci beaucoup ! Quand est-il arrivé ?

– À l'instant. Il n'est même pas encore amarré. Môle Sartorio. »

Laurenti avait encore en poche la clé du scooter de son fils. Il fit demi-tour. Il valait mieux discuter tout de suite avec Spartaco de Kopfersberg.

En quelques minutes, il rejoignit le parking du marché aux poissons et se faufila entre les voitures garées, en direction des pontons. Il stoppa le scooter et poursuivit à pied. À cette heure, le port était très animé. Le lundi, les magasins, pour la plupart, étaient fermés et les commerçants profitaient du beau temps. De nombreux emplacements étaient vides, les lève-tôt étaient déjà en mer. Avoir une place ici constituait un privilège. Naturellement, cela revenait cher d'avoir son bateau en pleine ville, mais surtout, les places étaient rares. Qui avait réussi à en avoir une ne l'abandonnait pas, même si, pendant un temps, il ne naviguait plus.

Laurenti demanda au patron du Yachtclub où se trouvaient les bateaux à moteur. À son air dégoûté, il devina qu'il ne les tenait guère en haute estime.

Laurenti n'avait jamais vu un bateau pareil. Le Corbelli était très long et presque plat. Il n'était manifestement pas fait pour les balades familiales, mais pour des fous de vitesse parfaitement entraînés. À la poupe, un pavillon qu'il ne connaissait pas.

Un homme d'environ trente ans, cheveux châtains, visage bronzé aux sourcils étonnamment clairs, rassemblait ses bagages sur le pont et les lançait sur le ponton. Laurenti s'était assis sur une bitte d'amarrage et le regardait de loin. L'homme n'avait pas l'air pressé, il disparut plusieurs fois à l'intérieur. Il referma enfin l'écoutille et bloqua le gouvernail. Puis il sauta sur le ponton et se dirigea vers le quai. Il avait glissé sur son épaule gauche un sac de cuir à longue courroie, coincé un porte-documents sous son bras gauche et soulevé, de la main droite, une valise qui semblait bien lourde. Laurenti se leva à son approche et chercha sa carte de police. Il ne la trouva pas dans son portefeuille, où il la mettait d'ordinaire. Spartaco de Kopfersberg le regarda avec curiosité. Il s'attendait à être abordé par ce passant. Laurenti n'avait plus le temps de se demander où il avait bien pu fourrer sa carte, il la retrouverait bien.

Subitement, il changea d'idée. Le jeune Kopfersberg ne le connaissait pas, pourquoi devrait-il jouer la transparence et entamer un interrogatoire qui se révélerait probablement aussi vain que les précédents ? On pourrait toujours y revenir par la suite. Pourquoi ne pas commencer par observer Spartaco ? Il portait un pansement à la main gauche, c'était déjà une indication.

« Bonjour ! dit-il avec amabilité. Puis-je vous demander quel est ce bateau ? Je n'en ai jamais vu de pareil !

– C'est un Corbelli, répondit le jeune homme sans faire mine de s'arrêter.

« – Oh ! Mais vous êtes blessé ! Puis-je vous aider ? Donnez-moi votre valise ! »

Laurenti l'avait déjà en main avant que l'autre ait eu le temps de dire quoi que ce soit.

« Je vous la porte jusqu'à la route. Ça va sûrement très vite, un bateau comme ça ?

– Merci, répondit Spartaco en prenant son porte-documents dans la main droite. Il n'y en a guère de plus rapide, vous avez raison.

– Et d'où venez-vous, si ce n'est pas indiscret ? Je ne connais pas ce pavillon.

– Le bateau est yougoslave. »

Mais ce n'était pas le pavillon yougoslave, Laurenti en était sûr.

« Vous allez à quelle vitesse ? »

Laurenti savait qu'il ne devait pas poser de questions personnelles s'il voulait poursuivre la conversation.

« Environ soixante-dix nœuds. Ça dépend du vent, du temps qu'il fait.

– Cent trente kilomètres à l'heure ? Sur l'eau ? Formidable ! ça fait combien de temps pour venir de Yougoslavie ?

– Un peu plus de six heures, répondit Spartaco en regardant sa montre. Avec les nerfs solides et une bonne condition physique. Ça vous secoue. Mais aujourd'hui, le temps était au beau fixe, la mer calme. »

Ils étaient presque arrivés au parking et ils devisaient comme deux sportifs fiers de leurs records.

« C'est fascinant. J'aimerais être à votre place. Il faut refaire le plein en route ?

– Pas de souci. Le réservoir est assez grand. Ça suffit pour un trajet. »

Laurenti posa la valise et prit congé.

« Je vais par là, dit-il en montrant le marché aux poissons. On vient certainement vous chercher ?

– Oui, d'un instant à l'autre.

– Bonne journée. Bon séjour à Trieste !

– Merci de votre aide ! »

Spartaco de Kopfersberg souriait, mais Laurenti avait déjà tourné les talons. Il ne pouvait exclure que ceux qui viendraient chercher Spartaco le reconnaissent. Il se dissimula derrière un camion et observa Spartaco, qui ne lui avait pas fait mauvaise impression.

Il n'eut pas besoin d'attendre longtemps pour qu'apparaisse une Mercedes noire aux vitres teintées. Viktor Drakič, Romano Rossi et le chauffeur en descendirent. Ils saluèrent le fils de l'Autrichien. Le chauffeur déposa ses bagages dans le coffre de la voiture, puis ils démarrèrent. Laurenti fit de même. Avec son scooter, il serait impossible de le semer, du moins en ville. Même s'il restait à distance, il lui était facile de slalomer entre les voitures. S'il ne tombait pas en panne sèche. L'aiguille du compteur n'avait pas bougé depuis samedi, la jauge devait être déréglée.

La Mercedes vira sur la Piazza Venezia, s'engagea dans le Corso Italia et stoppa devant l'immeuble de la Banca Nordeste. Le chauffeur resta au volant, les deux autres pénétrèrent dans la banque. La voiture s'était arrêtée à proximité d'un arrêt de bus. Il n'y avait pas de stationnement autorisé, comme dans toutes les rues du centre-ville.

Laurenti n'avait pas envie d'attendre. Il appela une patrouille sur son téléphone portable et leur recommanda l'objet de ses observations. Puis il rentra au bureau.

Problèmes de circulation

Les vigiles urbains avaient fort à faire. La circulation en ville avait énormément augmenté au cours des deux dernières années. Le tourisme s'était, lui aussi, développé. Les hôtels annonçaient des taux d'occupation record.

233

Le secteur des transports connaissait également une forte croissance. Les Anek-Lines, compagnie de ferries pour la Grèce, avaient frété un *nouveau* navire offrant aux poids lourds une capacité triple de celle du vieux *Sophokles Venizelos*, qui restait néanmoins en service. Le colosse dépassait de plusieurs mètres les bâtiments néoclassiques à six étages de la gare maritime. Même la liaison avec la Turquie, qui avait connu une forte baisse après le tremblement de terre, redémarrait à plein régime. Encore plus fort qu'avant, depuis que l'EAUI avait opté pour Trieste au détriment des Pouilles. Les médias s'étaient répandus sur la gabegie qui avait régné là-bas. Les conteneurs qui n'étaient pas restés bloqués à Bari avaient été pillés en Albanie, au Kosovo ou au Monténégro, sans jamais atteindre leurs destinataires. Ce genre d'informations freinait la générosité des donateurs et renforçait le préjugé selon lequel l'Europe gaspillait ses subsides. Mais Trieste en profitait, Trieste attirait enfin l'attention des médias. Les grandes compagnies, dont les autorités européennes utilisaient les services pour acheminer leur aide vers d'autres destinations, avaient fait des offres, mais c'était la petite TIMOIC de Trieste qui avait raflé le marché. Elle était apparemment mieux introduite grâce à sa partenaire, l'ATW implantée à Vienne. Les grandes compagnies s'étaient étonnées de cette décision. Au journal télévisé, on s'était félicité du choix de Trieste, mais les interviews exprimaient l'espoir que l'opération ne se fasse pas au détriment de ceux qui en avaient vraiment besoin.

Les problèmes de circulation commençaient déjà au nord des Alpes. En juin, il y avait eu ce terrible accident sous le tunnel des Tauern, l'une des principales liaisons avec l'Italie était condamnée. Le ministère des Transports avait décrété une interdiction de doubler sur autoroute pour tous les poids lourds. Les chauffeurs avaient protesté en formant d'interminables convois qui jouaient à l'escargot. Le trajet par le Brenner était devenu un enfer, celui du Saint-Gothard ne valait pas mieux. En raison d'un nouvel accident, impossible de passer par l'ouest, sous le Mont-Blanc. Celui qui partait en vacances en Italie avec sa propre voiture méritait une médaille.

Même sur l'autoroute qui contournait Trieste par le karst et qui, à l'est, descendait de façon abrupte jusqu'au niveau de la mer, il était difficile de passer, les camions roulant au pas. Ils devaient emprunter la Sopraelevata qui longe les chantiers navals, jusqu'au Campo Marzio, passer devant le Grand Marché, tourner à gauche, derrière la vieille gare, dans la Riva Traiana pour atteindre l'embarcadère Ausonia, où les monstres s'alignaient à cinquante centimètres l'un de l'autre pour attendre leur tour. Les cargos à conteneurs se trouvaient aux môles VI et VII. Les dockers travaillaient nuit et jour.

12 h 40

Sgubin l'attendait déjà dans son bureau. Il était plongé dans le journal qui avait gâché la journée de Laurenti.

« Belle saloperie, dit-il. Je voudrais savoir qui se cache là-derrière. Cet imbécile de stagiaire n'a pas trouvé ça tout seul. Quelqu'un cherche à vous griller. »

Jusque-là, Laurenti s'était refusé à envisager cette hypothèse.

« Tu penses à qui ? » Laurenti était curieux de connaître l'avis du sous-chef. « Et arrête enfin de me vouvoyer. On se connaît depuis assez longtemps !

– Merci, chef ! répondit Sgubin, embarrassé. Autant que je sache, vous avez trois affaires sur les bras : le Borgo, l'Autrichien et les Tchartov.

– Seulement Leonide. Olga est du ressort des carabiniers.

– Je crois aussi que quelqu'un t'en veut », intervint Marietta qui venait de les rejoindre.

Laurenti était enfin en état de recevoir ces manifestations de solidarité qui lui faisaient tant de bien.

« Quel est le rapport ? se demanda tout haut Sgubin en traçant deux cercles sur une feuille de papier. Ça, c'est le Borgo ; ça, c'est la villa de l'Autrichien. Quoi d'autre ?

– Tu crois que c'est le moment de dessiner ?

– J'ai besoin d'avoir quelque chose sous les yeux. C'est une expérience. Quoi d'autre ?

– Olga et Leonide », répondit Laurenti à contrecœur.

Sgubin dessina un nouveau cercle avec deux autres à l'intérieur. On aurait dit, en coupe, des faux jumeaux dans le ventre de leur mère.

« Olga a travaillé sur le Borgo, autrefois, dit Laurenti, et, selon Lilli, elle a été employée à la villa.

– Elle l'a confirmé dimanche matin, dit Sgubin en tirant un trait de plus.

– N'oublions pas Elisa, la femme de l'Autrichien. Rajoute un cercle.

– Quoi d'autre ? répéta Sgubin en interrogeant du regard aussi bien Marietta que Laurenti.

– Le journal et les photos. »

Sgubin dessina maladroitement un livre sous le cercle représentant Elisa. Pour les photos, il ajouta quelques petits carrés près de la villa.

« Le téléphone ! dit Marietta. Le questeur qui t'annonce que le président de l'Union des compagnies de navigation s'inquiète du sort de Kopfersberg dès le deuxième jour. »

Laurenti réfléchit un instant, opina et compléta, d'un ton hésitant :

« Et Cardotta qui m'appelle le samedi matin. Le président de la FI.

– Tu ne m'avais pas dit ça ! s'exclamèrent en même temps Sgubin et Marietta. Et qu'est-ce qu'il voulait ?

– Mettre la pression dans l'affaire Kopfersberg. C'est un monsieur important, paraît-il, vu que l'aide à la Turquie passe par la TIMOIC.

– Tu crois vraiment qu'il y a un rapport ? demanda Marietta.

– Aucune idée ! répondit Laurenti en faisant la moue. On peut se poser la question. Inscris les noms à côté de la villa, Sgubin, et fais encore un cercle pour la firme avec Eva Zurbano et Viktor Drakič. »

Sgubin prit une nouvelle feuille et recommença son schéma de façon plus lisible. Il chiffonna son premier essai et lança la boulette dans la corbeille à papier.

« Ne pas oublier Decantro ! soupira Sgubin en le rajoutant à son esquisse.

– Et... dit Laurenti, embarrassé – il ne poursuivit qu'après avoir refermé la porte de son bureau –, ce que je vais vous dire maintenant doit absolument rester entre nous, rien ne doit transpirer, c'est sordide, mais rien ne prouve que ce soit vrai – Fossa ! »

Sgubin sursauta. Il répéta lentement : « Fos-sa ! »

« Oui, il n'est pas impossible que Fossa ait à voir avec la villa de la Via dei Porta. J'ai bien dit : pas impossible. Je n'ai pas de preuve. Je sais que c'est très risqué de mettre en cause un fonctionnaire comme lui. À la veille de la retraite. Après avoir été chef des patrouilles pendant je ne sais combien d'années. Un homme respecté, même vénéré. Il y a pourtant quelque chose qui me met la puce à l'oreille. Chaque fois que les voisins de la villa se sont plaints et que la police n'est pas intervenue, c'est lui qui était de service. On a bien enregistré les plaintes, mais on n'a envoyé personne. Il m'avait promis que Decantro serait accompagné de deux hommes fiables. Il m'avait chaudement recommandé Vicentino et Greco.

237

– Ces deux-là ? fit Sgubin avec une grimace. C'est de la merde ! Pourquoi est-ce qu'il a fait ça ? Pourquoi est-ce que tu ne m'as rien dit ? J'aurais pu me charger de Decantro !

– Tu ne peux pas être partout, Sgubin », dit Marietta.

Sgubin rajouta, avec réticence, un petit F sur son dessin. Il relia entre eux les différents cercles. Il hocha la tête.

« Je n'arrive pas à y croire, dit-il d'un air désespéré.

– Moi non plus, dit Laurenti. Mais pourquoi, bon sang, me casser la baraque avec Decantro ? Pour l'instant, on peut tout envisager. Mais gardez ça pour vous. Vraiment pas un mot, jurez-le-moi ! »

Marietta leva la main, Sgubin approuva. Ils restèrent un moment silencieux. Puis Laurenti reprit la feuille pour l'examiner.

« Il y a encore Romano Rossi ! »

Il rajouta le nom entre les cercles représentant la villa et la firme.

« Qui ? demandèrent Sgubin et Marietta à l'unisson.

– Romano Rossi. Je t'en ai parlé.

– Qui est-ce ? demanda Marietta.

– Ma mère l'a identifié vendredi soir. Il loge au Duchi d'Aosta. Je le soupçonne d'avoir donné un faux nom. Sgubin, je croyais t'avoir demandé de t'occuper de lui. Il a rencontré Eva Zurbano. Et, à l'instant, ils viennent d'aller ensemble au port chercher Kopfersberg junior. J'y étais. »

Sgubin jeta son crayon et fit mine de s'offusquer. Mais Marietta fut plus rapide.

« Je n'ai rien contre ta mère, mais ce n'est pas possible de travailler comme ça ! On saurait peut-être depuis longtemps qui est ce Rossi si tu nous avais parlé de lui. Ça te ferait mal d'ouvrir la bouche au bon moment ?

– D'accord ! J'ai eu trop à faire en si peu de temps ! J'ai forcément des ratés.

– Je me mets immédiatement à la recherche de ce

Romano Rossi. Mais je te l'ai déjà dit, j'aurais pu le faire dès samedi. On serait plus avancé. Voyons d'abord ce que dit l'ordinateur.

– L'ordinateur ne sait rien, Sgubin a déjà essayé. »

Marietta avait raison de lui faire des reproches, Laurenti le savait bien.

« Je ne veux pas gâcher vos loisirs à la moindre occasion !

– Même si Proteo m'appelle le samedi soir ! Ça, je l'avais oublié !

– Deux gagas d'un coup ! intervint Marietta.

– J'avais huit jours de service et un tas d'heures supplémentaires derrière moi, poursuivit Sgubin sans se démonter. C'était juste avant que j'arrête… Passons. Mais où sont allés Rossi et le jeune Kopfersberg ? Est-ce que vous… tu as pu les observer ?

– Je les ai suivis jusqu'à la Banca Nordeste, sur le Corso Italia. Ils y sont entrés tous les trois. »

Sgubin reprit son crayon et rajouta un cercle pour Rossi.

« Comment ça, tous les trois ? fit Marietta, qui ne comprenait toujours pas. Qui encore ?

– Drakič, Rossi et Kopfersberg.

– Drakič ? Première nouvelle ! s'étonna Sgubin. Quel Drakič ?

– Viktor. »

Encore un cercle pour la banque.

« Mais qui est Rossi ? répéta Sgubin. Ici, la Zurbano. Là, le jeune Kopfersberg, Drakič et la Banca Nordeste.

– Pas antipathique, ce Rossi. La seule chose qui me tracasse, c'est son garde du corps, un professionnel. Rossi serait donc un gros, gros poisson. Il n'y a pas tant d'hommes d'affaires qui se paient un gorille. Je n'arrive pas à croire que l'opération avec la Turquie mobilise une si grosse pointure. Mais, sinon, de quoi pourrait-il bien s'agir ?

– Alors rajoute Turquie, dit Marietta à Sgubin.

– On n'a rien oublié ? lança Laurenti.

– Si, chef, les filles à la villa. Ça m'étonnerait qu'elles fassent partie de l'aide à la Turquie !

– Certes. Vas-y ! »

Sgubin dessina un nouveau cercle entre la villa et le Borgo et relia les trois d'un seul trait.

« Intéressant, dit Sgubin en agitant la feuille. Vous ne trouvez pas ? Un chef-d'œuvre ! »

Tout semblait se tenir maintenant, sauf Decantro et les deux VIP au téléphone. L'aide à la Turquie restait dans le vide et le « cas Elisa », qui était vieux de vingt-deux ans et ne faisait pas officiellement partie des affaires non élucidées, n'était relié au reste que par le journal qu'Olga avait déposé, avec les photos, chez sa voisine. Pourquoi, d'ailleurs, les détenait-elle ? Fossa, lui aussi, était difficile à situer. Quant à Rossi, ils en savaient encore trop peu. Marietta allait s'en occuper.

Sgubin, qui ne devait reprendre son service que le mardi, décida, malgré les protestations, toutes formelles, de Laurenti, de se faire porter pâle. C'était le seul moyen pour éviter que Fossa s'aperçoive qu'il participait à l'enquête. Il s'intéresserait derechef à la villa. Laurenti parlerait, dès que possible, avec Spartaco de Kopfersberg, du meurtre de son père. L'enquête concernant Tchartov était également en attente. Le dernier mystère étant la question de savoir qui voulait faire chuter Laurenti.

Laurenti était épuisé, et pourtant, il n'était que midi. Il avait l'impression d'avoir une faim de loup, mais pas d'appétit. Il décida de rentrer chez lui et de s'allonger une demi-heure. Le choc subi dans la matinée avait été trop fort. Comme toujours quand il était stressé, il mourait de soif et il avala plusieurs bouteilles d'eau.

Il n'y avait jamais que quand il sortait de chez le dentiste qu'il se sentait comme ça. Il savait qu'un petit somme lui ferait le plus grand bien.

Il sortit en pleine canicule. L'air semblait étale. Il leva les yeux et constata qu'une légère brume voilait l'azur. L'humidité devait être de quatre-vingts pour cent, la température extérieure d'au moins trente-cinq degrés. Impossible de prendre la voiture par cette chaleur. Il essaya de démarrer le scooter, qui répondit mais s'étouffa après quelques râles. La jauge était toujours sur un quart de réservoir. Laurenti poussa un juron. Quand ça s'y mettait, tout allait mal. Les journées qui commençaient par des emmerdements… Laurenti fit faire demi-tour au scooter, il pouvait descendre la rue sans moteur, même en sens interdit. Il y avait une station-service juste avant la librairie Einaudi, il espérait la trouver ouverte. Les voitures venant en sens inverse klaxonnaient, il s'en moquait. Peu après, une voiture de police lui barra la route alors que la station-service était déjà en vue.

« Manquait plus que ça ! » pesta Laurenti, mais ses collègues lui firent signe de passer dès qu'ils l'eurent reconnu.

Six litres pour remplir le réservoir, douze mille huit cents lires. Laurenti mit la main dans sa poche revolver, mais elle était vide. La sueur lui monta au front, de grandes taches humides apparurent sur sa chemise bleue. Il se rappela qu'il avait justement sorti son portefeuille pour le mettre en évidence sur son bureau, afin de ne pas oublier de s'occuper de sa carte professionnelle. Il était là, devant le pompiste, comme un gamin pris en faute. Il bredouilla qu'il avait oublié son argent et qu'il reviendrait l'après-midi pour payer. Promis !

« Et moi, je peux attendre longtemps, maugréa le pompiste. Le scooter reste ici ou j'appelle la police. Donnez-moi la clé !

– La police, c'est moi ! cria Laurenti.

– Ah oui ? Montrez-moi votre carte !

– Putain, je vous l'ai dit, elle est avec l'argent, dit Laurenti en essayant de démarrer. Confiance, mon ami. Vous n'êtes pas obligé de terroriser vos semblables !

– Maintenant, ça suffit ! »

Le pompiste était furieux. Il secouait la Vespa de toutes ses forces pour empêcher Laurenti de la mettre en route. Laurenti était blanc de colère. Il brandissait le poing fermé. Mais le pompiste ne lâchait pas prise. Ils se mesuraient du regard comme des bêtes enragées.

« Mais c'est celui du journal ! lança un second pompiste venu en renfort. Attends ! »

Il rentra dans sa cahute et revint avec le *Piccolo*. Il avait le doigt sur la photo.

Laurenti était à bout. Il était pris en faute avec le scooter de son fils qui, d'ailleurs, n'était plus assuré depuis trois jours. Comment cela avait-il pu lui échapper ? Pendant un moment, il n'entendit plus rien, puis les voix des deux hommes lui parvinrent à nouveau. Ils lui tournaient le dos, regardaient le journal et commentaient l'article. Laurenti eut, un instant, envie de filer à l'anglaise.

« Laisse-le partir. Il a assez d'ennuis comme ça ! Quand est-ce que vous ramenez l'argent ?

– Dès que possible ! » répondit Laurenti. Il démarra sans demander son reste. Il devait quand même conduire prudemment, il n'aurait pas fallu qu'il lui arrive quoi que ce soit. Et il gagna le bout de la rue en sens interdit.

Proteo fut réveillé par les voix de Laura, des enfants et de sa mère qui rentraient de San Daniele. Il avait pris une douche dès son arrivée à la maison et s'était allongé, en peignoir, sur le divan du salon. Avant de s'endormir, il avait encore jeté un coup d'œil dans le journal. Somnifère garanti !

Il était tombé dans un sommeil rempli de rêves. Tatiana Drakič y faisait une apparition, ainsi que les deux Kopfersberg, Lilli, sa mère et l'horrible mort de Montebello, avec son cerveau dégoulinant. Et toujours la villa, Tatiana au bord de la piscine et plein de jolies filles blondes et nues, de type slave. Il tenait encore le journal, il ne l'avait pas lâché en s'endormant. Combien de temps avait-il dormi ? Il avait soif et se sentait rompu. Il se redressa lentement, se prit le visage dans les mains, se frotta les yeux, bâilla et finit par se lever. La porte s'ouvrit brusquement.

« Papa ? dit Marco, surpris de trouver son père à la maison.

– *Ciao*, Marco ! répondit Proteo, heureux de se retrouver en famille. Vous voilà de retour ?

– Oui et non, dit Marco. Je viens seulement chercher mon maillot de bain. Je vais me baigner. Où est la clé du scooter ?

– Tu as payé ?

– Oui, dès ce matin, j'ai envoyé un mandat de la poste de San Daniele. Grand-mère m'a donné l'argent.

– Veinard ! »

Il salua les autres d'un petit signe et demanda à Livia de lui faire un café. Puis il passa dans la salle de bains, reprit une douche et retrouva ses esprits.

Il se sentait mieux au sein de la famille. Il pourrait discuter avec Laura. Il avait dormi une heure et demie, beaucoup plus qu'il n'avait prévu. Il était seize heures.

Restaurant de l'hôtel Duchi d'Aosta

La patrouille, qui avait attendu pendant deux heures la sortie des trois clients, les avait ensuite suivis. Ils s'étaient fait conduire à l'hôtel Duchi d'Aosta où ils avaient déjeuné ensemble. Benedetto Rallo, le directeur de la

243

Banca Nordeste, était là, lui aussi. Rallo, dont Laurenti avait aperçu la photo dans le portefeuille d'Eva Zurbano. Rallo, un intime de Kopfersberg père.

Le ventre vide, les policiers en civil s'étaient résignés à patienter à l'ombre de l'ancien immeuble de la Lloyd de Trieste, grillant cigarette sur cigarette. Les Triestins se demandaient qui avait bien pu donner à l'hôtel l'autorisation de construire cet affreux appendice en forme de pavillon, pour en faire un restaurant. Comme un corps étranger sur la Piazza, qui détruisait la conception clairement géométrique selon laquelle elle avait été aménagée au dix-neuvième siècle. Sous les vieux immeubles qui avaient dû céder la place se trouvait également la Locanda Grande, où Johann Joachim Winckelmann fut, paraît-il, assassiné, le 8 juin 1768, à son retour de Rome. Encore une affaire qu'on avait crue réglée, mais qui, aujourd'hui, demeurait mystérieuse. Tout ce qui restait de cette époque, c'était la fontaine richement ornée, dite des Quatre Continents. Les deux policiers venaient régulièrement s'y rafraîchir en trempant leurs mains dans l'eau. Laurenti s'y arrêta en retournant au bureau.

Le déjeuner s'éternisait. Spartaco de Kopfersberg, Viktor Drakič, Benedetto Rallo, Vincenzo Tremani, flanqué de son ombre, Pasquale Esposito, étaient toujours à table dans le pavillon climatisé, ils buvaient le café. Laurenti se fit confirmer qu'il ne s'était rien passé, puis il traversa la place à l'asphalte brûlant.

Il ne pouvait pas savoir que Spartaco de Kopfersberg l'avait repéré à travers la vitre.

« C'est lui, dit-il à Viktor Drakič, le doigt pointé en direction de Laurenti. C'est lui qui m'a porté ma valise. »

Drakič le regarda, stupéfait.

« Tu as déjà parlé à un flic, dès le matin ?

– Un flic ? fit Spartaco, étonné à son tour.

– Oui, dit Drakič, c'est lui qui enquête à propos de ton père. Tu ne savais pas ?

– Du tout, répondit Spartaco. Il s'est contenté de poser des questions sur le bateau. Je croyais que c'était un badaud.

– Donc il sait que tu es en ville, dit Drakič en tripotant sa chevalière. Il va bientôt t'interroger. Je me demande seulement pourquoi il ne s'est pas fait immédiatement connaître.

– Ce n'était peut-être qu'une coïncidence.

– Impossible, intervint Tremani d'un ton sec, qui fit taire immédiatement les autres. C'est une vieille astuce de flic. Je suis sûr qu'il ne faudra pas attendre longtemps. Ils ne sont pas pressés, mais pas patients non plus. Surtout avec rien en main. Reste calme, Spartaco, et courtois. Ce n'est pas la dernière fois, dans ta carrière, que tu seras interrogé. Mais que veux-tu qui se passe ?

– Le business continue, dit Spartaco d'un ton décidé. Mon père l'aurait voulu ainsi.

– L'affaire reste quand même mystérieuse, dit Benedetto Rallo. Votre père s'est toujours senti en sécurité. Qui pouvait avoir intérêt…

– Tremani, dit Spartaco en le regardant fixement, tu ne sais vraiment rien ?

– La réponse est chez vous, uniquement chez vous ! »

Vincenzo Tremani restait imperturbable. Il regardait Drakič de façon provocante, mais celui-ci haussa les épaules.

« Pourquoi me regarder comme ça ? Je ne sais rien. Ce ne sont pas les Russes. J'ai parlé à nos amis de Rimini. Ils n'avaient pas lieu de se plaindre. Au contraire ! Moi aussi, je voudrais bien savoir qui cherche à nous mettre des bâtons dans les roues. De nos amis de Lecce, je voudrais bien aussi entendre un "non" catégorique !

– Il ne nous dérangeait pas, dit Tremani froidement. Qui profite de sa mort, Drakič ? Vous y avez déjà réfléchi, toi et Spartaco ?

– Nous ? s'écria Drakič.

– Ne te fais pas plus bête que tu n'es, Viktor, dit Tremani en regardant par la fenêtre. Qu'en est-il d'Eva ? »

Il était évident que Tremani possédait davantage d'autorité.

« Tu lui as parlé ?

– Oui, répondit Drakič avec aigreur, Eva n'a aucune idée non plus.

– Tu l'as vraiment interrogée ? Elle est bien restée sa confidente. »

Benedetto Rallo commençait à se tordre les mains.

« Je l'ai passée à la moulinette ! »

Drakič renvoya à Tremani son regard glacial. Rallo toussotait et commençait à se trémousser sur sa chaise. Cela faisait plusieurs jours qu'il n'avait pas vu sa maîtresse et il n'était pas au courant.

« Il faudrait peut-être qu'elle quitte bientôt la firme, répliqua Tremani.

– C'est aussi ce que je lui ai dit, répondit Drakič. Je crois qu'elle a compris.

– C'est moi qui décide, intervint brutalement Spartaco. C'est moi qui dirige la firme dorénavant. Rien ne se fait sans moi ! C'est clair ? Pour toi aussi, Viktor ? »

Les autres, bluffés, restèrent bouche bée.

« Nous réglerons la succession quand les invités seront repartis. D'ici là, chacun sait ce qu'il a à faire. D'ici là, Spartaco prend la relève de son père. Pour l'avenir, on en discutera après ! »

La voix de Vincenzo Tremani était devenue rauque, dure et menaçante. Mais il n'avait pas haussé le ton.

« Et pas d'initiative inconsidérée ! L'affaire profite à tous. Le fret augmente. Nous avons les filières en main. Les fournisseurs et les affréteurs paient comme prévu. Et maintenant, en plus des livraisons habituelles, il va falloir des conteneurs habitables. Et puis encore une chose… »

Tremani fit une pause. Personne n'osa souffler mot. Spartaco restait figé, Drakič faisait un nœud à sa serviette, Rallo suait à grosses gouttes malgré la climatisation.

« On n'essaie pas deux fois de nous avoir. Retenez bien ça ! Ton père a essayé, Spartaco. Mais je ne suis pas rancunier. Je suppose, à ta décharge, que tu n'en savais rien. Toi non plus, Drakič ?

– Je ne comprends pas… »

Mais Tremani l'interrompit.

« Tu dois savoir que ton père détournait certaines sommes ! »

Tremani se tourna vers Rallo qui acquiesça.

« J'ai été obligé de le signaler, dit-il comme pour s'excuser auprès de Spartaco. Je vous préviens, ajouta-t-il d'une voix hésitante, laissez Eva tranquille ! Si c'est sans elle, ce sera sans moi !

– Voilà qui est intéressant, dit Viktor Drakič avec un rire cynique. Pas de sentiment, Rallo ! Des banques, il y en a à la pelle. N'oublie jamais le commerce ! »

Il regarda Tremani en espérant son approbation.

« Rien sans moi, dit Spartaco en tapant du poing sur la table. Ça vaut pour tout le monde. Même pour les amis de Lecce ! Je ne le dirai qu'une fois ! » ajouta-t-il plus bas.

Tremani sourit.

« Pas d'affolement ! Pensez à demain. Et pas de bêtises ! »

Il se leva, immédiatement imité par Pasquale Esposito.

« Au revoir ! » dit-il enfin.

Tremani avait raison sur un point, quand il parlait des policiers, du moins en ce qui concernait Laurenti : il était impatient. Jusqu'à l'excès. Cela avait toujours été. Professionnellement, mais aussi en privé. Avec les autres et avec lui-même. Lorsqu'il avait fait sa connaissance, son impatience avait plusieurs fois poussé Laura à prendre la fuite. Malgré son inclination pour cet homme étrange qui correspondait si peu à l'image conventionnelle du policier, ne serait-ce que par son goût pour la peinture et la littérature, elle avait long-temps hésité à céder à ses avances. Laurenti avait fait la cour pendant plus d'un an à sa future femme, il lui avait offert des fleurs, il l'avait emmenée au restaurant, il lui avait acheté des livres, il l'avait tellement com-blée de mille attentions qu'elle s'était persuadée d'une chose : si elle se donnait à cet homme, il ne la lâcherait plus, tel un enfant son jouet. Cela l'avait tenue à dis-tance et Proteo en avait tellement souffert que, par périodes, il s'isolait complètement, se plongeait dans ses livres et envoyait promener ses plus proches amis. Mais Laura ne lui sortait plus de l'esprit. Et un jour, il avait gagné, il l'avait gagnée et s'était quasiment perdu lui-même.

Mais il n'avait pas perdu son impatience. Il la ressen-tait encore, en cette fin d'après-midi, lorsque, se ren-dant à son bureau, il passa devant la questure, où le chef des patrouilles était de service. Avec lui, Fossa, il avait un compte à régler. Fossa – Laurenti en était persuadé – lui avait joué un sale tour. Il lui avait fait confiance aveuglément et il n'avait qu'à s'en mordre les doigts.

Bien que le questeur eût imposé le black-out sur la question, Laurenti pénétra dans les locaux comme on lance un assaut. Il ne pouvait plus contenir sa hargne. Il traversa le hall d'entrée à grandes enjambées, tête baissée. La fonctionnaire en uniforme, au cheveu gras et à l'œil froid, dont la mission consistait à vérifier qu'aucune personne non autorisée ne s'introduisait dans la questure, le regarda faire, stupéfaite.

Fossa s'attendait, depuis le matin, à un signe venant du commissaire. Il s'étonnait de ne même pas avoir reçu un appel furibond de son assistante. Il n'avait jamais pu supporter Marietta et son indéfectible loyauté.

Laurenti s'engouffra dans le bureau des patrouilles, une grande pièce bourrée d'écrans, de boutons et de lampes qui clignotaient, où des hommes armés de casques et de micros établissaient des liaisons radio. Le bureau de Fossa était au fond. Il avait vu venir Laurenti et s'était levé. Il portait une chemisette blanche à épaulettes. La chemise bleue de Laurenti s'ornait des taches habituelles. Ils se faisaient face comme deux coqs de combat.

« Qu'est-ce qui t'est passé par la tête, Fossa ? attaqua Laurenti avec un geste menaçant.

– Pourquoi tu t'énerves, Laurenti ? Qu'est-ce que mes hommes y peuvent si tu te fais voir avec des putes ?

– Je ne parle pas de ça ! » Laurenti parlait fort et, dans la salle, les hommes commençaient à tendre l'oreille. « Tu avais pour consigne de choisir des types fiables. Au lieu de ça, tu m'envoies les deux plus grands crétins que tu aies pu trouver ! Pourquoi, Fossa ? Pourquoi ? Dis-moi pourquoi tu as fait ça !

– Je ne vois pas ce que je t'ai fait ! Vicentino et Greco sont OK. De toute façon, les médias racontent ce qu'ils veulent. Et rappelle-toi que je te l'avais déconseillé, d'envoyer un gratte-papier sur une patrouille ! »

Fossa voulut s'asseoir, mais Laurenti le saisit par les épaules et le tira vers lui. Fossa chercha à se dégager. Leurs têtes se touchaient presque.

« Fossa, tu n'as pas appliqué la consigne ! Je vais demander une sanction !

– Fais ce que tu veux ! Je m'en fous ! Dans un an et demi, même pas, j'arrête. Tu n'y changeras rien. Je n'ai plus de promotion à attendre. Il y a longtemps que je le sais. Tu fais comme tu veux !

– J'exige un rapport écrit de ta main ! Pour demain matin huit heures ! Et tu m'apportes les dossiers de Vicentino et Greco ! » Laurenti enfonçait son index dans la poitrine de Fossa qui, pourtant, était plus grand et plus large d'épaules que lui. « C'est un ordre ! Compris ? Ne prends pas trop de risques, Fossa ! Je t'ai à l'œil ! »

Les hommes de Fossa s'étaient levés et regroupés en demi-cercle. Il y avait longtemps qu'ils n'avaient été à pareil spectacle.

Fossa savait qu'il ne devait pas aller trop loin.

« À vos ordres, aboya-t-il en claquant les talons et en se mettant au garde-à-vous. Bien compris. Maintenant, j'ai à faire, ajouta-t-il avec un sourire narquois.

– Demain matin ! Huit heures pile ! » répéta Laurenti sèchement.

Il tourna les talons et sortit du bureau en claquant la porte à en faire trembler la vitre. Les hommes de Fossa s'écartèrent pour lui laisser le passage.

« Au travail ! » Laurenti avait l'air enragé. Il savait que Fossa jouissait d'un grand respect de la part de son personnel et que tous, dans cette salle, se montreraient solidaires. Tous. D'autant que le commissaire avait nommément mis en cause deux d'entre eux. Ils obéirent en bougonnant quand ils s'aperçurent que Laurenti ne partait pas, mais qu'il attendait qu'ils aient repris leurs places.

« Pour que ce soit bien clair, claironna-t-il, toute incartade sera sanctionnée ! N'importe quand et radicalement ! »

Fossa avait rouvert la porte de son bureau et, dans le dos de Laurenti, faisait de la main des signes d'apaisement. Les hommes coiffèrent leurs casques et se penchèrent à nouveau sur leurs écrans. Laurenti laissa la porte ouverte. Il savait qu'une bordée de jurons suivrait son départ, mais il faudrait au moins que quelqu'un se lève pour refermer.

Laurenti bouillait encore, une fois dans la rue. Au bout d'un moment, il constata que les gens qu'il croisait s'offusquaient de son air farouche. Il s'arrêta un instant. Lui qui ne fumait plus depuis vingt ans, il eut soudain envie d'une cigarette. Il entra dans un bar et commanda un café. Puis il éclata de rire.

Il avait tout de même réussi à gâcher la soirée de Fossa. Que ça lui convienne ou pas, il allait devoir se mettre à rédiger un rapport. Pas moyen d'y échapper. S'il ne le faisait pas, il y aurait un vrai scandale et Fossa ne pourrait s'y résoudre. Laurenti se confirma dans l'idée qu'il avait eu raison de se lancer dans cet esclandre, même si, chez le questeur, il avait été décidé de n'en rien faire. Laurenti n'avait soufflé mot des autres soupçons qu'il nourrissait et Fossa devait se sentir à l'abri. Ce point était important s'il voulait savoir ce qui se passait dans les coulisses.

Trieste, 22 juillet 1999

Lorsque Laurenti arriva au bureau vers huit heures moins le quart, le rapport de Fossa était déjà là. Il le survola sans enthousiasme. Sur deux pages et demie, le récit neutre de la patrouille avec Decantro. Aucune faute, aucun aveu. Pour finir, la remarque selon laquelle Vicentino et Greco étaient des fonctionnaires à qui l'on pouvait faire entièrement confiance. Laurenti feuilleta ensuite leurs deux dossiers. Ni blâme ni sanction. Fossa savait protéger son personnel.

À huit heures, Marietta était à pied d'œuvre. Tout en chantonnant, elle mit en route la machine à café et lança un joyeux « Bonjour, Proteo ! » par la porte ouverte. Là-dessus, Sgubin fit son entrée, toujours aussi pâle. Tous trois s'assirent à la table de réunion pour échanger leurs premières informations. Sgubin avait ouvert le journal et montrait à Laurenti une photo du requin qu'un amateur avait prise pour le concours annuel de « la plus belle image de la ville ». Selon le *Piccolo*, ce n'est qu'une fois rentré chez lui que, sur son ordinateur, le photographe avait réalisé qu'il tenait là un cliché sensationnel. Il avait été pris près de la Lanterna, non loin des cargos turcs. Ceux-ci apparaissaient d'ailleurs à gauche et à droite de l'image. En arrière-plan, un peu flou, le château de Miramare. Et, dans la partie inférieure de la photo, un impressionnant aileron de requin fendait effectivement les flots. « Un candidat au premier prix ! » affirmait la légende. Laurenti rendit le journal à Sgubin après l'avoir feuilleté. Rien sur lui aujourd'hui.

C'est Marietta qui servit le deuxième scoop.

« Je suis allée au restaurant hier avec mon ex-mari. Aux Due Triestini, près de chez toi, au coin de la Via Diaz, une vieille trattoria. Et sais-tu qui était là ? La Signora Fossa ! Heureusement, elle ne m'a pas remarquée. À sa table, un homme qui ressemblait à Viktor Drakič, du moins d'après les photos que j'ai vues. »

Laurenti était sous le choc, Sgubin émit un léger sifflement.

« La vieille Fossa avec Drakič, répéta Laurenti en pianotant nerveusement sur la table. Qu'est-ce qu'ils faisaient ? Je doute qu'ils aient une liaison.

– J'ai bien dit que ça pouvait être lui, insista Marietta. Ils ont bu quelque chose. Elle était là avant. Lui est arrivé par-derrière, de la Via Cadorna. Je ne suis pas sûre, mais je crois que la Fossa lui a donné quelque chose. Ce dont je suis certaine, c'est qu'elle a sorti une enveloppe de son sac et qu'elle l'a posée sur la table. Je n'ai pas pu voir ce qui s'est passé ensuite. Au bout de dix minutes, Drakič, si c'est bien lui, est reparti par le même chemin. La Fossa a remis quelque chose dans son sac, elle a attendu un peu, elle a payé et elle est ressortie par la Via Diaz.

– Et alors ? Où est-elle allée ?

– Aucune idée ! Mon ex se plaignait déjà que je ne fasse pas assez attention à lui.

– La Fossa, dit Laurenti en se grattant la tête. Elle travaille encore à la préfecture ?

– Pour autant que je sache, oui. Mais je vérifie. »

Elle alla consulter l'annuaire de l'administration et annonça triomphalement :

« Voilà ! Elvira Fossa, adjointe au chef du service des étrangers. »

Aucun des trois ne pouvait supporter Elvira Fossa. Elle siégeait au Conseil municipal pour l'Alleanza Nazionale, militait depuis longtemps pour le droit et l'ordre, contre le bilinguisme qui restait interdit depuis Mussolini. Suite aux articles de Decantro sur le lieu de débauche qu'était devenu Trieste, elle s'était déchaînée contre les étrangers et avait parlé de menace contre l'identité nationale. Elle avait la cinquantaine, elle était mariée depuis trente ans, ils n'avaient pas d'enfant. Son père était déjà responsable au sein du parti de Mussolini. C'est lui qui avait mis en œuvre la politique d'« italianisation des non-Italiens », qui avait entraîné une quantité de changements de nom : « Ptacek » devenu « Pace », « Giuppanovich » « Giuppani », « Goldschmidt » « Orefice ». Seuls les von Kopfersberg qui, tout de suite après la Première Guerre mondiale, étaient devenus les de Kopfersberg et avaient été rebaptisés de Coppero, avaient retrouvé, dès l'automne 1943, sous l'occupation par les nazis du « district de la côte adriatique », leur ancien patronyme. Mais pourquoi le « de » était-il resté ?

Le père d'Elvira Fossa était mort au début des années quatre-vingt. Des centaines de personnes avaient suivi son cercueil. Les hommages posthumes qui lui avaient été rendus faisaient allusion à ses convictions politiques. Il n'avait fait l'objet d'aucune enquête approfondie après la guerre, son rôle lors de l'occupation allemande n'avait pas été évoqué, il n'avait jamais été inquiété. À l'enterrement, sa fille avait prononcé un éloge funèbre qui avait les accents d'un discours patriotique enflammé, comme dans un meeting. Ce qui la rapprochait d'un Slave comme Viktor Drakič restait une énigme aux yeux de Laurenti. Il ne pouvait s'agir que d'autre chose.

« Pourquoi diable Elvira Fossa a-t-elle rencontré Drakič ? dit tout haut Laurenti en interrogeant du regard ses deux collègues. Qu'est-ce qu'ils ont bien pu échanger ? Marietta, il faut que tu voies Drakič et que tu nous dises si c'est bien lui. Trouve une idée. Vas-y et demande si je n'ai pas oublié ma carte. Elle a disparu depuis samedi. Et pendant que tu y es, peux-tu passer à la station-service, là en bas, et régler mon compte, je n'avais pas d'argent sur moi. Mais d'abord, finissons le tour de table. Sgubin, quel est ton prénom ?

– Antonio, répondit Sgubin, gêné, lui qui, justement, n'avait jamais été que Sgubin et que le commissaire voulait maintenant appeler par son prénom. La TIMOIC a réservé six chambres au Duchi d'Aosta et cinq au Savoya Palace. »

Il avait dû ronger son frein avant de frapper un grand coup. Il posa sur la table la liste des invités. Laurenti l'examina longuement. Des Autrichiens ou Allemands, des Slaves, un Anglais. Presque tous avaient le titre de docteur. Pas une seule femme.

« C'est pour quand ? demanda Laurenti.

– Aujourd'hui.

– Pas mal !

– Autre chose, annonça solennellement Sgubin qui piaffait littéralement, vu l'importance de la révélation qu'il avait à faire. Romano Rossi… »

Laurenti sursauta.

« … s'appelle Vincenzo Tremani !

– Oh ! Mon Dieu ! s'écria Laurenti, à qui ce nom était connu, comme à tout policier. *Sacra Corona Unità !*

– Ce qui n'a jamais été démontré ! » précisa Marietta.

Jamais, en effet, la police n'avait pu prouver, devant un tribunal, l'existence de liens entre le clan Tremani et la mafia des Pouilles.

« Celui qui l'accompagne, c'est Pasquale Esposito, son secrétaire. L'avion est à Ronchi. C'est Esposito qui le pilote, la voiture aussi. »

Sgubin avait un sourire triomphant et attendait les compliments.

« Comment diable as-tu fait ? »

La question du commissaire le comblait déjà.

« Comme ça, dit-il simplement en tirant de sa poche un paquet de polaroïds. Je l'ai photographié avec Pasquale et j'ai injecté les clichés dans l'ordinateur. »

Il posa sur la table une page d'imprimante. Laurenti la regarda à peine, il connaissait par cœur les données concernant Tremani et son ombre.

« Où est-ce que tu les as prises ?

– Au Duchi, hier après-midi.

– Tu y étais aussi ?

– Oui.

– Alors, les deux civils t'ont vu ?

– Non, mais moi si !

– Comment as-tu fait ? Personne ne t'a remarqué ?

– Le concierge me devait un petit service. Pour une fois où j'avais fermé les yeux. Personne ne m'a vu.

– Bonnes gens, ça devient sérieux, dit Laurenti en tambourinant sur la table avec son crayon. J'ai vu Rossi-Tremani avec Eva Zurbano. C'était samedi après-midi. Hier la rencontre entre Drakič et Spartaco de Kopfersberg. Ceux des Pouilles ont donc à voir avec l'Autrichien.

– Tu veux dire qu'ils font des affaires avec la TIMOIC ? demanda Marietta.

– Si c'est le cas, il ne peut s'agir que des livraisons à la Turquie. Qu'est-ce qui les rend si lucratives ? s'interrogea Sgubin.

– Quand tu as remporté un marché, tu es le roi. Tu peux pressurer tes fournisseurs, imposer des tarifs faramineux, laver de l'argent sale, faire de la contrebande.

Tout ce que tu veux. La seule condition, c'est que l'administration soit complice. Il te faut quelqu'un d'influent qui se laisse soudoyer. »

Laurenti réfléchit un moment en silence.

« Ce seraient ceux des Pouilles qui auraient liquidé Kopfersberg ? Si oui, c'est qu'on assiste à un conflit de pouvoir. Ou alors, Kopfersberg leur a fait une entourloupe.

– Je ne crois pas, objecta Sgubin, je pense plutôt qu'ils préparent quelque chose. Sinon pourquoi les réservations de chambres d'hôtel ? Une réunion plénière ?

– Sûrement, reprit Marietta, mais il y a une chose qui ne colle pas. On liquide l'un des partenaires plutôt après ce genre de rencontre, rarement avant.

– Dans les romans policiers, oui. Sauf, ajouta Laurenti en se grattant derrière la tête, si l'on veut *a priori* faire un exemple, montrer à tout le monde qui est le plus fort. De toute façon, force est de constater que la mafia s'est à nouveau mouillée dans l'aide humanitaire. L'affaire prend de ces proportions ! Il va falloir informer la DIA et les collègues du GICO. Mais peut-être pas tout de suite… »

Il y avait d'incessantes rivalités entre les services de police et les chasseurs de *mafiosi* de la DIA, qui bénéficiaient d'un pouvoir discrétionnaire. Le GICO, section de la brigade financière pour la lutte contre la criminalité organisée, était une structure régionale ; les rapports étaient meilleurs parce qu'on connaissait les collègues.

« L'un n'empêche pas l'autre, dit Marietta en examinant la liste des invités de la TIMOIC. On sait qui sont ces gens ?

– Je n'ai pas encore eu le temps… répondit Sgubin.

– Ça ne fait rien, intervint Laurenti, Marietta va s'en occuper.

– Et toi, demanda celle-ci, qu'est-ce que tu as fait ? »

Laurenti lui raconta sa conversation avec le jeune Kopfersberg sur le môle. Il l'interrogerait le jour même. Le plus tôt serait le mieux.

Via dei Porta

Les préparatifs, à l'intérieur de la villa et dans le jardin, avaient commencé dès l'aube. Sur l'une des terrasses, on avait installé des tréteaux pour dresser le buffet ; autour de la piscine, on avait rajouté des chaises longues. Champagne, vin blanc, vin rouge et autres breuvages étaient disponibles en abondance. On attendait une trentaine d'invités, certains venant de l'étranger, d'autres de la ville même, plus les nouvelles filles. Avec les hôtes, cela faisait plus de cinquante personnes à désaltérer. Viktor Drakič avait déjà prévenu son « contact » auprès des autorités qu'il fallait s'attendre à de nouvelles plaintes émanant du voisinage et on lui avait promis qu'il ne se passerait rien. En guise de remerciement, il avait octroyé à qui de droit une enveloppe de trois millions de lires. À huit heures, sa sœur et lui avaient passé en revue, avec les filles, les règles du jeu pour la soirée. Depuis le matin même, elles étaient légalement dans le pays. Viktor Drakič les avait appelées une par une et leur avait montré leurs nouveaux papiers avec l'autorisation de séjour. Mais il les avait conservés en leur promettant qu'elles les récupéreraient dans les jours à venir avant de poursuivre leur voyage. Ce qu'il ne leur disait pas, c'est que les papiers passeraient directement dans les mains de leurs nouveaux maîtres qui les tiendraient alors en leur pouvoir, puisqu'elles n'avaient même plus leurs anciens papiers.

Drakič était maintenant avec Spartaco de Kopfersberg dans le bureau de l'Autrichien. Le fils avait ostensiblement pris place dans le fauteuil de son père. Drakič lui faisait face, assis sur une chaise inconfortable.

« C'est bien que nous ayons la réception ce soir. Avant l'enterrement. On verra tout le monde et on pourra leur garantir que rien ne change. »

Spartaco posa la liste des invités sur le bureau. Les noms correspondaient aux nouvelles perspectives de leurs affaires.

« Tout est au point ? Les nouvelles filles sont sexy et dociles. Wolferer arrive cet après-midi, on l'emmènera au port, qu'il voie comment ça marche avec ses conteneurs. Il faut qu'il en retire une excellente impression pour apaiser sa conscience. On le présentera ce soir à Cardotta. Cet après-midi, nous aurons aussi le président de l'Union des compagnies de navigation. Avec lui, on est paré. Qui va le chercher ?

– Eva ira à Ronchi, répondit Viktor Drakič. Elle l'amènera au bureau à midi et demie. Ensuite, nous irons déjeuner au Nastro Azzuro.

– C'est bien, dit Spartaco, rassuré. Eva sait s'y prendre. Quoi d'autre ?

– Et après, on continue comment, Spartaco ?

– Comme avant, exactement !

– Je ne pense pas. C'est le moment d'innover.

– Pourquoi ça ?

– Parce que la place de ton père est vacante et que l'affaire prend de nouvelles proportions. Il faut nous restructurer, Spartaco. Tremani devient plus exigeant, on s'en est rendu compte hier. Eva, on n'a plus besoin d'elle. C'est un vestige de l'époque de ton père, elle est trop attachée aux vieilles affaires. Toi, tu es à Vienne et pas à Trieste…

– Comme tu vois, je suis ici. Et je reste ici. Vienne peut se diriger à partir de Trieste. Ou bien c'est toi qui y vas.

– Pas question. Il faut que je reste ici. Sinon, qui s'occupera des filles ?

– Ta sœur, ça ne change rien.

– Tatiana ne fait rien sans moi, Spartaco. Et toi, tu veux passer la frontière et négocier dans une langue que tu ne parles pas ? »

L'argument était imparable.

« Alors Eva, ce serait peut-être la solution.

– Je ne crois pas qu'elle parte d'ici. D'ailleurs, je ne lui fais plus confiance. Depuis que ton père est mort, elle a perdu le contact avec le business. Elle est la plus petite roue du chariot et elle ne m'a jamais accepté. En cas de problème, je la soupçonne même d'être prête à jouer les repenties et à nous donner.

– Ça me semble exclu. Ça mettrait en cause Rallo et sa banque. Elle ne prendra pas ce risque. Tu deviens hystérique, Viktor !

– Fais attention à ce que tu dis, Spartaco ! lança Drakič, furieux. Si j'étais hystérique, je n'aurais pas sur-vécu à la guerre et à toutes ses séquelles. Sois prudent ! Tu oublies à qui tu as affaire. Ton père ne l'a jamais oublié. Tu es naïf, Spartaco. Je te répète qu'Eva pose un problème. Rallo ne détellera pas rien que pour elle. On le tient. Je m'occuperai d'elle. Après la réception. Demain. Ne fais pas semblant de t'offusquer, Spar-taco ! Eva m'a raconté la scène que tu lui avais faite. C'était idiot. Complètement ! Elle ne ferait pas de mal à une mouche et elle commence à avoir des scrupules concernant les filles. Et toi, imbécile, tu vas l'accuser d'être la complice de Bruno dans la mort de ta mère ! Vraiment, tu dérailles ! Eva est dangereuse parce qu'elle ne maîtrise pas ses nerfs. Autre chose : où étais-tu dans la nuit de mardi à mercredi ? Qu'est-ce qui est arrivé à ta main ?

– Ça suffit, Viktor, cria Spartaco, hors de lui. Je sais que tu es un salaud. Je sais aussi que j'ai besoin de toi pour diriger l'affaire. Mais n'exagère pas ! Dis-moi ce que tu veux !

– Eva doit disparaître, répondit Drakič d'un ton neutre.

– Alors fais ce que tu veux. Mais j'exige qu'on ne la retrouve jamais. Tu peux dire que c'est une chance que la police ne soit pas encore remontée jusqu'ici pour Olga. Une sacrée chance ! Fallait être débile pour la laisser sur place. À quoi ça sert que le karst soit plein de trous ? Un de plus ou de moins qui tombe dedans, quelle importance ? Et toi, tu la laisses en vue. Si Tremani apprend ça, il va se tordre de rire. Les flics sont prévenus pour ce soir ?

Viktor fit signe que oui. Ce round était pour lui, bien que l'autre ait cru avoir gagné. Eva ne le gênerait plus.

« En plus, je veux une procuration pour Vienne, Spartaco. Et à l'avenir, le partage se fera différemment. Nous ne sommes plus que trois et non cinq. Il nous faut de nouveaux projets. J'ai quelques idées très lucratives.

– Il n'y a pas que toi, dit Spartaco, le doigt pointé sur Viktor. Moi aussi, j'ai réfléchi. La situation se stabilise au sud-est. En Albanie et en Yougoslavie, les activités augmentent et les… »

Le téléphone sonna. Ça devait être important. C'était Laurenti qui demandait à Spartaco de passer à son bureau avant midi. Ils se mirent d'accord pour onze heures et demie.

« Qu'est-ce qu'il peut bien vouloir ? dit Spartaco avec agacement.

– Il veut voir comment tu portes le deuil. N'oublie pas ! Jusqu'à maintenant, on ne t'a pas beaucoup vu dans le rôle de l'inconsolable orphelin. À ta place, je me rattraperais devant le flic. »

Marietta s'apprêtait à expliquer à Laurenti ce qu'elle avait appris sur les invités de la TIMOIC quand on frappa timidement à la porte du bureau.

« Permettez ? » dit une fragile voix de femme.

Ils se tournèrent vers la porte.

« Signora Bianchi ! s'écria le commissaire. Quelle surprise ! Entrez ! »

Il lui présenta son assistante et l'accompagna jusqu'à la table de réunion.

« Vous voyez par vous-même que tout est régulier, Signora. Vous n'aviez pas confiance quand je vous ai montré ma carte.

– C'est pour cela que je suis venue, dit la vieille dame en fouillant dans son sac. Voilà, commissaire, vous l'aviez oubliée chez moi.

– Vous êtes un trésor, Signora ! Vraiment ! Voulez-vous un verre d'eau ? Marietta, donne à boire à madame. Faire tout ce chemin depuis San Giacomo, par cette chaleur !

– Avec le bus, pas de souci !

– Il faut quand même faire attention, Signora !

– Oh ! Je vois bien ce que vous voulez dire. Je lis le journal. Mais rassurez-vous. Je suis née ici et l'été m'a toujours bien réussi. Même les grosses chaleurs. C'est l'hiver que j'ai le plus de problèmes. Mais il faudrait tout de même un peu de pluie. Un orage nous ferait du bien. À vous aussi, commissaire, après tout ce qui vous est arrivé dans le journal.

– N'en parlons plus, Signora !

– Bon, je ne vais pas vous déranger plus longtemps. »

Laurenti raccompagna la vieille dame.

« Vous m'aviez promis de me dire ce qu'il y avait dans le carton, dit-elle avec un regard suppliant.

– Un journal intime, Signora.

– Ah ? Je ne savais pas qu'elle en tenait un. Cela vous a-t-il aidé ?

– Oui, Signora, beaucoup.

– Et vous vouliez me rendre la photo d'Olga. Vous en avez besoin encore longtemps ?

– Quelques jours encore, Signora. Je vous la rapporterai, ajouta-t-il en se jurant de ne pas oublier de le faire. Promis !

– Pauvre fille ! Elle me manque beaucoup. »

La questure n'était pas loin. Le questeur était à son bureau et Laurenti fut reçu immédiatement, même sans rendez-vous. Il résuma tout ce qui se tramait, y compris la rencontre entre Elvira Fossa et Viktor Drakič.

Le questeur n'en revenait pas.

« La situation est grave, Laurenti ! Vous vous en tirerez tout seul ?

– Pas sans votre aide, monsieur ! »

Laurenti esquissa son plan. Le questeur devrait confier à Fossa une mission qui l'éloigne de la ville, dès que possible et sans qu'il se doute de quoi que ce soit. C'était lui l'élément dangereux. Il s'était réservé le service de nuit, Sgubin avait pu le vérifier. Et c'était le cas chaque fois qu'une réception avait lieu à la villa. Il fallait des renforts pour ce soir-là. Des hommes fiables et plus que la police nationale ne pouvait en mobiliser. Ils fixèrent un rendez-vous à quatorze heures. Le major de la brigade financière, le chef du GICO et Ettore Orlando pour les gardes-côtes devaient en être également. Le questeur se montra compréhensif lorsque Laurenti lui demanda de ne pas impliquer les carabiniers. La secrétaire reçut l'ordre de tenir la réunion secrète. Personne d'autre que les participants ne devait être au courant.

Spartaco de Kopfersberg fut ponctuel. Malgré la chaleur, il portait, en signe de deuil, un costume sombre et une cravate noire. Il parvint à feindre l'étonnement lorsqu'il se trouva en présence du commissaire.

« Vous ? dit-il, faussement perplexe.

– Bonjour, répondit Laurenti sans revenir sur leur première rencontre. Merci d'être venu si rapidement.

– En fait, je m'attendais dès hier à être entendu, je veux dire officiellement. Mon père a tout de même été assassiné. »

Spartaco fit mine de ravaler ses larmes et sortit de sa poche des lunettes noires. « C'est aussi une façon de montrer son affliction », pensa Laurenti.

« Venons-en au fait, Signor de Kopfersberg. Quels étaient vos rapports avec votre père ?

– Désormais, je n'ai plus de parents, dit Spartaco avec un toussotement.

– Je sais. C'est moi qui ai mené l'enquête, à l'époque, sur la mort de votre mère. J'étais persuadé que votre père l'avait tuée, mais je n'ai pas pu le prouver. Je me souviens même de vous. Vous aviez six ans et vous hurliez comme un damné.

– Ça vous étonne ? réagit Spartaco sans se contrôler.

– Bien sûr que non. Il est normal qu'un tel choc laisse à l'enfant l'impression que le parent survivant est responsable de la mort de l'autre. Je connais un cas de ce genre. Vous comprendrez ma question concernant vos rapports avec votre père.

– Vous me soupçonnez ?

– Nous y reviendrons plus tard, Signor de Kopfersberg. Je voudrais d'abord savoir comment vous étiez disposé à son égard et dans quelle mesure vous êtes prêt à collaborer avec la police. Ce n'était guère le cas de Mme Drakič et des employés de la firme. »

Laurenti lui versa un verre d'eau.

« Merci ! Mon père m'a toujours soutenu. Nous avions d'excellents rapports. Même si je n'étais pas particulièrement ravi du choix de sa seconde femme. Eva Zurbano était devenue pour moi une sorte d'ersatz de mère. Et mon père s'installe avec une femme à peine plus âgée que moi. C'est pourquoi nos contacts se sont limités, ces derniers temps, au domaine strictement professionnel.

– Qui peut avoir tué votre père, avez-vous une idée ?

– Non, dit Spartaco en retirant ses lunettes noires. À ma connaissance, il n'avait pas d'ennemi.

– Dans les affaires ?

– Des envieux, oui. Des ennemis, non. Il ne vous a pas échappé que tout le monde ne s'est pas réjoui de nous voir attribuer le marché de l'aide à la Turquie. Mais il s'agit d'entreprises solides avec, à leur tête, des dirigeants lucides. Pour eux, ça n'est qu'une affaire de moins. C'est la concurrence. On ne tue pas quelqu'un pour ça.

– Et les autres affaires ?

– Pas question. La routine.

– Qui va diriger la firme ?

– Moi, naturellement.

– Vous resterez à Trieste ?

– Je ne sais pas. Mon père n'est même pas encore enterré. Quand son corps me sera-t-il rendu ? Devrai-je attendre encore longtemps ?

– Je ne peux pas le dire pour l'instant. L'autopsie devrait être terminée, mais je n'ai pas reçu le rapport.

– Pourrai-je le voir ?

– Vous le devez même. Il faut bien que quelqu'un l'identifie officiellement. Il n'y a pas de doute sur son

266

identité, mais vous savez… le règlement. Je vous préviendrai. Où peut-on vous joindre ?

– Dans la maison de mon père.

– Où étiez-vous dans la nuit de mardi à mercredi ?

– À Bar, au Monténégro. »

Voilà ce que cherchait Laurenti. Le pavillon du Corbelli était monténégrin.

« C'est là qu'est votre bateau ?

– Oui. »

Spartaco sortit un paquet de Camel Lights et interrogea Laurenti du regard.

« Vous pouvez fumer. Ça ne me dérange pas. Pourquoi votre bateau est-il au Monténégro ?

– Parce que c'est moins cher. »

Étrange réponse. Le yacht coûtait une fortune. De Vienne au Monténégro, il y avait une certaine distance, donc des frais. Mais peut-être y avait-il là-bas un aéroport.

« Surtout, poursuivit Spartaco, c'est par là, vers le sud, que la mer est la plus belle. Nature intacte, Signor Laurenti. Et puis nous traitons beaucoup d'affaires avec ces pays. Parfois, on est plus vite rendu avec le bateau.

– J'ai déjà entendu dire que, là-bas, on pouvait gagner beaucoup d'argent si l'on avait les bons contacts et les bonnes marchandises. Mais personne, chez nous, ne se risquerait dans ce genre d'affaires.

– Vous savez, les médias propagent beaucoup de préjugés. Il faut être là avant les autres. Le boom date d'après la guerre du Kosovo. On peut gagner beaucoup d'argent si l'on a les produits nécessaires. Maisons préfabriquées, appareillage médical, médicaments, équipement électrique. Vous ne pouvez pas savoir combien de postes à transistors et de petits appareils de télévision nous avons vendus là-bas. »

Laurenti n'avait pas envie de le savoir. Il bouillait intérieurement en pensant à cette guerre, à ceux qui en profitaient, alors que la population souffrait, que chacun craignait pour sa vie. Les jeunes femmes n'osaient plus sortir seules dans la rue depuis qu'il était connu que des bandes organisées les enlevaient pour les réduire à merci et les vendre.

« Je suppose que vous pouvez citer des témoins.

– Mais certainement. Je puis vous fournir toutes les factures de nos partenaires commerciaux. Mais dites-moi, quel rapport avec mon père ?

– Je parlais de votre présence à Bar, pas de vos affaires.

– Vous ne croyez tout de même pas… explosa Spartaco, puis, se reprenant : J'ai un alibi, si c'est de cela que vous parlez. Si vous voulez, je vous fournis quelques adresses et numéros de téléphone. Vous avez un bout de papier ?

– Laissons cela, Signor de Kopfersberg. C'est une question rituelle. Vous n'êtes pas concrètement soupçonné. Pas pour l'instant. Par ailleurs, nous n'accordons guère de crédit aux attestations venant du Monténégro. La moitié des cinq cents criminels les plus recherchés d'Italie se prélassent dans des villas monténégrines et se lamentent sous prétexte qu'on les dérange dans leurs respectables activités. Cela non plus ne vous aura pas échappé.

– Nous n'avons rien à voir avec ça ! Nos affaires sont honnêtes !

– Bien sûr, bien sûr ! Mais dites-moi, quand avez-vous vu votre père pour la dernière fois ?

– Avant de partir en vacances, il y a environ trois semaines. »

Spartaco dissimulait donc qu'il avait rencontré son père à Zadar. Laurenti prit note mentalement, mais ne réagit pas.

« Et où avez-vous passé vos vacances ?

– Là-bas, vers le sud. Dans l'archipel des Kornati et même jusqu'en mer Égée.

– C'est loin ! Mais avec un bateau comme le vôtre, tout est possible, vous me le disiez hier.

– Au fait, pourquoi avez-vous joué ce petit jeu avec moi, Signor Laurenti ? interrogea Kopfersberg avec un sourire ironique. C'était gentil de me porter ma valise. Mais vous n'étiez sûrement pas venu pour ça.

– Vous savez ce qu'on dit de la police, répondit Laurenti, souriant lui aussi. Gros bras, petite tête. J'aime bien me rendre compte par moi-même. Les morts ne sont plus pressés. »

Il se leva, Spartaco fit de même.

« J'aurai sûrement encore besoin de vous, monsieur de Kopfersberg. Je vous appellerai.

– Alors on se reverra ! » répondit Spartaco.

« Certainement, se dit Laurenti, plus tôt que tu ne penses ! »

« Qu'est-il arrivé à votre main ?

– La vie est pleine de dangers, Signor Laurenti. Une boîte de thon peut avoir de ces perfidies quand la mer est houleuse ! En plein été, un mois avec ça – il montrait son pansement –, c'est l'enfer. Croyez-moi ! »

Là-dessus, il sortit.

Laurenti était subitement de bonne humeur. Il décrocha le téléphone et appela le laboratoire. Quelques instants après, un « saupoudreur » était à pied d'œuvre. Il glissa le verre à eau et le cendrier dans un sac en plastique et repartit avec un trésor d'empreintes de Spartaco, promettant les résultats pour deux heures plus tard. Souvent victime de l'impatience de Laurenti, le collègue savait ce que ça voulait dire quand le commissaire plissait les yeux et fronçait les sourcils. Celui-ci lui demanda, en tout état de cause, de l'appeler sur son portable.

Via Roma, TIMOIC

Marietta arriva Via Roma peu avant midi et demie. Elle grimpa les escaliers jusqu'aux bureaux de la TIMOIC et demanda Viktor Drakič à la secrétaire. C'est à ce moment même qu'il apparut, il avait l'air pressé. Le hall était orné d'un énorme bouquet de roses rouges et de lys blancs, qui dégageait une odeur suave. Marietta reconnut immédiatement Drakič. C'était bien lui qu'elle avait vu avec Elvira Fossa. Elle en fut si secouée qu'elle eut du mal à trouver ses mots. Drakič se tenait devant elle et attendait qu'elle parle. À l'instant même où elle dit qu'elle venait de la part du commissaire qui pensait avoir oublié sa carte ici, la porte d'entrée s'ouvrit et Eva Zurbano introduisit un homme d'environ cinquante ans, qui n'avait pas l'air d'un Italien. Il était bien habillé. Drakič poussa Marietta dans un bureau, lui demanda de l'excuser une minute et ressortit. Il salua l'homme avec une extrême courtoisie, dans un allemand fortement accentué. Marietta constatait que sa présence fortuite rendait Drakič nerveux. Elle avait entendu qu'il appelait son visiteur « docteur Wolferer ». Il la rejoignit et referma la porte derrière lui.

« Désolé, Signora, nous n'avons rien remarqué. Donnez-moi votre numéro, nous vous appellerons si nous trouvons quelque chose. »

Elle nota le numéro sur un bout de papier que Drakič ne regarda même pas. Il entrouvrit la porte et resta un moment à écouter ce qui se passait dans le couloir. Lorsqu'il raccompagna Marietta, il n'y avait plus personne. On entendait des voix, plus loin, une sorte de conversation amicale, où l'on riait beaucoup.

Rossana di Matteo appela pour dire que, la veille, elle avait empêché la parution d'un nouvel article incendiaire de Decantro et que Laurenti pouvait être rassuré. Decantro quittait officiellement le *Piccolo* à la fin de la semaine et, jusque-là, elle essaierait de le museler. Son père avait apparemment réussi à lui trouver une place dans un « vrai » journal.

« Pour demain, dit Rossana, nous préparons un nouvel article où tu feras meilleure figure. Tout de même, Proteo, je m'étonne que nous n'ayons aucune information de votre part, ni sur le mort de Montebello, ni sur l'Autrichien. Rien non plus sur la jeune femme du golf. Subitement, on assassine à Trieste et la police se drape dans son silence. Vous ne savez rien ou vous ne voulez pas ? On pose des questions, mais on nous mène en bateau. Ce n'est plus possible. Vous devez des explications au public, vous devez faire le point sur les enquêtes. Vous ne pouvez pas vous servir de la presse uniquement quand ça vous arrange. Elle n'est pas faite pour ça !

– Rossana, attends un peu. Il n'est même pas impossible que tu n'aies plus assez de place dans ton journal. Tout semble indiquer que notre paisible cité n'est pas aussi propre qu'on pourrait le penser. Sur la morte du golf, il faut que tu demandes aux carabiniers, c'est leur affaire. Aujourd'hui, tu as quand même le rapport sur les clandestins.

– Par les carabiniers, Proteo ! La police nationale est muette. Dis-moi ce qu'est devenu l'Autrichien !

– Il est mort. Ça, nous le savons. »

Il lui raconta comment et où Kopfersberg senior avait été retrouvé. Qu'elle en fasse état, ça ne pouvait pas nuire.

Avant qu'il ait fini de parler, Lilli était entrée dans son bureau. Elle était habillée comme Madame Tout-le-monde à Trieste, ni élégante ni débraillée, mais décente, y compris son décolleté. Laurenti lui fit signe de s'asseoir.

271

Peu après, il prit congé de Rossana di Matteo. Il était heureux d'être débarrassé du journaliste-dobermann.

« Je te dois une partie gratuite, commissaire, dit Lilli en faisant claquer son chewing-gum, ce qui n'était plus de son âge.

– Je sais que ça n'était pas de ta faute, Lilli. Sans rancune. Mais tu aurais dû me prévenir.

– La photo m'a bien plu. C'est une bonne pub pour moi. Depuis hier, les affaires reprennent. Il y a quand même plus de curieux que de baiseurs !

– Lilli, s'énerva Laurenti, as-tu autre chose à me dire ? Sinon…

– N'aie pas peur, mon trésor, je repars à l'instant. Je voulais seulement te dire qu'il se passe des choses en ville. Ils ont demandé quatre collègues pour ce soir à la villa.

– Et alors ?

– Je pensais que ça t'intéresserait ! »

Nouveau claquement de chewing-gum.

« Merci, Lilli. Autre chose ?

– Oui, peut-être. Il m'a semblé que les filles qui venaient de la villa n'avaient jamais de problèmes avec vous. Personne ne sait d'où elles viennent, mais elles ont des papiers en règle, même si elles ne parlent pas un mot d'italien.

– Et alors ?

– Je pensais que ça t'intéresserait, répéta-t-elle en se levant. Tu sais que je n'ai pas l'habitude de balancer, mais, avec cette nouvelle concurrence, je ne peux pas rester les bras croisés.

– Merci, Lilli.

– Passe me voir. Tu auras une partie gratuite !

– Je vais y réfléchir, Lilli. *Ciao !*

– *Ciao*, flic ! Bonne chance ! »

272

Malgré la promesse du questeur, le colonel des carabiniers participait à la réunion. Il avait dû venir avant quatorze heures, car, lorsque Laurenti entra, il était déjà là. Ils se saluèrent brièvement. Là-dessus arriva Ettore Orlando, le maître des mers. Puis Zanossi, le major de la brigade financière, et le chef du GICO.

« Il nous faut davantage de coopération, attaqua le questeur. Cet appel à vous tous s'avère nécessaire, non seulement de façon générale, mais dans une affaire que Laurenti vient de découvrir. Les collègues carabiniers piétinent dans l'enquête sur la morte du golf, mais Laurenti a recueilli, à son sujet, des informations capitales. Par ailleurs, les carabiniers en savent plus sur les clandestins. La brigade financière a déjà eu affaire à la TIMOIC, la société de l'Autrichien assassiné, Kopfersberg. Tout se tient. Je crains que nous n'ayons mis le pied dans une fourmilière. Laurenti coordonnera l'ensemble des investigations. »

Le questeur fit une pause, comme chaque fois qu'il voulait souligner l'importance de ce qu'il allait dire.

« Messieurs, vous ne vous passerez pas de moi non plus. Nous avons constaté hier que tout n'était pas parfait dans nos rangs. Là aussi, les indices s'accumulent. C'est regrettable, très regrettable, car il s'agit d'un collègue que nous estimions et que nous aimions. Je m'occuperai personnellement de Fossa. Je serai ce soir dans mon bureau, à portée de radio. »

Le questeur désigna le matériel qu'il avait fait installer près de son bureau. Il est rare que les grands patrons aient ce genre d'appareil sous la main. Ils ne savent pas très bien s'en servir.

« Ce soir, j'appellerai Fossa. Il restera avec moi, ici même, et il entendra, en même temps que moi, tout ce que vous direz, Signori. Je fais l'hypothèse qu'il reconnaîtra les faits et qu'il se confiera à moi. C'est la seule façon, pour lui, de ne pas perdre la face.

– Pourquoi ne pas l'arrêter tout de suite ? Les carabiniers pourraient s'en charger. Ce serait dans nos compétences et personne ne se douterait de rien si nous l'interrogions entre quatre murs. Vous, monsieur le questeur, n'auriez pas besoin de vous en occuper et vous pourriez passer la soirée en famille. »

Laurenti comprit pourquoi il ne supportait pas le colonel. Ils ne s'entendraient décidément jamais.

« J'ai naturellement envisagé toutes les possibilités, répondit le questeur. Nous procéderons comme je vous l'ai indiqué. »

Le questeur fit une nouvelle pause.

« Laurenti, je crois qu'il est temps que vous nous mettiez au courant.

– Merci, monsieur le questeur. Le problème est que nous ne disposons que d'indices et non de preuves. Mais un tel faisceau de présomptions ne peut être le fait du hasard. En intervenant, nous trouverons quelque chose. Je ne sais pas quel sera notre degré de réussite. Mais ce dont je suis certain, c'est qu'il s'agit d'une grosse affaire. Très grosse. Premièrement Bruno de Kopfersberg. Le premier suspect est son fils. S'il a connaissance du journal de sa mère, qui est en notre possession, il ne peut pas ne pas croire que son père est l'assassin. "J'ai peur, écrit-elle. C'est de pire en pire." Il faudra encore qu'il identifie le cadavre. Nous avons gardé cette dernière carte.

« Ensuite : le journal a été trouvé chez Olga Tchartov. Nous ne savons pas comment il est arrivé jusqu'à elle, mais il est probable qu'elle a été tuée parce qu'elle le possédait. Avec le journal, nous avons mis la main sur un certain nombre de photos qui montrent des messieurs importants dans des situations compromettantes.

Moyen de chantage idéal. D'autres avaient donc intérêt à éliminer Kopfersberg.

– Quel chantage ? Quelles situations ? demanda le colonel. Parlez clair, Laurenti !

– Imaginez, répondit Laurenti avec un sourire, que vous rendiez visite à une pute, ce que, naturellement, quelqu'un comme vous ne ferait jamais, n'est-ce pas, colonel ?

– Et alors ?

– Alors on vous prend en photo. Tout simplement. À votre insu, naturellement. Et ensuite quelqu'un vous menace d'envoyer les photos à votre femme ou à la presse si vous refusez… ça y est, colonel, ça fait tilt ? Ensuite : l'appartement d'Olga Tchartov, qu'elle partageait avec son frère, a été fouillé. Olga était employée Via dei Porta, c'est sûrement là qu'elle a récupéré le journal et les photos. À la villa de Bruno de Kopfersberg, on n'a jamais été bien reçu. J'ai toujours eu l'impression qu'on nous dissimulait quelque chose. Au début, je pensais que Kopfersberg s'y cachait, mais on l'a retrouvé mort. Après, ce qui m'a frappé, c'est la présence d'un nombre impressionnant de jeunes femmes, toutes jolies et originaires de l'Est. L'un de nos agents a fait la même remarque lors de sa visite.

« Et puis les réceptions, une vraie plaie pour le voisinage, mais la police n'est jamais intervenue.

« D'après les listes fournies par les hôtels, certains de ces invités sont encore là ce soir. Fossa est toujours de service dans ces occasions-là. Nous craignons qu'il ne soit de mèche avec les gens de la villa et qu'il ne s'emploie à leur éviter les descentes de police.

« D'autre part, sa femme, la conseillère municipale que vous connaissez bien, est en relation avec Viktor Drakič, frère de la compagne de Kopfersberg, Tatiana, et fondé de pouvoir de la TIMOIC. Elvira Fossa est l'adjointe du chef du service des étrangers. L'Autrichien est dans l'import-export. Je suppose, bien que je ne puisse pas encore le prouver, que sa société "infiltre" des filles venant de l'Est, leur procure des papiers et les revend. Ce qui m'amène à dire cela, c'est le fait que, la veille de sa mort, Kopfersberg soit allé à Rimini. Les autorités portuaires locales l'ont confirmé. Ce qui s'y passe est connu de chacun des collègues ici présents : la ville est un gigantesque bordel. La liaison Rimini-Turin-Amsterdam-Berlin-Vienne transparaît chaque fois qu'exceptionnellement une fille déballe ce qu'elle sait. Il est particulièrement désagréable de trouver Trieste dans ce contexte. Quelque chose se trame. Notre ville risque de ne plus être la paisible cité que nous connaissons.

« Enfin, l'aide à la Turquie. La TIMOIC, qui ne semblait pas en avoir la vocation, a raflé un énorme marché. Il y va de sommes colossales. Là aussi, il y a un hic. Mais nous avons peut-être un dernier atout. Samedi dernier est arrivé à Trieste un homme que vous connaissez tous. Sous le pseudonyme de Romano Rossi, Vincenzo Tremani est en ville… »

Le colonel émit un sifflement de surprise.

« Il est en contact avec la TIMOIC, avec Eva Zurbano, également fondée de pouvoir, avec Viktor Drakič et avec Spartaco de Kopfersberg, qui est arrivé hier avec un bateau enregistré à Bar, Monténégro. »

Laurenti fit une courte pause. Les autres étaient bluffés. Ils avaient pas mal de choses à digérer. Laurenti reprit.

« Un nom de plus sur la liste : Benedetto Rallo, directeur de la Banca Nordeste. La brigade financière en sait certainement plus long que moi, mais laissez-moi vous dire, pour simplifier, que la TIMOIC et son partenaire autrichien, l'ATW de Vienne, ont leurs comptes dans cet établissement. Toutes les personnes citées se sont rencontrées hier après-midi. »

Nouvelle pause.

« Si l'on additionne les pièces du puzzle, apparaît clairement, comme l'a dit le questeur, un vrai nid de guêpes. En résumé : la TIMOIC a, pour ce soir, réservé des chambres pour de nombreux invités. Fossa est de service de nuit, ce qui ne lui arrive que rarement. Nous pensons donc qu'une réception est prévue à la villa et que nous devrions y faire une apparition. Si tout se passe bien, messieurs, il se pourrait que nous parvenions à neutraliser la vermine. C'est pourquoi je propose que nous bouclions la villa vers minuit et que nous y fassions une perquisition.

– Signori, dit le questeur, vous avez entendu. Qu'en dites-vous ? »

Il leur fallut quelques secondes pour mettre de l'ordre dans leurs pensées.

« Le raisonnement de Laurenti est imparable, dit Ettore Orlando, mais il a oublié quelque chose. Sur la coque du Feretti, le yacht de Kopfersberg, on a trouvé des traces de peinture. Elles proviennent du bateau de son fils, nous le savons depuis une demi-heure. Cela ne prouve rien, puisqu'ils étaient côte à côte dans le port de Zadar. Mais tout de même…

– Un instant, protesta Laurenti. Spartaco prétend qu'il n'a pas vu son père depuis plus de trois semaines et il n'a pas du tout parlé de Zadar. Ce n'est pas à négliger.

– Et pourtant, ça ne prouve pas grand-chose, Proteo !

– Tout cela n'est que spéculation, intervint sèchement le colonel. Ne nous précipitons pas ! Imaginez les conséquences pour la ville si nous tombons sur des gens éminents qui ne se laissent pas faire. Et si les livraisons à la Turquie sont remises en cause. Il ne faut intervenir qu'à coup sûr. Je plaide pour une surveillance discrète tant que nous n'avons pas toutes les cartes en main.

– Et vous, Zanossi ? dit le questeur en s'adressant au major de la brigade financière.

– Je suis d'accord avec Laurenti, mais il faut tenir compte des réticences du colonel. Je me demande quel rôle joue Tremani. Je suggère que nous n'intervenions ce soir que s'il est là. S'il est en affaires avec la TIMOIC, il faut frapper. Nous ne pouvons pas nous permettre un nouveau désastre comme celui de Bari. J'imagine que Tremani est impliqué. Peut-être même a-t-il Kopfersberg sur la conscience ? Ce qui me surprend, c'est qu'il s'y soit pris de façon si compliquée. Pourquoi ne pas l'avoir tout simplement abattu et *basta* ! La mafia veut que ça se sache quand elle élimine quelqu'un. À titre dissuasif. »

La sonnerie du téléphone portable de Laurenti retentit.

« Excusez-moi, dit-il, c'est peut-être important. »

Il écouta attentivement son correspondant et annonça avec un grand geste :

« Les empreintes de Spartaco de Kopfersberg sont sur le journal de sa mère. Les traces sur la gaffe du bateau de son père sont également les siennes. Nous avons la preuve !

– Mais cela aura aussi bien pu se passer à Zadar, objecta le questeur. L'implication de Tremani me semble plus importante. Et le jeune Kopfersberg, on pourra toujours l'arrêter. Mais cela ne justifie pas une perquisition à la villa. »

Laurenti réfléchit et se tut pendant un moment. Tous avaient les yeux fixés sur lui et attendaient qu'il parle. Sa chemise s'ornait à nouveau de deux grosses taches. Il toussota enfin et dit :

« Mais il y a la banque. Quand Tremani a rencontré le jeune Kopfersberg et Drakič, Benedetto Rallo était également présent, le directeur de la Banca Nordeste.

Dites, Zanossi, vous n'êtes pas déjà tombé sur cette banque au cours de votre enquête sur la TIMOIC ?

– Bien sûr, répondit Zanossi. C'est par la Banca Nordeste que l'ATW faisait passer ses paiements douteux, en réalité des dessous-de-table. Le système était très raffiné et il nous a fallu longtemps pour fournir des preuves aux collègues viennois qui nous avaient officiellement demandé notre aide. Mais la banque n'était pas directement impliquée. Rallo a bonne réputation.

– Vous n'imaginez tout de même pas, intervint le colonel avec son ironie habituelle, qu'ils vont se servir deux fois de suite du même dispositif.

– Pourquoi pas ? répondit Laurenti en fixant le colonel. Zanossi, que diriez-vous si le chef de l'EAUI était là ce soir ? »

Zanossi lui lança un regard interrogateur.

« Le directeur de l'organisme responsable de l'aide à la Turquie. Un certain Dr Wolferer de Vienne.

– Intéressant, reprit Zanossi, très intéressant ! Colonel, vous ne le savez peut-être pas, mais quand quelqu'un a un bon contact avec un institut de crédit, il ne le lâche pas si facilement. On change plutôt les noms de firme, les titulaires de compte, les bénéficiaires, mais on garde la banque.

– Si ce Dr Wolferer est là, coupa le questeur, et s'il trempe dans l'affaire, comme c'est apparemment le cas, cela me suffira. La crainte de voir mise en danger l'aide à la Turquie me servira de motif. Nous devons intervenir. Le juge d'instruction me suivra. »

16 juillet, 21 h 10,
au large de la Sacca degli Scardovi, delta du Pô

À dix milles marins à l'est du delta du Pô, c'est-à-dire à environ dix-huit kilomètres de la côte : le Feretti 57 filait vingt nœuds en direction du nord/nord-est. Bruno de Kopfersberg était satisfait. Ils s'étaient rapidement mis d'accord à Rimini. Les Russes avaient été compréhensifs, par obligation il est vrai, depuis que les Albanais trustaient la prostitution en Europe et qu'ils s'étaient arrangés avec la mafia italienne pour se répartir les autres marchés. Les Italiens restaient maîtres de la contrebande de cigarettes et de la drogue, les Albanais étaient partie prenante du trafic d'armes. Mais la prostitution, que ce soit en Allemagne, en France, en Scandinavie ou en Italie, était pratiquement devenue leur domaine réservé. Ils étaient tombés comme des fauves sur les vieilles structures de la criminalité européenne et, grâce à leur potentiel de violence quasiment illimité, ils avaient, en quelques années, repris aux cartels bien établis des pans entiers d'activité. « Le loup lèche sa propre chair ; celle des autres, il la dévore ! » Leurs concurrents avaient eu, plus d'une fois, l'occasion de vérifier ce vieux proverbe albanais. Un armistice avait été conclu, mais personne ne savait combien de temps les nouveaux patrons s'y tiendraient. C'étaient surtout les Russes qui rencontraient des difficultés en

Europe de l'Ouest. Ils conservaient la Côte d'Azur et Rimini, mais c'étaient les Albanais qui leur fournissaient la marchandise ou des détaillants comme Bruno de Kopfersberg qui, à l'écart des grandes connexions, continuaient à gérer leurs affaires sans être inquiétés. Comme l'économie libérale, la criminalité globalisée offre des « niches » où de petits spécialistes peuvent vivre, et bien vivre, à côté des multinationales.

En fait, Bruno de Kopfersberg n'avait aucun goût pour les trafics humains, mais cela rapportait beaucoup d'argent. Il ne doutait pas que sa fortune, déjà considérable, ne grossisse encore. Avec, en plus, l'énorme marché de l'aide à la Turquie. Plus rien ne pouvait lui arriver.

Il était parti de Rimini vers dix-neuf heures et il avait déjà parcouru quarante-trois milles. Il resterait encore une heure à la barre, jusqu'à ce qu'il ait croisé les lignes régulières partant de Venise, puis il enclencherait le pilote automatique et il irait regarder la télévision dans la cabine. Il serait à Trieste vers minuit.

Il était descendu se chercher une bouteille de Dom Pérignon qu'il avait remontée dans un seau à glace avec une coupe et une serviette. Il avait vérifié d'un coup d'œil que le yacht maintenait son cap. Il laissa son regard errer sur la mer. Il aperçut d'autres yachts, peu nombreux, reconnaissables à leurs feux de position. L'un d'eux, qu'il observa un moment, semblait se déplacer parallèlement à sa propre trajectoire. Il fit sauter le bouchon de la bouteille et s'en versa une rasade. Il avait bien mérité un bon cigare. Il se décida pour un havane roulé à la main, cet objet culte des chefs de gouvernement « non alignés ». Il s'assit dans le fauteuil de cuir blanc du pilote, prit une gorgée de champagne et alluma son cigare. Il était de bonne humeur.

Il repensa à l'opération « Aide à la Turquie ». Trois jours auparavant, à Zadar, vieille ville vénitienne sur la côte croate, son fils lui avait dit que le docteur Otto Wolferer, chef de l'EAUI, s'était montré convaincu par les « arguments » de Viktor Drakič. Et Tremani veillerait à ce qu'une partie des marchandises destinées à la Turquie soit remplacée, dans les conteneurs, par celles qui restaient en souffrance à Bari, dont la destination première était le Kosovo. Les efforts consentis au cours des années précédentes commençaient à être payants. La TIMOIC et l'ATW, ses deux sociétés, allaient faire de bonnes affaires, il en était certain. Il avait invité ses partenaires commerciaux pour le mardi suivant à la villa. Wolferer serait là, lui aussi. Après, on le tiendrait. Quant à Tremani, il savait s'y prendre avec lui. Il le connaissait depuis longtemps. Il n'était pas si futé qu'il s'en donnait l'air. Kopfersberg riait tout seul.

Il n'y avait plus qu'à s'occuper d'Olga, elle seule représentait encore un danger, depuis qu'elle avait subtilisé le journal d'Elisa et les photos dans le coffre qu'il avait oublié de fermer. Une seule fois avait suffi. Ce n'étaient pas tellement les dix mille dollars, qu'Olga avait également empochés, qu'il regrettait, ni même le journal. Mais les photos ! Elles lui étaient nécessaires. Olga pensait certainement qu'elle pourrait s'en servir comme moyen de chantage, qu'elles constituaient une sorte de trésor de guerre, donc une protection. Immédiatement après le vol, elle avait menacé d'avertir la police si on ne la laissait pas rentrer chez elle avec son frère. En plus, elle réclamait cent mille dollars. Fallait-il négocier ? Ou que Viktor s'occupe d'elle et de son frère ? Il savait s'y prendre, il avait fait la guerre dans son pays, c'était même un héros. L'affaire serait réglée. Olga n'aurait pas le culot d'aller voir la police. Kopfersberg tira goulûment sur son cigare. La nuit tombait. Ils la forceraient à rendre les documents.

Et Spartaco ? À Zadar, son fils était resté calme. Ils n'avaient parlé que brièvement de sa mère. Bruno l'avait évidemment assuré qu'il comprenait ses doutes, depuis qu'il avait trouvé le journal dans le secrétaire que sa mère avait acheté un jour chez un antiquaire du ghetto. Spartaco se l'était fait envoyer à Vienne et l'avait confié à un restaurateur. Celui-ci avait découvert un tiroir secret que Bruno lui-même ne connaissait pas. Spartaco s'était immédiatement rendu à Trieste pour accuser son père, il était persuadé qu'Eva et Bruno avaient éliminé sa mère. Le conflit s'aggrava encore lorsque Bruno de Kopfersberg se sépara d'Eva pour vivre avec Tatiana. Eva subirait-elle le même sort que sa mère ? Mais tous trois étaient si étroitement liés par les affaires qu'il ne pouvait rien arriver. Spartaco semblait s'être calmé. Cela avait pris du temps.

Le seul problème que Kopfersberg ait dans sa vie, c'était son actuelle compagne. Est-ce qu'il l'aimait ? Non. Elle faisait partie du business et elle n'était pas mal au lit. Quant à parler d'amour ! Avait-il jamais aimé quelqu'un ? Elisa peut-être, ou Eva ? Non. Cela ne faisait que vous rendre vulnérable. Peut-être faudrait-il bientôt se séparer de Tatiana. Et naturellement de son frère. Il n'avait vraiment besoin de personne à ses côtés.

L'autre yacht qui, jusque-là, s'était contenté d'une trajectoire parallèle, obliqua soudain vers le nord sans réduire sa vitesse. Ils se croiseraient fatalement un mille plus loin si aucun des deux ne ralentissait. Kopfersberg jeta un coup d'œil de ce côté, puis remplit à nouveau sa coupe. L'autre devait l'avoir aperçu depuis longtemps et agirait en conséquence, il y comptait bien. Il s'étira, allongea ses jambes et ferma un moment les yeux. Une brise tiède le berçait, il était heureux. Il tira une bouffée de son cigare et plissa les yeux jusqu'à réduire l'horizon à une ligne. Il entendit soudain le moteur de l'autre yacht s'emballer. Kopfersberg supposa qu'il changeait enfin de cap et donnait un coup d'accélérateur pour éviter la collision. Rassuré, il ne bougea pas et vida d'un trait sa coupe de champagne. Il aimait le goût de ce breuvage qui le distinguait de tout autre.

Le vrombissement de l'autre moteur aurait dû s'atténuer. Au contraire, il augmentait, se rapprochait. Bruno de Kopfersberg se leva d'un bond et ouvrit les yeux. Instinctivement, il posa la main droite sur l'accélérateur et la gauche sur le gouvernail pour pouvoir réagir rapidement en cas de problème. Il aperçut alors la silhouette du yacht qui venait sur lui de plus en plus vite. Il n'en voyait pas plus, la nuit était tombée. Au bruit du moteur, on devinait un bateau très rapide. Kopfersberg appuya sur le double accélérateur, ce qui fit valser le seau à champagne. Il obliqua vers bâbord. Le sillage du Feretti blanchit. Il filait maintenant trente nœuds et n'était pourtant qu'à la moitié de sa puissance. Les deux mille quatre cents chevaux du moteur MAN constituaient une réserve considérable. Eux aussi, avec l'accélération, étaient devenus beaucoup plus bruyants.

Cheveux au vent, Kopfersberg voyait l'écart se réduire entre les deux yachts. La proue de l'autre soulevait d'énormes gerbes d'écume. Kopfersberg comprit qu'il ne dévierait pas, qu'il fonçait sur lui. Il accéléra à fond et dut s'accrocher au gouvernail pour ne pas être déséquilibré.

Il n'y avait pas beaucoup de bateaux capables de tenir ce rythme longtemps. Les réservoirs étaient quasiment pleins, songea Kopfersberg. Certes, à ce moment-là, il consommait dans les cinq cents litres de diesel à l'heure, mais avec ce qui restait, il pouvait encore faire quatre fois son trajet de retour. Il jeta un coup d'œil à droite et vit s'éloigner l'autre yacht. Il bloqua le gouvernail et ramassa le seau à champagne. Vraiment dommage pour le Dom Pérignon. Il débloqua le gouvernail et décida de ne pas ralentir tant qu'il ne se sentirait pas en sécurité. Le bruit était assourdissant. Kopfersberg mordait son cigare, la fumée disparaissait derrière lui dans l'obscurité.

Lorsque l'autre eut disparu, il réduisit sa vitesse d'un tiers et le Feretti piqua du nez. Il était revenu à trente-cinq nœuds. Il se rassit, soulagé. S'il s'était retourné, ne serait-ce qu'une fois, s'il avait regardé à seulement deux cents mètres derrière lui, il aurait vu qu'il n'était pas en sécurité. Mais il ne se retourna pas. Il ne pouvait pas entendre le moteur de l'autre, couvert par le sien. L'autre devait le savoir. Au bout d'un moment, Kopfersberg ralentit pour revenir à sa vitesse initiale. Il avait retrouvé son calme. Il se servit une autre coupe de champagne. Il se demandait ce que pouvait signifier ce genre de manœuvre. Il n'avait jamais entendu parler de piraterie dans l'Adriatique, l'idée même était absurde. C'est alors que le téléphone de bord sonna. L'un des écouteurs était situé près du gouvernail. Il décrocha.

« Papa ? »

C'était la voix de Spartaco, déformée par l'écho dû à la transmission par satellite.

« Oui, répondit Kopfersberg, qui prit peur, se demandant pourquoi son fils l'appelait ici et maintenant. Spartaco, c'est toi ?

– Oui, papa. Je viens sur bâbord. »

Kopfersberg se retourna enfin et vit la proue effilée du Corbelli se rapprocher progressivement.

« Qu'est-ce qui se passe ?

– Rien. J'ai simplement envie de parler.

– Qu'est-ce que ça veut dire ? Tout est réglé. Il faut que je rentre.

286

« – Je n'en ai pas pour longtemps. J'arrive. Arrête ton moteur. »

Kopfersberg savait que le Feretti n'avait aucune chance contre le Corbelli de son fils. Il se demanda pourquoi il avait peur. Il stoppa son moteur. Le yacht ralentit brutalement. Spartaco avait dû le suivre depuis Zadar ; sinon, il ne l'aurait pas retrouvé en pleine mer. Il eut, une seconde, l'envie folle de remettre les gaz, mais il ne le fit pas. Il ne fallait pas qu'il laisse voir qu'il avait peur, mais il fallait qu'il puisse se défendre. Il regarda désespérément autour de lui. Spartaco le rattrapa à vitesse réduite, vint à sa hauteur sur bâbord et déroula un filin. Deux mètres, trois au maximum, les séparaient. Spartaco lança adroitement le filin et Kopfersberg le saisit au vol. Puis il sortit les défenses.

« Qu'est-ce qui se passe, Spartaco ? demanda-t-il tandis qu'il attachait le filin.

– Je viens te chercher, papa, répondit Spartaco d'une voix lugubre. Il y a longtemps que j'attends cet instant. » Il avait sauté sur le Feretti et faisait face à son père. « Je vais te faire ce que tu as fait à maman ! »

« Voilà pourquoi j'avais peur », pensa Kopfersberg.

« Ne fais pas de bêtises, Spartaco ! Combien de fois t'ai-je déjà dit que c'était un accident !

– Prouve-le !

– Il n'y a pas de preuve, Spartaco !

– Tu n'es qu'un salaud et un égoïste, c'est ça la preuve ! Quelle importance que tu l'aies fait de tes propres mains ou non ? Ça m'est égal. Maintenant, c'est ton tour. Tu vas payer !

– Spartaco, enfin, j'ai aimé ta mère ! Pourquoi lui aurais-je fait ça ?

– Tu me fais rire. Toi aimer ? Tu te sers des autres et tu appelles ça aimer ! Qu'as-tu fait de moi ? Réponds ! »

287

Spartaco se dressait à trois mètres de son père, les yeux brillants, les pupilles dilatées. Bruno de Kopfersberg s'en aperçut.

« Tu as pris quelque chose, Spartaco ? Assieds-toi et calme-toi ! On va parler. »

Il fit un pas en avant et tendit les bras. Spartaco l'évita.

« Avoue ! cria-t-il.

– Quoi, Spartaco ?

– Tu es un assassin. Tu démolis tous ceux qui t'entourent. Moi, tu n'as fait que te servir de moi, maman c'est pareil, et Eva… et… »

Il s'étrangla.

« De quoi te plains-tu ? Tu n'as pas la belle vie ? Tu as tout ce qu'on peut souhaiter. Spartaco, sois raisonnable ! » Bruno lui tendait toujours les bras. « Arrête ces âneries. Assieds-toi et écoute-moi ! »

Il fit un nouveau pas en avant.

« C'est toi qui vas m'écouter ! hurla Spartaco. Et cesse de me commander ! J'ai mis du temps à comprendre. Je ne suis qu'un instrument entre tes mains. Comme maman ! Tu voulais son argent, rien d'autre. Elle te gênait.

– Spartaco, calme-toi ! Je n'avais pas besoin de l'argent d'Elisa, j'en avais assez moi-même. Nous nous entendions bien. Je l'aimais ! »

Il était encore à un mètre de son fils.

« Qu'as-tu fait de moi ? Qu'est-ce que je sais faire, à part mentir et voler ? Voilà ce que tu m'as appris. J'en ai assez ! Tu n'as jamais supporté qu'on ne fasse pas tes volontés. Tu vas payer ! »

Spartaco criait, sa salive giclait sur la figure et la chemise de son père.

« Spartaco, n'oublie pas que tout ce que j'ai accumulé sera un jour à toi ! »

Kopfersberg s'essuya le visage avec sa manche de chemise. Il s'avança encore d'un petit pas, mais Spartaco esquiva de nouveau. Malgré son immense colère, il était sur ses gardes.

« Je n'ai rien à perdre. Ma vie est foutue. Maintenant, c'est ton tour…

– Mon tour de quoi ? fit Kopfersberg, soudain sarcastique. Tu n'as même pas une arme ! »

Il attrapa son fils par son col de chemise. Spartaco contra habilement d'un uppercut qui expédia son père contre la porte de la cabine.

« Je n'ai pas besoin d'arme. Tu vas crever en mer, comme maman. »

Il avait retrouvé son calme, sa voix était glaciale.

Bruno de Kopfersberg avait enfin compris qu'il était en état d'infériorité. Il regarda autour de lui à la recherche d'une arme. S'il arrivait à s'emparer de la gaffe, il avait une chance. Il entreprit un mouvement tournant. Un filet de sang lui coulait à la commissure des lèvres.

« Ne fais pas de conneries, Spartaco ! » murmura Kopfersberg en s'essuyant la bouche. Il était presque arrivé au pied de l'escalier du pont supérieur. « Personne n'a rien à y gagner !

– Trop tard ! fit Spartaco en se rapprochant. Tu vas crever. À petit feu ! Tu vas souffrir ! »

D'un bond, Kopfersberg fut en haut de l'escalier et décrocha la gaffe. Il se retourna d'un coup et frappa comme l'éclair. Spartaco eut la main gauche déchirée, mais il ne semblait pas ressentir la douleur. De la main droite, il avait réussi à saisir la gaffe. Il tira d'un coup sec. Son père, déséquilibré, dégringola les marches et s'étala sur le pont inférieur. Spartaco s'acharna sur son dos. Kopfersberg sombra dans le noir.

Il revint à lui lorsqu'il plongea dans l'eau. Il avait les mains liées, un nœud coulant métallique lui taillait les poignets. Son dos lui faisait horriblement mal, il avait un orage dans la tête. Il aperçut vaguement le Feretti qui s'éloignait. Il ressentit soudain une énorme traction dans les bras. Il voulut crier, mais il ne put articuler le moindre son. Il se voyait dans le sillage de son propre bateau. Le nœud coulant se resserrait autour de ses poignets. Il fallait attraper le câble. Il y réussit non sans mal. Par une série de tractions, il essaya de se rapprocher du yacht, centimètre par centimètre. Mais le nœud coulant bloquait son sang et ses mains n'avaient aucune force. Au moins, il n'avalait pas d'eau, il pouvait garder la tête au-dessus du niveau de la mer et respirer. Il vit Spartaco lever un verre et lui crier quelque chose qu'il ne comprit pas. Puis son fils jeta à la mer le seau à champagne, la bouteille et la coupe. D'un bond, il sauta dans son propre bateau. Accompagné du vrombissement de son moteur, il disparut dans la nuit en décrivant un large cercle.

Trieste, 22 juillet 1999, à partir de 19 h 15, questure

Claudio Fossa s'étonna de l'appel du questeur. Il avait rarement affaire à lui, trop d'échelons hiérarchiques les séparaient. À la fête de Noël, il le voyait derrière son pupitre, un micro à la main, et il applaudissait, comme tout le monde, quand le chef faisait l'éloge du personnel. Autrefois, son prédécesseur remettait ça pour le nouvel an. Ça avait du style. Mais là comme partout, le temps devenait précieux. Pour ses trente ans de service, le questeur lui avait même serré la main. C'était il y a dix-huit mois. Il était venu à la petite fête que Fossa avait organisée dans son bureau et avait prononcé quelques paroles flatteuses. Mais il était trop tard pour une promotion. Trop de handicaps. Il n'avait pas le bac, il n'avait pas suivi de cours du soir pour compenser ses lacunes scolaires. Il avait toujours été et restait un homme d'expérience. Il n'avait pas peur de se salir les mains, il n'hésitait pas à se rendre sur le terrain, comme il disait. C'est pour cela que ses hommes l'aimaient. Mais l'engagement politique de sa femme freinait également sa carrière, il en était persuadé, et ils se disputaient souvent à ce sujet. Lui aussi aimait l'ordre et la discipline, mais la politique n'était pas son affaire.

Peut-être aurait-il droit à une surprise ? Sinon, pourquoi le questeur l'appellerait-il ? Depuis quand les grands pontes faisaient-il des heures supplémentaires ? Combien de temps serait-il retenu ? On avait besoin de lui ce soir. Le secrétariat était vide, les ordinateurs étaient recouverts de leurs housses, tout était soigneusement rangé. Il frappa timidement à la porte du saint des saints.

Il dut attendre un moment avant qu'on lui réponde. Il n'aurait pas osé frapper une seconde fois. Il ouvrit la porte et entra.

« Inspecteur Fossa, monsieur le questeur ! dit-il en saluant et en claquant les talons.

– Bonsoir, Fossa ! répondit le questeur en se levant pour venir à sa rencontre. Laissons cela ! »

Il lui serra la main et Fossa se détendit.

« Asseyez-vous, inspecteur ! »

Fossa attendit que le chef se soit lui-même assis. Sur la table de réunion, du papier et de quoi écrire.

« Inspecteur, préluda le questeur, en fait, vous êtes de service ce soir.

– Oui.

– Ce n'est pas pour vous annoncer une bonne nouvelle que je vous ai fait venir ce soir.

– Non ? bredouilla Fossa en portant la main à sa joue.

– Non ! Vous êtes toujours de service quand il y a réception à la Via dei Porta. Ce soir encore. Trois ou quatre fois par an. »

Fossa eut une bouffée de chaleur. Il voulut desserrer sa cravate et ouvrir son bouton de col, mais il n'osa pas.

« Chaque fois, il y a eu des plaintes provenant du voisinage, inspecteur, auxquelles la police n'a donné aucune suite. Et chaque fois, c'est vous qui étiez de garde. Qu'avez-vous à répondre ? »

Fossa ne savait plus quoi faire de ses mains. C'était comme si elles étaient devenues des objets étrangers. Il avait la sueur au front, mais les mains froides et le poil hérissé.

« Bien ! Vous passerez toute la soirée avec moi. Nous écouterons les liaisons radio. Je serai à mon bureau. Vous resterez là. Nous écouterons ensemble les messages importants. Nous ne serons pas dérangés par les annonces courantes. Nous sommes sur le canal dix. »

Fossa était en nage. Il savait ce que ça voulait dire. Le canal dix n'était utilisé qu'en cas d'intervention conjointe de plusieurs corps de police, autrement dit contre les forfaits de la criminalité organisée. Le code était complexe et impossible à décrypter, même par les meilleurs spécialistes de l'autre camp. La dernière fois où il avait été utilisé à Trieste devait remonter loin, car Fossa n'en avait pas souvenir.

« Votre remplaçant est déjà à votre poste. Il dirigera l'intervention de ce soir. Un excellent homme ! Comme vous, Fossa ! ajouta-t-il en le regardant fixement. Si vous voulez prendre des notes, vous avez de quoi écrire. Nous parlerons plus tard. »

Le questeur s'était levé.

« Oui, dit Fossa en se raclant la gorge, si je… »

Le questeur hocha la tête.

« Non, Fossa ! Pas maintenant ! Nous parlerons plus tard. »

Il retourna derrière son bureau et se plongea dans un dossier.

Juste avant huit heures, le canal dix commença à s'animer. Plusieurs voitures annoncèrent leur arrivée Via dei Porta. Le quartier fut bientôt bloqué, sauf la petite rue elle-même. Il devait y avoir quelque part un homme qui transmettait ses observations sans se faire remarquer. Du parc Engelmann ou peut-être de chez des voisins.

Fossa se sentait mal. La sueur faisait de grandes taches grises sur sa chemise blanche. Il restait tête baissée, fixant la table, comme abruti. De temps à autre, il levait les yeux vers le questeur, mais celui-ci continuait de feuilleter son dossier comme si de rien n'était.

Puis les annonces devinrent plus fréquentes. On vérifiait les plaques d'immatriculation italiennes. La voiture de Cardotta était là, le politicien, et celle du président de l'Union des Compagnies de navigation. Il y avait même un véhicule de service des autorités portuaires, qui dépendait donc d'Orlando, responsable du nouveau port. On entendit nettement Ettore prendre sa respiration et proférer : « Laurenti, celui-là, tu me le laisses ! » Mais les voitures, pour la plupart, portaient des plaques étrangères et il était impossible de les identifier sur-le-champ.

C'est la voix de Laurenti qui revenait le plus souvent. Il parlait bas, bien qu'il ne puisse être entendu que par ses collègues. Il interrogeait à tour de rôle les différentes positions. Tout le monde était là, la police nationale, les carabiniers et la brigade financière. Eux aussi évitaient d'élever la voix, mais leurs réponses étaient parfaitement audibles. Ils avaient posté deux voitures Via Rossetti, les autres attendaient deux rues plus loin. Le jour baissait petit à petit et, par rapport à la canicule de l'après-midi, l'air devenait plus doux. Les ombres s'allongeaient.

Laurenti et Sgubin, celui-ci en civil pour cette fois, comme son chef le lui avait demandé, avaient trouvé une cachette idéale sur un terrain qui faisait face à la villa. Dans le hall d'entrée, Eva Zurbano et Viktor Drakič accueillaient les invités. Eva était très élégante. Elle portait un collier en or, un bracelet serti de diamants au poignet droit et, à l'annulaire gauche, un gros caillou qui brillait de mille feux dans la lumière du soir.

Viktor Drakič avait revêtu un costume Armani, couleur sable, qui tombait à la perfection. Il accompagnait certains invités jusque sur la terrasse de la villa, où Spartaco de Kopfersberg prenait le relais. À d'autres, il se contentait d'indiquer le chemin d'un geste vague.

Tremani et son double, Pasquale Esposito, arrivèrent dans l'une des deux Mercedes noires qui appartenaient à la villa. Ils avaient brièvement salué Eva Zurbano et Viktor Drakič et avaient gagné la terrasse sans être accompagnés. Tremani tapa sur l'épaule de Spartaco de Kopfersberg, puis disparut derrière la villa, où les autres invités tenaient déjà leur première coupe de champagne à la main.

Laurenti et Sgubin étaient assez près pour tout entendre et donner, par radio, le nom des arrivants qu'ils reconnaissaient, mais ils étaient assez loin pour ne pas être découverts.

« C'est parti ! La fête commence ! Tenez-vous prêts ! »

Lorsque le questeur, qui n'avait pas bougé jusque-là, reconnut la voix de Laurenti, il leva le nez de ses dossiers. Fossa, qui cuisait dans son jus, le regard éteint, et se contentait de griffonner quelques notes de temps en temps, leva, lui aussi, les yeux.

« Dans la gueule du loup ! dit le questeur en s'emparant du micro.

– Qui c'est ? demanda quelqu'un, répercuté par le haut-parleur.

– Le chef, imbécile !

– Mort au loup ! Merci, monsieur le questeur. On y va ! »

Il était plus de vingt et une heures. Depuis une demi-heure, plus personne n'était arrivé. Mais le docteur Otto Wolferer, l'« invité d'honneur », manquait encore. Laurenti poussa un juron.

« Est-ce que quelqu'un sait où est Wolferer ? » lança-t-il dans son micro.

Silence.

Laurenti répéta la question.

Toujours pas de réponse.

« Je vous demande si quelqu'un a vu Wolferer ! Répondez ! »

Rien.

« Sgubin, qui planque devant le Savoya Palace ?

– Personne, pour autant que je sache.

– Zut ! Comment ça se fait ?

– Ils sont tous ici. Tu les as rappelés.

– Nom d'un chien, il nous faut un homme en civil qui aille immédiatement au Savoya voir si Wolferer y est encore. Qui est au plus près ?

– Nous, dit le questeur.

– Qui ?

– Nous, Laurenti. Ici le questeur !

– Vous ?

– Oui, moi, Laurenti. C'est au coin de la rue. J'y suis dans cinq minutes.

– Je croyais que vous étiez avec… commença Laurenti, mais il se mordit la langue.

– On vous rappelle », dit le questeur avant de couper la communication.

Le questeur s'était levé après avoir éteint son poste. Il avait pris sa veste et allumé la radio portable. Un grésillement lui avait répondu.

« Allons-y ! » dit-il à Fossa.

Celui-ci perdit son air sombre et torturé ; le questeur lui avait enfin adressé la parole.

« Moi aussi ?

– Naturellement, et tout de suite. Il faut trouver Wolferer. »

Fossa ne savait pas qui était ce Wolferer, mais il était content d'avoir enfin quelque chose à faire. Rester assis pendant des heures lui semblait être une torture.

« Mais je ne suis pas en civil, remarqua-t-il.

– Laissez la veste et le képi, on pensera que vous êtes de la marine. »

Il n'y avait pas loin de la questure à l'hôtel Savoya, cette vieille bâtisse sur les *Rive*, en face de la gare maritime. Ils avaient traversé rapidement le ghetto, entre les grilles baissées des magasins d'antiquités, franchi en diagonale la Piazza dell'Unità d'Italia, aux accents assourdissants d'un orchestre de rock, comme il en jouait pratiquement tous les soirs en saison. À l'accueil de l'hôtel, on connaissait le questeur, qui y venait tous les quinze jours pour les réunions du Lions Club.

« Bonsoir, monsieur le questeur ! dit le concierge.

– Bonsoir, Franz ! Pouvez-vous regarder, s'il vous plaît, si le docteur Otto Wolferer est encore dans sa chambre ?

– Oui, il y est encore, répondit l'homme après un bref regard derrière lui. Dois-je l'appeler ? »

Non sans obséquiosité, l'homme avait décroché le téléphone. Le questeur retint son bras.

« Surtout pas. Dites-nous seulement le numéro de sa chambre.

– 516 et 517, c'est une suite.

– Franz, dit le questeur en regardant son interlocuteur dans les yeux, Wolferer ne doit rien savoir. Est-ce clair ? S'il a vent de notre présence ici, votre dernière heure a sonné ! Compris ?

– Certainement, monsieur le questeur ! Vous pouvez me faire confiance.

– Avez-vous un double de la clé ?

– Oui, mais…

297

– Pas de mais. Donnez ! »

Le concierge disparut dans une cage de verre qui lui servait de bureau et ouvrit un tiroir. Il revint avec un passe-partout.

« Quel étage ?

– Cinquième.

– Balcon ?

– Toutes les chambres qui donnent sur la mer ont un balcon.

– Les chambres contiguës sont-elles libres ?

– Désolé, non.

– Au-dessus ou en dessous ?

– Au-dessus, oui.

– La clé l'ouvrira ?

– Naturellement !

– Venez, Fossa ! »

La réception

De la musique et des rires leur parvenaient du jardin. La fermeture électrique du portail se mit à zonzonner. Viktor Drakič n'était plus en vue. Eva Zurbano regardait les deux battants se mettre en branle tout doucement.

« Le piège se referme », murmura Laurenti.

Il regarda Sgubin. Sgubin le regarda. Laurenti fit, de la tête, un geste sans ambiguïté.

« Je veux y entrer, moi aussi !

– Mais la Zurbano ?

– Il faut prendre le risque. »

Ils traversèrent la rue, pliés en deux.

Le portail s'était déjà à moitié refermé lorsque Eva Zurbano tourna les talons. Laurenti démarra le premier et se glissa à l'intérieur. Sgubin le suivit. Il se cogna l'épaule dans un battant du portail. À deux mètres de

298

l'entrée, ils se jetèrent dans les buissons et restèrent immobiles. Sgubin se massait l'épaule. Eva Zurbano s'arrêta. Elle avait entendu un bruit. Elle se retourna et vit que le portail se fermait définitivement. Rassurée, elle poursuivit son chemin.

« Qu'est-ce que tu as ? demanda Laurenti à Sgubin.

– Rien. Ça va passer ! »

Les dernières lueurs du jour s'effaçaient dans le cré-puscule. L'obscurité se faisait de plus en plus épaisse.

« On a des nouvelles de Kopferer ? demanda Lau-renti par radio.

– Il est dans sa chambre, répondit la voix du ques-teur. On en saura plus dans quelques instants.

– Non, s'il vous plaît, n'entrez pas ! Peut-être a-t-il tout simplement l'intention de venir plus tard.

– Ce n'était pas notre intention, Laurenti. Fossa va passer par le balcon. Il n'y en a pas pour longtemps. »

Laurenti était horrifié, le questeur faisait intervenir Fossa !

« Je voudrais bien savoir ce que ça signifie, souffla-t-il à Sgubin.

– Aucune idée, chef. Bizarre !

– Mais sans Wolferer, tout ça n'a aucun sens ! Il nous le faut. Prions pour qu'il vienne ! »

Spartaco de Kopfersberg, en haut des marches qui menaient à l'intérieur de la villa, avait fait tinter deux verres pour réclamer le silence.

« Chers amis ! Soyez tous, et de tout cœur, les bien-venus ! C'est pour nous, aujourd'hui, une joie toute particulière de vous savoir ici. Vous tous avez contri-bué à ce que la TIMOIC puisse prendre en charge, aussi rapidement que possible et dans l'intérêt des populations qui souffrent, l'aide humanitaire aux vic-times du tremblement de terre qui a secoué la Turquie. Soyez-en sincèrement remerciés. Mon père l'aurait fait lui-même si, comme je l'ai déjà dit à certains d'entre vous, il n'avait péri dans un tragique accident. Je suis certain qu'il aurait été fier de pouvoir exprimer personnellement, à chacun d'entre vous ici présents, sa reconnaissance pour votre précieuse collaboration. Mais ce n'est pas un jour de deuil, chers amis. Vous êtes ici pour prendre du plaisir et vous détendre. Pour la plupart d'entre vous, cette invitation n'est pas la première. Vous savez donc que tout sera fait pour combler le moindre de vos désirs. C'est en ce sens que je vous souhaite une agréable soirée ! Merci ! »

« Pas un tendre, le jeune homme ! » chuchota Laurenti. Sgubin approuva d'une grimace adéquate. Ils s'étaient glissés le long du mur pour trouver une cachette, entre une tonnelle et un massif de laurier-rose dont les fleurs s'étaient à demi refermées pour la nuit, qui leur offrait un excellent point de vue sur l'assistance. Laurenti avait rappelé les hommes, poste par poste, pour les faire patienter. Certains commençaient à renâcler dans leurs voitures. Ça n'était pas très confortable de rester si longtemps sans bouger. Il ne fallait pas se faire remarquer, compromettre toute la mission pour une broutille. Mais toutes les voitures n'avaient pas la climatisation. La chaleur du jour s'était pour ainsi dire ancrée dans l'asphalte et les façades de pierre. L'atmosphère était encore lourde, il n'y avait pas le moindre souffle d'air. La fraîcheur n'était pas venue avec la nuit. Mais la chaleur était aussi une alliée. Un soir comme celui-là, personne, ou presque, ne restait volontairement à la maison. On était encore au bord de la mer ou bien là-haut sur le karst, pour dîner dans une *osmizza*, l'une de ces auberges rustiques où, à la fraîche, on pouvait admirer un soleil rouge sang qui se couchait derrière Grado. La circulation était fluide ; seuls quelques passants observaient avec curiosité les voitures de service.

Eva Zurbano quitta la réception dès vingt-deux heures. Laurenti et Sgubin la virent descendre vers l'entrée, son sac dans une main, ses clés de voiture dans l'autre, une écharpe de soie sur les épaules. Elle actionna l'ouverture du portail et Laurenti eut tout juste le temps de prévenir les collègues à l'extérieur.

« Sgubin, regarde bien où est le bouton », lui avait-il soufflé.

Dehors, on les avertit que la Zurbano, après avoir attendu que le portail se referme, était descendue à pied jusqu'à la Via Rossetti et qu'elle était montée dans un cabriolet BMW blanc. Un véhicule banalisé la suivit.

Laurenti et Sgubin avaient trouvé une autre cachette d'où ils avaient une meilleure vue d'ensemble. Cinq garçons s'occupaient du service, ils étaient reconnaissables à leur tenue. Trois d'entre eux avaient manifestement pour consigne de faire en sorte qu'aucun verre ne reste vide. Les invités étaient exclusivement des hommes. À proximité du buffet, où servaient deux garçons en livrée, Tatiana Drakič était en grande conversation avec le président de l'Union des compagnies de navigation. Il avait deux têtes de plus qu'elle et lorgnait dans son décolleté. Elle gloussait en lui posant la main sur le plastron. Quant à lui, il la prenait par le bras ou par la taille. Elle se collait à lui de tout son corps, lui susurrait un mot à l'oreille et tous deux s'esclaffaient. Puis ils reprenaient le fil d'une conversation animée. Un beau couple.

« Une robe placebo, dit Laurenti.
– Quoi ?
– Rien. J'ai entendu ça quelque part ! »

L'homme devait être suffisamment important pour que la maîtresse de maison s'occupe de lui personnellement.

Laurenti avait soif. Il aurait bien bu une coupe de champagne bien frais, soupira-t-il à l'oreille de Sgubin.

« Je préférerais une bonne bière, répondit celui-ci. Mais qu'est-ce que c'est que cette horrible musique ?

– Du tango, Sgubin. Mais tu as raison, ça ne va pas ensemble.

– C'est surtout trop fort. Et sans arrêt. Affreux ! »

Dominant la musique, des rires en cascade et des cris perçants leur parvinrent.

« Il y a une fille pour chacun de ces messieurs, chef ! Elles n'ont pas grand-chose sur le dos, pour la plupart.

– Pas vrai !

– Elles sont rudement jolies, toutes ! Tu crois qu'elles sont d'ici ?

– Je ne pense pas, mais on va bientôt le savoir. Si seulement ce damné questeur nous rappelait !

– Je ne crois pas qu'elles soient d'ici, chef.

– Écoute, Sgubin, il y a aussi de belles filles à Trieste !

– Ta fille, par exemple.

– Attention, Sgubin, ma fille n'est pas une pute.

– Excuse-moi, ce n'est pas ce que je voulais dire ! Mais il y en a deux qui étaient déjà à la villa la première fois que j'y suis venu.

– Et alors ?

– Rien. Je te le signale, c'est tout. »

On buvait sec et, la chaleur aidant, les seigneurs de la création commencèrent à s'exciter. Au bord de la piscine, un homme, le poitrail à l'air, s'affairait à déboutonner la robe d'une fille et à lui découvrir les épaules. Peu après, elle se retrouva en tenue d'Ève et entreprit de défaire la ceinture de son partenaire. Celui-ci, qui portait un caleçon à rayures rouges et blanches, la poussa dans l'eau et sauta à sa suite. Ils riaient aux éclats et s'aspergeaient comme des gosses. Deux autres couples les imitèrent. Le collègue d'Ettore Orlando semblait, lui aussi, bien occupé. Il venait de disparaître à l'intérieur en bonne compagnie.

Sgubin était fasciné par le spectacle qui s'offrait à lui.

« Regarde, chef ! » Il s'était redressé et tendait le bras vers la villa. Laurenti le plaqua au sol. « Rien que ça ! Tu as vu, Cardotta exhibe son ventre ! »

En effet, le politicien apparut presque nu avec une beauté qui l'était complètement. Elle était beaucoup plus grande que lui, il la tenait par les hanches, elle par le cou. Il avait le nez entre ses seins quand il lui parlait. Cardotta montra du doigt un point du jardin qui ne devait pas se trouver loin de l'endroit où se tenaient les deux policiers et y entraîna son Aphrodite. Leurs deux silhouettes se découpaient clairement sur la pelouse.

« Ils viennent par ici ! dit tout bas Sgubin.

– Je le vois bien !

– Je crois qu'ils cherchent la tonnelle.

– Quelle tonnelle ?

– Derrière nous. »

Cardotta et sa compagne étaient déjà trop près pour que Laurenti et Sgubin puissent déménager. Le politicien ne riait plus, il trottait derrière sa déesse en lui tenant les seins de ses deux mains.

« Oui, viens. Avance ! » répétait-il d'une voix rauque en la poussant devant lui.

« Fais-toi tout petit, Sgubin, et arrête de respirer ! » murmura Laurenti.

Ils s'aplatirent dans l'herbe, le visage entre les mains. Laurenti jeta un coup d'œil oblique et vit l'étrange couple passer à moins de trois pas. Mais ils étaient trop occupés pour remarquer quoi que ce soit. Une main de la dame s'était égarée dans le slip de Cardotta et celui-ci grognait de plaisir en la suivant comme un petit chien. Puis ils disparurent sous la tonnelle.

« Sauve qui peut, dit Laurenti, qui avait repéré un autre buisson derrière lequel ils s'accroupirent.

– Je n'aurais jamais cru, soupira Sgubin au bout d'un moment, que des "mossieurs" comme Cardotta puissent se comporter ainsi en public.

– Pour être franc, Sgubin, moi non plus ! Mais il n'est pas le seul. Regarde là-bas ! »

Tatiana Drakič était en train d'aider le président de l'Union des compagnies de navigation, qui avait manifestement trop chaud, à retirer son pantalon. Il était affalé sur une chaise longue, on voyait sa tête et sa poitrine, la suite était cachée par le rebord de la piscine, réapparaissaient ensuite ses mollets qu'il tendait vers Tatiana. Des pièces de monnaie tombèrent d'une de ses poches. Il fit signe en riant que ça n'avait pas d'importance. La tête de Tatiana disparut derrière le rebord de la piscine.

« Le vice rencontre le vice, dit Sgubin en s'essuyant le front.

– Mais où est Tremani ? reprit Laurenti pour le ramener sur terre. Et son gorille ?

– C'est ce que je me demande. Ils doivent être à l'intérieur.

– Hum ! En tout cas, ils ne sont pas ressortis.

– Laurenti ? fit la voix du questeur.

– Oui ?

– Wolferer est en route.

– Qu'est-ce qu'il faisait ?

– Il arrive, Laurenti. Il sera là dans quelques minutes.

– Il était à l'hôtel ?

– Oui ! »

Laurenti s'étonnait des réponses laconiques du questeur.

« Tout va bien ?

– À plus tard ! Dans dix minutes, je suis de retour au bureau.

– Mais Wolferer n'est au courant de rien ?

– Ne vous inquiétez pas, Laurenti ! »

Laurenti avait redit aux hommes postés dehors de se tenir tranquilles, afin de ne pas être vus si Wolferer se décidait enfin à arriver.

« C'est parti ! » murmura-t-il.

Peu après, un taxi s'arrêta Via dei Porta. Wolferer était accompagné de deux jeunes femmes habillées comme leurs collègues avant la séance de plongeons. Elles avaient sonné et attendu un moment que Drakič leur ouvre. Lorsque le portail fut refermé, Drakič fit un signe aux filles qui disparurent à l'intérieur de la villa. Il tenait apparemment à conduire lui-même Wolferer jusqu'au buffet. À la lumière, on voyait bien que celui-ci était très détendu, peut-être même quelque peu atone. Il avala ses deux premiers verres d'un trait. Puis il se fit servir une assiettée de queues de langouste. Drakič ne le quittait pas d'une semelle, Kopfersberg junior s'était joint à eux. Ils se portaient mutuellement des toasts en souriant jusqu'aux oreilles. Drakič s'éclipsa un instant. Lorsqu'il revint, affichant son sourire arrogant, il leva son verre en direction de Wolferer, puis de Spartaco.

« Je suis certain que notre collaboration est appelée à se développer, docteur Wolferer, dit-il en prenant ce dernier ostensiblement par l'épaule. Je suis heureux de vous recevoir ici. C'est la preuve que nous pouvons envisager bien d'autres affaires aussi lucratives.

– Nous verrons, monsieur Drakič, répondit Wolferer, l'air sceptique.

– Bien sûr que nous verrons, mon ami ! »

Laurenti lança l'ordre par radio.

« C'est le moment ! Allez-y ! Sgubin, ouvre le portail ! Et rapporte le mégaphone ! »

Par la radio, il entendit claquer les portes de voiture. Suivirent quelques ordres brefs, difficilement compréhensibles à distance.

23 h 20

Rien ne se déroula comme prévu. Les carabiniers s'étaient chargés de l'entrée et de la Via Rossetti. La police judiciaire et la brigade financière devaient se rendre maîtresses de la villa. Les hommes qui surveillaient l'entrée portaient des gilets pare-balles. Ils s'étaient postés dans un angle mort par rapport à la caméra de surveillance. Sgubin ne trouvait plus le bouton qui actionnait le portail. Pour couper court, quatre hommes masqués escaladèrent le mur d'enceinte pour sauter dans le jardin. Alors seulement, le portail s'ouvrit. Laurenti, qui se fiait à Sgubin, avait quitté sa cachette et s'avançait à découvert comme un simple badaud. Personne ne le remarquait.

Sgubin surgit alors, avec le mégaphone, derrière les hommes armés. Il courut jusqu'à Laurenti qui bouillait, parce qu'il trouvait que ça n'allait pas assez vite. Et, pour fermer la marche, Decantro, le journaliste, fit son entrée.

Entre cinquante et soixante têtes se tournèrent vers Laurenti dès qu'il ouvrit la bouche. Le silence se fit d'un seul coup. Les baigneurs sortirent de la piscine, dégoulinants et nus face à la police. Quelqu'un arrêta la musique. Des projecteurs illuminèrent soudain la terrasse. Deux hommes prirent position derrière Laurenti, pistolet-mitrailleur au poing.

« Police nationale ! Restez où vous êtes. L'immeuble est cerné. Toute tentative de fuite est vouée à l'échec. Toute résistance est inutile. C'est la police qui vous parle. »

Un mouvement courut cependant à travers le groupe, moins par velléité d'opposition que par embarras, voire panique.

Laurenti pria hommes et femmes de se regrouper séparément, ce qui fut fait, non sans murmures. Le groupe masculin rappelait à Laurenti une bande d'adolescents contrits qu'un jour ils avaient surpris en train de prendre un bain de minuit dans une piscine fermée. Deux individus couvraient leur sexe de leurs mains et jetaient des regards désespérés vers leurs vêtements, mais ils n'osaient pas bouger. Le président de l'Union des compagnies de navigation s'escrimait, en vain, à tirer son pantalon sur ses fesses mouillées et, à force de sautiller sur une jambe, il finit par s'étaler de tout son long. Laurenti ne put retenir un petit rire sarcastique. C'était trop drôle, tout ce gratin, devant lui, en caleçon (ou même sans).

Les filles se serraient les unes contre les autres. Elles avaient enfilé la première chose qui leur tombait sous la main. Les hommes armés les dévoraient des yeux.

Tatiana Drakič avait, en un clin d'œil, remis sa robe décolletée, elle s'était frayé un passage parmi ses invités et était venue se planter devant Laurenti. Elle tremblait de tout son corps. Laurenti la regardait d'un œil ironique, tandis qu'elle fulminait.

« Qu'est-ce qui vous prend ? Vous troublez une soirée privée ! »

Son numéro fit sourire Laurenti.

« Je m'en doute. Belle soirée, en effet, Signora ! Public choisi. Compliments ! Voici mon ordre de perquisition », dit-il d'un ton indifférent. La belle dame ne daigna pas s'y intéresser.

Laurenti fit un signe à une policière qui, en moins de temps qu'il n'en faut pour le dire, passa les menottes aux poignets de Tatiana. Celle-ci voulut dire quelque chose, mais Laurenti avait déjà signifié qu'on l'embarque.

« Fils de pute ! » lui lança-t-elle et, au passage, elle lui cracha au visage. Laurenti resta imperturbable et s'essuya d'un revers de manche. Il essayait de distinguer, dans l'assistance, Tremani, Kopfersberg junior et Viktor Drakič. Où diable pouvaient-ils bien être ? Il n'aperçut que Decantro qui lui fit un petit signe et se dirigea vers la sortie.

Tout à coup, Emilio Cardotta, vêtu d'un slip blanc qui, en aucun cas, ne pouvait être le sien, s'avança vers Laurenti, main tendue, comme s'il portait smoking et nœud papillon.

« Bonsoir, commissaire ! Belle intervention ! Félicitations ! Mais à quoi bon ? Soit, vous me raconterez tout cela demain. J'allais partir, alors appelez-moi, Laurenti. »

Il lui donna une petite tape sur l'épaule et fit mine de partir. Laurenti n'avait l'intention ni de le saluer, ni de le laisser filer.

« Désolé, docteur. Pour l'instant, personne ne sort ! Vous non plus ! »

Sur un signe de Laurenti, deux policiers lui barrèrent le chemin.

Le politicien s'étrangla pour de bon. Il marmonna quelques paroles incompréhensibles et regarda sa montre. Il avait pâli.

« Et combien de temps tout cela va-t-il durer ?

– Jusqu'à ce que nous en ayons terminé, docteur. Entre nous, vous ne devriez pas vous montrer dans la rue dans cette tenue. Vous êtes connu. Vous vous rendez compte… Au fait, vous avez vu Kopfersberg ? Et Drakič ?

– Ils sont montés quand vous êtes arrivé. »

Puis, comme s'il s'était ravisé, il pointa du doigt un coin sombre au fond du jardin. Trois hommes en uniforme y coururent. Le silence était tel que Laurenti n'avait plus besoin de mégaphone.

« Où est Tremani ? » claironna-t-il.

Personne ne répondit.

« Vincenzo Tremani de Lecce. Et Pasquale Esposito ? Quelqu'un les a vus ? »

Silence.

« Bon, on les trouvera bien. Préparez vos papiers. Moins vous ferez de difficultés, plus vite ce sera terminé. Les messieurs peuvent enfiler leur pantalon. »

Ce serait une longue nuit. Le buffet abandonné faisait subitement peine à voir. Les cinq garçons et le chef de cuisine s'étaient regroupés derrière, ils ne se sentaient pas concernés. Aucun d'entre eux n'aurait pensé que la soirée allait être aussi excitante.

L'un des policiers qui étaient partis à la recherche de Spartaco de Kopfersberg et de Viktor Drakič revint glisser un mot à l'oreille de Laurenti.

« Putain ! »

Il entendit alors la voix du questeur.

« Qu'est-ce qui se passe, Laurenti ? »

Mais au lieu de répondre, Laurenti continuait de pousser des jurons. Et pour la seconde fois de la journée, il eut envie d'une cigarette.

Personne n'avait eu l'idée d'aller jeter un coup d'œil de l'autre côté de la propriété. On s'était mis en tête qu'il n'y avait qu'une entrée, pas d'autre sortie, et que le mur faisait le tour du terrain. Lorsque, l'après-midi, ils avaient travaillé sur plan, ils n'avaient trouvé aucune autre indication. Personne n'était allé vérifier sur place. C'eût été le travail du chef des patrouilles, mais il était au sec chez le questeur.

« Qu'est-ce qui se passe ? répéta le questeur.

– Plus tard ! Une merde ! Une bavure ! »

Il coupa la radio et donna l'ordre de prévenir la police maritime et la capitainerie : ni à pied, ni à la nage, ni en voiture, ni en bateau, ni par avion, les deux voyous ne devaient pouvoir quitter la ville.

Viktor Drakič avait repéré Laurenti dès que celui-ci avait quitté sa cachette. Il avait fait un signe à l'intention de Spartaco et tous deux avaient planté là, en plein milieu d'une phrase, leur invité d'honneur venu exprès de Vienne. Ils avaient disparu illico. Tatiana n'était pas en vue et ils n'avaient pas le temps d'aller la chercher. Drakič trouverait plus tard un moyen de venir en aide à sa sœur. Il la tirerait de là. L'après-midi, Spartaco et lui avaient passé en revue tous les dangers qui pouvaient les menacer à Trieste. Du côté de Tremani, d'Eva Zurbano ou de la police. Spartaco avait insisté sur ce dernier point. Tout le portrait de son père sous ce rapport.

À tout hasard, Drakič avait garé une voiture dans la Via Redi. Par une porte secrète pratiquée dans le mur que Kopfersberg père avait, un jour, sans autorisation, fait percer, les deux hommes purent quitter discrètement la propriété.

La Mercedes noire avait dévalé la Via Redi et traversé, sans freiner, la Via Rossetti. Ils avaient éraflé une Fiat rouge à l'arrière, tandis que deux autres voitures ne purent éviter l'accident qu'en pilant brutalement ; la seconde emboutit la première, bloquant l'Alfa Romeo des carabiniers postés à ce carrefour. Ceux-ci passèrent le message par radio : ils étaient obligés d'abandonner la poursuite, d'autres devaient prendre le relais.

La Mercedes imprima une longue trace de freinage sur le môle et renversa, en bout de course, une poubelle avec fracas. Spartaco de Kopfersberg et Viktor Drakič sautèrent la barrière fermant, de nuit, l'accès aux pontons. Avec le Corbelli, ils devaient s'en tirer. Ils seraient très rapidement hors des eaux territoriales italiennes, aucune vedette des gardes-côtes ou de la police maritime ne pourrait les en empêcher. Un bateau seul n'avait de toute façon aucune chance. Et sur une mer d'encre, personne ne les retrouverait.

Le Corbelli fut prestement détaché. Les quatre moteurs ronflèrent, crachants et sifflants, à la première pression sur le démarreur. Quelques secondes plus tard, ils étaient libres. Spartaco sortit de la zone de mouillage tous feux éteints. Sur la terrasse du yachtclub, on les regarda passer, surpris par le vacarme. Le Corbelli atteignit la sortie du bassin. Kopfersberg mit les gaz à fond. Les moteurs poussèrent un rugissement. Viktor Drakič perdit l'équilibre et alla valser, douloureusement, à l'arrière du bateau. Il s'agrippa à une poignée et tenta de se redresser en jurant comme un charretier. Un projecteur braqué par les garde-côtes ne fit que les effleurer alors qu'ils étaient déjà loin. Le Corbelli filait à soixante-dix nœuds, la mer était calme. Un bateau quitta le môle des gardes-côtes, et l'on vit briller les lumières bleues de deux autres, de la police maritime du vieux port. Trop tard !

Viktor Drakič s'était hissé à la force des bras jusqu'au cockpit et se tenait de nouveau au côté de Spartaco. Il regardait fixement dans l'obscurité, où il repéra les feux sautillants de deux cargos à l'ancre. Les coques se distinguaient à peine de la mer et du ciel.

Spartaco vira sur bâbord et Drakič s'agrippa de son mieux. Le contact des vagues, même faibles, se ressentait durement. Drakič essayait, avec sa jambe droite, de compenser la force centrifuge. Peu après Muggia, ils atteignirent les eaux territoriales slovènes. C'était l'objectif de Kopfersberg. Il se dirigerait ensuite vers le large et passerait la frontière croate. Ils seraient alors en zone internationale.

Le bruit des moteurs était maintenant régulier. Cheveux au vent, le jeune Kopfersberg prenait une pose de triomphateur. Il ne faisait que s'appuyer légèrement au siège du pilote. Il jeta un coup d'œil du côté de Drakič et se retint de ricaner. Son compagnon avait un masque tragique.

« C'est gagné ! cria fièrement Spartaco pour dominer le tonnerre des moteurs, le Corbelli est imbattable !

– Fais attention, Spartaco, cria Drakič en retour, on n'y voit rien. Tu n'as pas d'éclairage ?

– Tu veux qu'on se fasse repérer ? La voie est libre ! »

Sur bâbord, les lumières de Muggia éclairaient la baie. Ils aperçurent soudain les contours d'un cargo jusque-là caché à leur vue. Il était terriblement proche, le pont en pleine lumière. Kopfersberg dut changer de cap brutalement et vira au plus près sur bâbord.

Il était déjà trop tard lorsqu'ils virent subitement se profiler, telle une ombre sur la mer, la digue avancée qui protège des tempêtes la baie de Muggia et le nouveau port de Trieste. Lorsqu'il aperçut les feux de position, Kopfersberg renversa à nouveau le gouvernail, vers tribord cette fois, pour revenir immédiatement en position initiale. Mais la vitesse était trop grande, ils fonçaient droit sur la digue. Drakič se cramponnait à l'une des poignées à s'en faire craquer les jointures. Mais l'impact d'une vague le jeta par-dessus bord.

Le choc fut bref et sourd. Un éclair aveuglant jaillit et, depuis les vedettes de police qui se rendirent alors sur les lieux, on eut l'impression que c'étaient les pierres noires de la digue qui brûlaient. À un certain endroit, les flammes étaient plus claires.

Trieste, 23 juillet 1999

Questure, 8 heures

« À qui devons-nous cette photo ? »

Sans un mot, le questeur avait attendu que les chefs des différents corps de police soient rassemblés. Il avait commencé, sans les saluer, par jeter le *Piccolo* sur la table de réunion.

En fait, la conférence se poursuivait depuis la nuit précédente. Laurenti n'avait pas beaucoup dormi. Ses collègues aussi avaient l'air fatigué. Ils avaient interrompu les interrogatoires vers trois heures du matin. Ils devaient maintenant confronter leurs résultats avant de s'y remettre.

« Qui d'entre vous a informé la presse ? »

Le questeur était rouge de colère. Ses mains tremblaient.

« Il était entendu que l'opération resterait secrète ! Alors ? »

Silence général. Tout le monde regardait ailleurs. Sauf Laurenti qui n'avait pas envie de se laisser traiter comme un petit garçon. Il avait acheté le journal au kiosque dès sept heures et l'avait immédiatement ouvert. Il était rentré à la maison en sifflotant si gaiement que Laura lui avait lancé un œil noir en lui enjoignant de faire moins de bruit, car les enfants dormaient encore. Laurenti s'était contenté de répondre par un sourire espiègle. Il serait décidément de bonne humeur. Il avait laissé le journal sur la table, avait embrassé furtivement Laura et il était parti au bureau.

C'était la dernière œuvre de Decantro à Trieste et c'était dans le *Piccolo*. « Corruption à grande échelle », annonçait la manchette. Puis « Soupçons sur des personnalités de la ville surprises dans un repaire de prostituées étrangères ». Une photo spectaculaire illustrait l'article : Cardotta dans ce slip blanc trop court qui ne lui appartenait pas face à Laurenti et une haie d'hommes en uniforme. Laurenti s'était tapé sur les cuisses. L'article était moins polémique qu'on aurait pu le craindre de la part de Decantro. Il décrivait objectivement l'intervention et la suspicion qu'elle avait fait naître. Cela lui donnait plus de poids. C'était sûrement Rossana di Matteo qui l'avait rédigé. Vu l'importance de l'affaire, elle n'avait pas pu ne pas être consultée. Mais le dernier couplet était du pur Decantro : « Cette opération mettra-t-elle un terme à la prostitution qui sévit à Trieste ? On peut en douter ! Toujours est-il qu'elle lui aura porté un coup sévère. »

« Je trouve que l'article n'est pas si mal, dit Laurenti d'un ton enjoué qui tranchait sur le silence ambiant, même s'il est de Decantro ! »

Le questeur explosa avant que Laurenti n'eût refermé la bouche.

« Vous êtes fou ? C'est une catastrophe, Laurenti ! Je sais bien que l'information ne peut pas venir de vous, étant donné l'état de vos rapports avec Decantro. Mais qu'est-ce que ça va produire comme effet ? Un ouragan sur la ville, une tornade à l'extérieur ! Pensez à l'aide à la Turquie. Ça recommence ! On avait à peine oublié l'affaire du Kosovo.

– Je vous l'avais bien dit, intervint le colonel des carabiniers, menton en avant, prêt à mordre. Rappelez-vous !

314

– Taisez-vous ! hurla le questeur. Le préfet a déjà appelé avant sept heures, le maire tout de suite après. Les présidents de tous les partis, etc. On va avoir sur le dos les télés nationales et internationales. Imaginez ce qui va se passer avec Cardotta. Il n'a peut-être rien à voir dans l'affaire, il est peut-être innocent. Alors, messieurs, tout va retomber sur la police !

– Monsieur le questeur, objecta Laurenti en s'efforçant de reprendre son sérieux, aucun de ceux que nous avons coincés dans la villa n'est innocent. Je vous le jure !

– Et qui a brisé le secret ? reprit le questeur qui s'était levé, avait retiré sa veste et s'appuyait des deux mains sur la table. C'est encore plus grave. Ne l'oubliez pas. Je veux savoir qui c'est. Et je le saurai, je vous le garantis ! À tous ! »

Le questeur se rassit, resta un moment silencieux et poursuivit :

« Revenons à cette nuit ! Laurenti peut commencer. »

Le commissaire se racla la gorge et marqua, lui aussi, un temps d'arrêt.

« Mis à part le fait que, ces jours-ci, le mot de "trahison" ne me surprend plus, je suis obligé de dire que c'était une sacrée foutue petite porte de fer rouillée ! Qui donnait sur la Via Redi. Et nous tous, ici réunis, étions assez stupides pour ignorer son existence ! »

Mutisme complet. Même le questeur n'osait rien dire. Le colonel des carabiniers, pour une fois, concentrait toute son attention sur un point quelconque du mur, Zanossi, le major de la brigade financière, griffonnait n'importe quoi sur un bout de papier et Ettore Orlando semblait changé en statue de sel. Chacun, là où il était, avait failli.

« Tremani, poursuivit Laurenti, s'est envolé de Ronchi dei Legionari à vingt heures cinquante-sept. Il semble qu'il ne soit resté que peu de temps à la villa. Lui aussi a dû s'échapper par la petite porte. Ce qui est certain, c'est qu'il n'est pas ressorti par l'entrée. Qu'est-ce qu'il faisait là ? Je ne puis m'empêcher de penser que ça sent mauvais ! Et je me demande s'il ne nous a pas vus venir. »

Silence total, à nouveau. Puis Zanossi s'éclaircit la voix.

« Ce n'est pas possible. Ils ont réglé l'hôtel en fin d'après-midi. De la Via dei Porta, ils sont allés directement à l'aéroport. Ils ont dû attendre l'autorisation de décollage. Cela ne ressemble pas à une fuite improvisée. Tout était prévu. Il n'y a pas eu de fuite. De toute façon, elle n'aurait pu venir que de nous, de personne d'autre. De l'un d'entre nous, ici présents. »

Le questeur sortit un mouchoir pour s'essuyer le front.

« Non, pas ça ! »

Une nouvelle pause.

« Ce qui me tracasse, reprit Laurenti, c'est que Tremani ne soit pas ressorti par le portail. Pourquoi est-il passé par la petite porte ? C'est bizarre.

– Par ailleurs, ça lui ressemble bien, dit le questeur, qui avait retrouvé son calme. Il ne voulait peut-être pas ressortir par-devant pour ne pas rencontrer les autres invités...

– Dans ce cas, intervint Orlando, pourquoi est-il venu, s'il ne voulait voir personne ?

– Zanossi n'a pas parlé expressément de trahison, dit le questeur, mais le doute est permis ! »

Il regarda tout à tour, au fond des yeux, chacun des présents, avant de continuer.

« J'espère, pour nous tous, que l'enquête nous fournira une autre solution. Nous n'échapperons pas à une commission spéciale. Le préfet était furieux. Je suis convoqué à midi. Mais, Orlando, rien que le fait que votre collègue ait été de la partie prouve que Fossa n'était pas le seul maillon faible...

316

– Excusez-moi, coupa Orlando, je l'ai cuisiné cette nuit, il a craqué. Il est complice. D'abord dans les opérations du nouveau port. Mais surtout parce qu'il a fourni à la TIMOIC une attestation écrite lui garantissant la mise à disposition des débarcadères, et ce avant que l'affaire ne soit officiellement réglée avec les autorités européennes. En revanche, il n'était pas au courant de nos projets, c'est certain. Sinon il ne serait pas allé Via dei Porta hier soir. »

Le questeur passa outre.

« Terminons-en d'abord avec le déroulement de la soirée, que nous sachions à quoi nous en tenir. Laurenti, allez-y !

– Eva Zurbano, après avoir quitté la villa, est rentrée chez elle, en fait chez Benedetto Rallo qui, naturellement, n'était pas venu. Elle n'aurait d'ailleurs pas supporté qu'il vienne. De toute façon, on ne l'avait probablement pas invité. Eva Zurbano a déclaré, au cours de son interrogatoire, cette nuit, qu'elle était au courant en ce qui concerne les filles, mais qu'elle n'était pas d'accord. Elle n'aurait, à ce qu'elle dit, rien à voir avec ce trafic. Ce serait l'affaire de Drakič. Même Kopfersberg senior n'aurait pas été enthousiaste, du moins au début ; c'est l'argent que ça rapporte qui l'aurait convaincu. La Zurbano a également déclaré que Tremani avait annoncé, dès l'après-midi, qu'on le rappelait à Lecce et qu'il rentrerait dans la soirée. Il avait simplement voulu faire la connaissance de Wolferer, qui était en retard. C'est Spartaco qui avait arrangé ce coup-là. Il voulait Wolferer pour lui tout seul. Tremani, toujours selon Eva Zurbano, est sorti par la petite porte parce que la Via dei Porta était bloquée par les autres voitures.

– C'est plausible, dit le questeur, profitant de la pause ménagée par Laurenti. Admettons que ce soit la vérité.

Quelle est la suite, Laurenti ? Que disiez-vous, hier soir, à propos des passeports des filles ?

– Tous faux. La famille Fossa n'en avait jamais assez. Ils se faisaient graisser la patte l'un et l'autre. Le bureau de madame s'attelle à un travail énorme. Il va falloir vérifier tous les documents qui ont été établis depuis trois ans. Il y en a pour des mois. La Signora Fossa nie tout en bloc, mais elle avouera tôt ou tard. Les preuves sont accablantes.

– Et au sujet de Rallo ? demanda le questeur.

– Mes hommes ont investi la banque depuis ce matin, répondit Zanossi. L'ordre de perquisition était prêt à cinq heures. Si Rallo est impliqué, on le coincera ! »

Zanossi avait encore moins dormi que ses collègues. Il avait recensé tous les points litigieux et avait résumé la situation par écrit. Puis il était parti à la recherche du juge d'instruction et il avait justifié sa démarche. Il fallait agir avant que certaines pièces ne disparaissent. Là-dessus, les hommes de Zanossi avaient d'abord perquisitionné au domicile de Rallo avant de se rendre, avec lui, à la banque.

« Si nous trouvons le fil, il suffira de le tirer et tout viendra avec. C'est toujours comme ça, qu'il s'agisse d'argent sale, de corruption ou d'escroquerie. Et s'il existe un lien avec Tremani, on le trouvera. On peut réaliser à Trieste ce que Rome n'est pas arrivé à faire.

– Je ne crois plus qu'on soit capable de réaliser quoi que ce soit ici. »

La mauvaise humeur du questeur était manifestement revenue.

« Vous avez fini par retrouver Drakič, Orlando ? »

Le gros ours se tortilla bruyamment sur sa chaise, évidemment trop petite pour lui, et jeta au questeur un regard hostile.

« Non ! »

Il joignit ses mains gigantesques couvertes de poils noirs. Et se tut.

« Vous avez cherché partout ? »

Orlando écarta les mains, paumes vers le ciel, les regarda, puis les laissa retomber.

« Spartaco de Kopfersberg est sûrement mort sur le coup, au moment de l'impact. Le feu qui s'est déclaré équivaut à une crémation. Mais de Drakič, pas la moindre trace. Les clients du Yachtclub ont pourtant bien vu deux hommes quand le Corbelli a quitté le port. Nous supposons que Drakič a sauté à l'eau ou qu'il a été éjecté. Il a très certainement survécu. Sinon, nous l'aurions trouvé depuis longtemps. Sans aucun doute !

– Et merde ! »

Tous le regardèrent. C'était la première fois que le questeur disait « merde ».

Laurenti finit par demander :

« Et qu'en est-il de Fossa ? »

Quatre paires d'yeux guettaient les réactions du questeur.

Hôtel Savoya Palace, en soirée

Claudio Fossa voulait faire des étincelles. Il savait qu'il devait se racheter. La suite occupée par Wolferer comportait quatre fenêtres. Le questeur espérait pouvoir y jeter un coup d'œil depuis le balcon du sixième étage. Mais on ne voyait rien, même en se penchant au maximum. Il était clair qu'on ne pourrait observer Wolferer qu'en passant du balcon du sixième à celui du cinquième. Fossa était robuste et bien entraîné. Les scrupules du questeur ne purent le retenir. Il enleva ses chaussures, se passa l'émetteur radio autour du cou… il était déjà sur le balcon du dessous, sans encombres. Son atterrissage n'avait provoqué qu'un petit bruit sec.

319

Le questeur avait cependant sursauté. Fossa lui fit signe que Wolferer était dans la deuxième chambre. Il enjamba ensuite la grille du balcon et, avançant à petits pas, dos au mur, sur l'étroite corniche, il voulut rejoindre l'autre balcon. C'est alors qu'il glissa. Il put heureusement se rattraper à la grille du second balcon et opérer un rétablissement à la force de ses bras. Il entendit enfin, par radio, la voix du questeur.

Fossa avait vu Wolferer avec les filles. Comme il n'y avait rien en face du Savoya Palace, que la mer, les rideaux n'étaient pas tirés. Elles étaient deux à s'occuper de Wolferer. Le haut fonctionnaire était allongé, baigné de sueur, les yeux mi-clos, l'air aux anges. La blonde qui le chevauchait, seins ballants, ne donnait pas l'impression de s'intéresser à ce qu'elle faisait. Wolferer la tenait par les hanches. L'autre fille sortit de la salle de bains et se servit une coupe de champagne. Soudain, un petit appareil photo surgit dans sa main et elle appuya plusieurs fois sur le déclencheur. La blonde avait rejeté lascivement la tête en arrière et collé une main de Wolferer sur son sein. Même sans flash, celui-ci devait être reconnaissable. La photographe remit l'appareil dans son sac à main et se rhabilla. L'autre se leva aussi, Wolferer fut incapable de la retenir. Il disparut dans la salle de bains. Il en sortit quelques minutes après et se rhabilla également. Les deux filles l'attendaient, elles avaient vraiment l'air de s'ennuyer. Fossa, oppressé, rendait compte des événements au questeur, par radio, jusque dans le moindre détail. Il espérait s'en tirer en faisant preuve de bonne volonté.

Il avait rempli sa mission, il n'avait plus envie de rester là. Il s'était juché sur la grille du balcon et comptait se hisser jusqu'à celui de l'étage supérieur. Ses bras étaient trop courts de dix centimètres. En prenant son élan, il pensait pouvoir s'agripper à quelque chose.

Fossa fit une chute vertigineuse et s'écrasa sur une terrasse privée du « bel étage ». Une table amortit quelque peu l'impact. Le questeur descendit les escaliers quatre à quatre et, grâce à son passe, pénétra immédiatement dans la bonne chambre. Il s'agenouilla près de Fossa. Celui-ci réussit à sourire quand il reconnut son chef.

« Ça va aller, gémit-il.

– Une ambulance ! aboya le questeur par radio, et vite ! »

Puis il s'empara d'un coussin et le glissa sous la tête de Fossa.

Les infirmiers se firent attendre. Le questeur regardait sans arrêt par la porte-fenêtre, comme si cela pouvait accélérer les secours. Au bout d'un quart d'heure, il vit Wolferer monter dans un taxi avec les deux filles. Puis l'ambulance arriva.

« Fossa survivra, ça aurait pu être pire. Cinq côtes cassées, la clavicule idem, plus une forte commotion cérébrale. Dieu merci, il est solide. »

Le questeur fixait désespérément la table tandis qu'il racontait cette histoire.

Routine

Le Dr Otto Wolferer était interrogé depuis onze heures du matin. Cela se déroulait dans une pièce nue, occupée simplement par une grande table et six chaises. Au milieu de la table, des micros et un magnétophone. On était au Coroneo, le palais de justice qui abrite également des cellules de détention provisoire. Wolferer avait exigé la présence du consul d'Autriche. Qui s'était d'ailleurs récusé lorsqu'il avait appris de quoi il s'agissait et qui s'était contenté de mettre à disposition l'avocat du consulat. À part Laurenti, étaient présents une interprète assermentée et Zanossi. Le major de la brigade financière attendait avec impatience que l'interrogatoire aborde le point qui l'intéressait, à savoir l'argent.

Jusque-là, ils n'avaient guère avancé. Wolferer ne donnait que de vagues explications. Il n'avait voulu, disait-il, que s'assurer du bon déroulement des opérations en faveur de la Turquie et il s'était fait avoir. Il affirmait être un fonctionnaire consciencieux, dont le seul souci était que les pauvres gens, là-bas, soient secourus au plus vite. Certes, il avait commis une erreur en se laissant « régaler », comme il disait. Mais sa détention était, selon lui, juridiquement infondée. Il était lui-même juriste et connaissait ses droits. Il agitait la menace de complications diplomatiques.

« Docteur Wolferer, je voudrais que vous regardiez ces photos, dit Laurenti en les lui glissant sous les yeux.

– D'où est-ce que ça vient ? s'écria Wolferer, interloqué. C'est une violation de la vie privée !

– Exact, docteur. Nous les avons trouvées à la villa de Kopfersberg. »

L'avocat les examina une par une. L'interprète tendait le cou pour apercevoir quelque chose.

« Mon client a le droit de connaître l'origine de ces photos.

– Il le sait parfaitement ! intervint Zanossi. On voulait vous faire chanter. Remerciez le ciel qu'elles soient en notre possession. Sinon, ce serait devenu, pour vous, un vrai chemin de croix. Plus long encore que celui qui vous attend maintenant. Docteur Wolferer, vous avez fait des affaires avec ces gens. Vous avez reçu de l'argent pour que le marché soit attribué à la TIMOIC. Vous devriez dire la vérité. Nous la découvrirons de toute façon. Ces photos devaient servir de moyen de chantage pour ne plus vous payer. On vous a trompé. Si on peut appeler ça tromper ! Qui étaient vos partenaires, qui vous remettait l'argent ?

322

– Je veux un avocat !

– Vous en avez un ! Mais vous pouvez en prendre un autre.

– Je ne dirai plus rien ! »

Wolferer était blême, comme pétrifié. Lorsqu'on le ramena dans sa cellule, deux agents durent le soutenir.

Laurenti n'avait pas envie d'interroger Tatiana Drakič. Il se souvint de l'invitation à la coopération lancée par le questeur à la fin de la réunion du matin et appela le colonel des carabiniers.

« Colonel, Olga Tchartov est votre affaire. C'est par là que tout a commencé. Ne pourrions-nous pas oublier nos petites chamailleries ?

– S'il ne tient qu'à moi, grogna le colonel, méfiant.

– Je voulais vous demander si vous accepteriez d'être le premier à interroger Tatiana Drakič. Ce serait normal et surtout fair-play. Je crois d'ailleurs qu'elle vous respecterait davantage ; moi, elle me connaît trop. Je crois que vous pouvez faire avancer les choses. Vous me feriez grand plaisir… je veux dire, vous pourriez contribuer à ce que l'enquête soit rapidement bouclée.

– Vous m'envoyez le dossier ?

– Il est déjà en route ! Merci, colonel. On se rappellera. Bonne chance ! »

Laurenti raccrocha avant que le carabinier en chef ne change d'avis.

Le requin est mort

Le soir, Proteo avait reconduit sa mère à la gare. Elle était de mauvaise humeur, elle lui reprochait de n'être jamais là. C'était toujours comme ça, disait-elle, quand elle venait à Trieste. Au bout d'un moment, Proteo renonça à s'excuser et à fournir des explications.

Quand une mère voulait son fils, plus rien au monde n'existait. Laurenti fut soulagé lorsqu'elle fut installée dans son compartiment avec sa valise. Il l'embrassa sagement sur les joues. Il eut un accès de nostalgie lorsque le train s'ébranla.

« Le requin est mort », annonçait la manchette du *Piccolo*. La nuit précédente, il s'était pris dans le chalut d'un bateau de pêche du golfe et avait causé de gros dégâts en se débattant. Il avait failli coûter la vie à l'un des marins qui, alors qu'il ramenait le filet, était passé par-dessus bord à la suite d'une brusque réaction de l'animal. Cependant, l'homme n'avait pas lâché le filin et les autres avaient pu le hisser à bord avant qu'il ne tombe dans la gueule du requin. Le combat avait été long et il avait fallu l'aide d'un autre équipage pour venir à bout du monstre. Un tir de harpon bien ajusté l'avait tué.

Tandis qu'il attendait Decantro au bar, Laurenti put achever sa lecture du journal. L'après-midi, un seul article l'avait intéressé.

« Excusez mon retard, dit le journaliste. J'ai dû attendre mon certificat.

– Et vous en êtes content ?

– Passablement. Mais mes articles parlent d'eux-mêmes.

– Quand partez-vous ?

– Dans trois heures. Après-demain, je débute au *Corriere*. »

Laurenti avait eu l'idée avant qu'ils ne se mettent en route pour la Via dei Porta. Elle l'excitait, mais il fallait soupeser tous les risques. Il avait pris son courage à deux mains et appelé Decantro. En composant le numéro, il hésitait encore. Quelle ne fut pas la surprise du journaliste lorsqu'il entendit la voix de Laurenti, mais il accepta immédiatement son offre de rendez-vous dès que celui-ci lui eut fait miroiter une affaire confidentielle. Laurenti prit sa voiture pleine de poussière sur le parking et alla se garer dans une petite rue derrière le *Piccolo*. Il valait mieux ne pas se rencontrer dans un bar où l'on aurait pu les reconnaître. En un quart d'heure, Decantro était au courant.

« Surtout, apportez votre appareil photo, prévint Laurenti. Et si vous faites état de notre rencontre, je vous mets en pièces. De toute façon, personne ne vous croirait. Si vous parlez, je porterai plainte et je ferai un foin d'enfer. C'est la chance de votre vie. Vous ne tomberez pas une seconde fois sur une histoire pareille. Pensez-y ! »

Decantro souriait bêtement, mais il était clair qu'il avait compris. Et il avait bien rempli sa mission. Il n'était pas, pour autant, devenu plus sympathique à Laurenti. Ce n'était que par correction qu'il le rencontrait maintenant. Decantro avait émis le souhait qu'ils se réconcilient en buvant un café.

« Que s'est-il passé ensuite ? demanda le journaliste.

– Ce qui nous attend n'est pratiquement plus que de la paperasse. Mais gigantesque !... Le questeur a réussi à convaincre le préfet que, finalement, les choses ne s'étaient pas si mal passées. La commission spéciale nous sera épargnée. Fossa est sous surveillance à l'hôpital, sa femme est assignée à résidence. Tous deux sont suspendus. Eva Zurbano est également assignée à résidence et Benedetto Rallo a été arrêté. Les collègues de la brigade financière ont bon espoir de trouver le joint avec Tremani. Les filles seront expulsées après-demain. Si elles n'ont rien compris, on les reverra bientôt en Europe de l'Ouest. Quant à Viktor Drakič, pas la moindre trace.

– Et le président de l'Union des compagnies de navigation ? Et puis, si je ne m'abuse, il y avait bien aussi un type de la capitainerie ?

– Oui. Arrêtés tous les deux.

– Qu'est-ce qu'on leur reproche ?

– Écoutez, Decantro ! Vous vous en doutez bien ! Maintenant, il faut que je parte.

– J'espère que nous nous reverrons, commissaire ! dit Decantro en lui serrant la main.

– Moi non ! répondit Laurenti. Mais bonne chance quand même ! »

Il le planta là et, une fois dans la rue, s'essuya la main droite sur son pantalon.

Ne serait-ce que d'un point de vue statistique, la police de Trieste en général, Proteo Laurenti en particulier, devraient dorénavant avoir la vie plus tranquille. Très tranquille. Statistiquement parlant, le commissaire avait même dépassé son quota annuel d'affaires criminelles. On était quand même à Trieste, pas à Milan ou à Naples. Les contrôles nocturnes sur le Borgo Teresiano devraient être poursuivis, mais sans sortir pratiquement de la routine.

Laurenti avait envie de retourner enfin se baigner. L'été régnait encore, dans sa splendeur, sur le golfe. Au loin, vers le sud, la cathédrale de Piran scintillait dans la lumière du soleil et, à l'ouest, les îlots de la lagune de Grado donnaient l'impression de faire des cabrioles sur un miroir éblouissant. L'eau était à vingt-cinq degrés et le requin était mort. Seuls les ventilateurs, dans la cour, poursuivaient obstinément leur vacarme nocturne. Un soir, dans un mois, aurait lieu, sur la Piazza dell'Unità d'Italia, cette damnée élection de Miss Trieste. Peut-être Laurenti parviendrait-il à empêcher Livia d'y participer ? Ses chances étaient minces. Les femmes de la famille étaient extraordinairement butées et, de toute façon, elles n'avaient jamais écouté la police.

RÉALISATION : NORD-COMPO À VILLENEUVE D'ASCQ
IMPRESSION : BRODARD ET TAUPIN À LA FLÈCHE
DÉPÔT LÉGAL : JANVIER 2007. N° 91404 (38869)
IMPRIMÉ EN FRANCE

Collection Points

P668. La Tyrannie du plaisir, *Jean-Claude Guillebaud*
P669. Le Concierge, *Herbert Lieberman*
P670. Bogart et Moi, *Jean-Paul Nozière*
P671. Une affaire pas très catholique, *Roger Martin*
P672. Elle et Lui, *George Sand*
P673. Histoires d'une femme sans histoire, *Michèle Gazier*
P674. Le Cimetière des fous, *Dan Franck*
P675. Les Calendes grecques, *Dan Franck*
P676. Mon idée du plaisir, *Will Self*
P677. Mémorial de Sainte-Hélène, tome 1
       Emmanuel de Las Cases
P678. Mémorial de Sainte-Hélène, tome 2
       Emmanuel de Las Cases
P679. La Seiche, *Maryline Desbiolles*
P680. Le Voyage de Théo, *Catherine Clément*
P681. Sans moi, *Marie Desplechin*
P682. En cherchant Sam, *Patrick Raynal*
P683. Balkans-Transit, *François Maspero*
P684. La Plus Belle Histoire de Dieu
       Jean Bottéro, Marc-Alain Ouaknin et Joseph Moingt
P685. Le Gardien du verger, *Cormac McCarthy*
P686. Le Prix de la chair, *Donna Leon*
P687. Tir au but, *Jean-Noël Blanc*
P688. Demander la lune, *Dominique Muller*
P689. L'Heure des adieux, *Jean-Noël Pancrazi*
P690. Soyez heureux, *Jean-Marie Lustiger*
P691. L'Ordre naturel des choses, *António Lobo Antunes*
P692. Le Roman du conquérant, *Nedim Gürsel*
P693. Black Betty, *Walter Mosley*
P694. La Solitude du coureur de fond, *Allan Sillitoe*
P695. Cités à la dérive, *Stratis Tsirkas*
P696. Méroé, *Olivier Rolin*
P697. Bar des flots noirs, *Olivier Rolin*
P698. Hôtel Atmosphère, *Bertrand Visage*
P699. Angelica, *Bertrand Visage*
P700. La petite fille qui aimait trop les allumettes
       Gaétan Soucy
P701. Je suis le gardien du phare, *Eric Faye*
P702. La Fin de l'exil, *Henry Roth*
P703. Small World, *Martin Suter*
P704. Cinq photos de ma femme, *Agnès Desarthe*

P705. L'Année du tigre, *Philippe Sollers*
P706. Les Allumettes de la sacristie, *Willy Deweert*
P707. Ô mort, vieux capitaine…, *Joseph Bialot*
P708. Images de chair, *Noël Simsolo*
P709. L'Œuvre de Dieu, la Part du Diable
       scénario *John Irving*
P710. La Ratte, *Günter Grass*
P711. Une rencontre en Westphalie, *Günter Grass*
P712. Le Roi, le Sage et le Bouffon
       Shafique Keshavjee
P713. Esther et le Diplomate, *Frédéric Vitoux*
P714. Une sale rumeur, *Anne Fine*
P715. Souffrance en France, *Christophe Dejours*
P716. Jeunesse dans une ville normande
       Jacques-Pierre Amette
P717. Un chien de sa chienne, *Roger Martin*
P718. L'Ombre de la louve, *Pierre Pelot*
P719. Michael K, sa vie, son temps, *J.M.Coetzee*
P720. En attendant les barbares, *J.M.Coetzee*
P721. Voir les jardins de Babylone, *Geneviève Brisac*
P722. L'Aveuglement, *José Saramago*
P723. L'Évangile selon Jésus-Christ, *José Saramago*
P724. Si ce livre pouvait me rapprocher de toi
       Jean-Paul Dubois
P725. Le Capitaine Alatriste, *Arturo Pérez-Reverte*
P726. La Conférence de Cintegabelle, *Lydie Salvayre*
P727. La Morsure des ténèbres, *Brigitte Aubert*
P728. La Splendeur du Portugal, *António Lobo Antunes*
P729. Tlacuilo, *Michel Rio*
P730. Poisson d'amour, *Didier van Cauwelaert*
P731. La Forêt muette, *Pierre Pelot*
P732. Départements et Territoires d'outre-mort
       Henri Gougaud
P733. Le Couturier de la Mort, *Brigitte Aubert*
P734. Entre deux eaux, *Donna Leon*
P735. Sheol, *Marcello Fois*
P736. L'Abeille d'Ouessant, *Hervé Hamon*
P737. Besoin de mirages, *Gilles Lapouge*
P738. La Porte d'or, *Michel Le Bris*
P739. Le Sillage de la baleine, *Francisco Coloane*
P740. Les Bûchers de Bocanegra, *Arturo Pérez-Reverte*
P741. La Femme aux melons, *Peter Mayle*
P742. La Mort pour la mort, *Alexandra Marinina*
P743. La Spéculation immobilière, *Italo Calvino*
P744. Mitterrand, une histoire de Français.
       1. Les Risques de l'escalade, *Jean Lacouture*

P745. Mitterrand, une histoire de Français.
2. Les Vertiges du sommet, *Jean Lacouture*
P746. L'Auberge des pauvres, *Tahar Ben Jelloun*
P747. Coup de lame, *Marc Trillard*
P748. La Servante du seigneur, *Denis Bretin et Laurent Bonzon*
P749. La Mort, *Michel Rio*
P750. La Statue de la liberté, *Michel Rio*
P751. Le Grand Passage, *Cormac McCarthy*
P752. Glamour Attitude, *Jay McInerney*
P753. Le Soleil de Breda, *Arturo Pérez-Reverte*
P754. Le Prix, *Manuel Vázquez Montalbán*
P755. La Sourde, *Jonathan Kellerman*
P756. Le Sténopé, *Joseph Bialot*
P757. Carnivore Express, *Stéphanie Benson*
P758. Monsieur Pinocchio, *Jean-Marc Roberts*
P759. Les Enfants du Siècle, *François-Olivier Rousseau*
P760. Paramour, *Henri Gougaud*
P761. Les Juges, *Elie Wiesel*
P762. En attendant le vote des bêtes sauvages
Ahmadou Kourouma
P763. Une veuve de papier, *John Irving*
P764. Des putes pour Gloria, *William T. Vollman*
P765. Ecstasy, *Irvine Welsh*
P766. Beau Regard, *Patrick Roegiers*
P767. La Déesse aveugle, *Anne Holt*
P768. Au cœur de la mort, *Lawrence Block*
P769. Fatal Tango, *Jean-Paul Nozière*
P770. Meurtres au seuil de l'an 2000
*Éric Bouhier, Yves Dauteuille, Maurice Detry,
Dominique Gacem, Patrice Verry*
P771. Le Tour de France n'aura pas lieu, *Jean-Noël Blanc*
P772. Sharkbait, *Susan Geason*
P773. Vente à la criée du lot 49, *Thomas Pynchon*
P774. Grand Seigneur, *Louis Gardel*
P775. La Dérive des continents, *Morgan Sportès*
P776. Single & Single, *John le Carré*
P777. Ou César ou rien, *Manuel Vázquez Montalbán*
P778. Les Grands Singes, *Will Self*
P779. La Plus Belle Histoire de l'homme, *André Langaney,
Jean Clottes, Jean Guilaine et Dominique Simonnet*
P780. Le Rose et le Noir, *Frédéric Martel*
P781. Le Dernier Coyote, *Michael Connelly*
P782. Prédateurs, *Noël Simsolo*
P783. La gratuité ne vaut plus rien, *Denis Guedj*
P784. Le Général Solitude, *Éric Faye*
P785. Le Théorème du perroquet, *Denis Guedj*

P786. Le Merle bleu, *Michèle Gazier*
P787. Anchise, *Maryline Desbiolles*
P788. Dans la nuit aussi le ciel, *Tiffany Tavernier*
P789. À Suspicious River, *Laura Kasischke*
P790. Le Royaume des voix, *Antonio Muñoz Molina*
P791. Le Petit Navire, *Antonio Tabucchi*
P792. Le Guerrier solitaire, *Henning Mankell*
P793. Ils y passeront tous, *Lawrence Block*
P794. Ceux de la Vierge obscure, *Pierre Mezinski*
P795. La Refondation du monde, *Jean-Claude Guillebaud*
P796. L'Amour de Pierre Neuhart, *Emmanuel Bove*
P797. Le Pressentiment, *Emmanuel Bove*
P798. Le Marida, *Myriam Anissimov*
P799. Toute une histoire, *Günter Grass*
P800. Jésus contre Jésus, *Gérard Mordillat et Jérôme Prieur*
P801. Connaissance de l'enfer, *António Lobo Antunes*
P802. Quasi objets, *José Saramago*
P803. La Mante des Grands-Carmes, *Robert Deleuse*
P804. Neige, *Maxence Fermine*
P805. L'Acquittement, *Gaëtan Soucy*
P806. L'Évangile selon Caïn, *Christian Lehmann*
P807. L'Invention du père, *Arnaud Cathrine*
P808. Le Premier Jardin, *Anne Hébert*
P809. L'Isolé Soleil, *Daniel Maximin*
P810. Le Saule, *Hubert Selby Jr.*
P811. Le Nom des morts, *Stewart O'Nan*
P812. V., *Thomas Pynchon*
P813. Vineland, *Thomas Pynchon*
P814. Malina, *Ingeborg Bachmann*
P815. L'Adieu au siècle, *Michel Del Castillo*
P816. Pour une naissance sans violence, *Frédérick Leboyer*
P817. André Gide, *Pierre Lepape*
P818. Comment peut-on être breton ?, *Morvan Lebesque*
P819. London Blues, *Anthony Frewin*
P820. Sempre caro, *Marcello Fois*
P821. Palazzo maudit, *Stéphanie Benson*
P822. Le Labyrinthe des sentiments, *Tahar Ben Jelloun*
P823. Iran, les rives du sang, *Fariba Hachtroudi*
P824. Les Chercheurs d'os, *Tahar Djaout*
P825. Conduite intérieure, *Pierre Marcelle*
P826. Tous les noms, *José Saramago*
P827. Méridien de sang, *Cormac McCarthy*
P828. La Fin des temps, *Haruki Murakami*
P830. Pour que la terre reste humaine, *Nicolas Hulot,*
       Robert Barbault et Dominique Bourg
P831. Une saison au Congo, *Aimé Césaire*

P832. Le Manège espagnol, *Michel Del Castillo*
P833. Le Berceau du chat, *Kurt Vonnegut*
P834. Billy Straight, *Jonathan Kellerman*
P835. Créance de sang, *Michael Connelly*
P836. Le Petit Reporter, *Pierre Desproges*
P837. Le Jour de la fin du monde…, *Patrick Grainville*
P838. La Diane rousse, *Patrick Grainville*
P839. Les Forteresses noires, *Patrick Grainville*
P840. Une rivière verte et silencieuse, *Hubert Mingarelli*
P841. Le Caniche noir de la diva, *Helmut Krausser*
P842. Le Pingouin, *Andreï Kourkov*
P843. Mon siècle, *Günter Grass*
P844. Les Deux Sacrements, *Heinrich Böll*
P845. Les Enfants des morts, *Heinrich Böll*
P846. Politique des sexes, *Sylviane Agacinski*
P847. King Suckerman, *George P. Pelecanos*
P848. La Mort et un peu d'amour, *Alexandra Marinina*
P849. Pudding mortel, *Margaret Yorke*
P850. Hemoglobine Blues, *Philippe Thirault*
P851. Exterminateurs, *Noël Simsolo*
P852. Une curieuse solitude, *Philippe Sollers*
P853. Les Chats de hasard, *Anny Duperey*
P854. Les poissons me regardent, *Jean-Paul Dubois*
P855. L'Obéissance, *Suzanne Jacob*
P856. Visions fugitives, *William Boyd*
P857. Vacances anglaises, *Joseph Connolly*
P858. Le Diamant noir, *Peter Mayle*
P859. Péchés mortels, *Donna Leon*
P860. Le Quintette de Buenos Aires
      Manuel Vázquez Montalbán
P861. Y'en a marre des blondes, *Lauren Anderson*
P862. Descente d'organes, *Brigitte Aubert*
P863. Autoportrait d'une psychanalyste, *Françoise Dolto*
P864. Théorie quantitative de la démence, *Will Self*
P865. Cabinet d'amateur, *Georges Perec*
P866. Confessions d'un enfant gâté, *Jacques-Pierre Amette*
P867. Génis ou le Bambou parapluie, *Denis Guedj*
P868. Le Seul Amant, *Eric Deschodt, Jean-Claude Lattès*
P869. Un début d'explication, *Jean-Marc Roberts*
P870. Petites Infamies, *Carmen Posadas*
P871. Les Masques du héros, *Juan Manuel de Prada*
P872. Mal'aria, *Eraldo Baldini*
P873. Leçons américaines, *Italo Calvino*
P874. L'Opéra de Vigata, *Andrea Camilleri*
P875. La Mort des neiges, *Brigitte Aubert*
P876. La lune était noire, *Michael Connelly*

P877. La Cinquième Femme, *Henning Mankell*
P878. Le Parc, *Philippe Sollers*
P879. Paradis, *Philippe Sollers*
P880. Psychanalyse six heures et quart
       Gérard Miller, Dominique Miller
P881. La Décennie Mitterrand 4
       Pierre Favier, Michel Martin-Roland
P882. Trois Petites Mortes, *Jean-Paul Nozière*
P883. Le Numéro 10, *Joseph Bialot*
P884. La seule certitude que j'ai, c'est d'être dans le doute
       Pierre Desproges
P885. Les Savants de Bonaparte, *Robert Solé*
P886. Un oiseau blanc dans le blizzard, *Laura Kasischke*
P887. La Filière émeraude, *Michael Collins*
P888. Le Bogart de la cambriole, *Lawrence Block*
P889. Le Diable en personne, *Robert Lalonde*
P890. Les Bons Offices, *Pierre Mertens*
P891. Mémoire d'éléphant, *António Lobo Antunes*
P892. L'Œil d'Ève, *Karin Fossum*
P893. La Croyance des voleurs, *Michel Chaillou*
P894. Les Trois Vies de Babe Ozouf, *Didier Decoin*
P895. L'Enfant de la mer de Chine, *Didier Decoin*
P896. Le Soleil et la Roue, *Rose Vincent*
P897. La Plus Belle Histoire du monde, *Joël de Rosnay*
       Hubert Reeves, Dominique Simonnet, Yves Coppens
P898. Meurtres dans l'audiovisuel, *Yan Bernabot, Guy Buffet*
       Frédéric Karar, Dominique Mitton
       et Marie-Pierre Nivat-Henocque
P899. Tout le monde descend, *Jean-Noël Blanc*
P900. Les Belles Âmes, *Lydie Salvayre*
P901. Le Mystère des trois frontières, *Eric Faye*
P902. Petites Natures mortes au travail, *Yves Pagès*
P903. Namokel, *Catherine Lépront*
P904. Mon frère, *Jamaica Kincaid*
P905. Maya, *Jostein Gaarder*
P906. Le Fantôme d'Anil, *Michael Ondaatje*
P907. Quatre Voyageurs, *Alain Fleischer*
P908. La Bataille de Paris, *Jean-Luc Einaudi*
P909. L'Amour du métier, *Lawrence Block*
P910. Biblio-quête, *Stéphanie Benson*
P911. Quai des désespoirs, *Roger Martin*
P912. L'Oublié, *Elie Wiesel*
P913. La Guerre sans nom
       Patrick Rotman et Bertrand Tavernier
P914. Cabinet-portrait, *Jean-Luc Benoziglio*
P915. Le Loum, *René-Victor Pilhes*

P916. Mazag, *Robert Solé*
P917. Les Bonnes Intentions, *Agnès Desarthe*
P918. Des anges mineurs, *Antoine Volodine*
P919. L'Ingénieux Hidalgo Don Quichotte 1
        Miguel de Cervantes
P920. L'Ingénieux Hidalgo Don Quichotte 2
        Miguel de Cervantes
P921. La Taupe, *John le Carré*
P922. Comme un collégien, *John le Carré*
P923. Les Gens de Smiley, *John le Carré*
P924. Les Naufragés de la Terre sainte, *Sheri Holman*
P925. Épître des destinées, *Gamal Ghitany*
P926. Sang du ciel, *Marcello Fois*
P927. Meurtres en neige, *Margaret Yorke*
P928. Heureux les imbéciles, *Philippe Thirault*
P929. Beatus Ille, *Antonio Muñoz Molina*
P930. Le Petit Traité des grandes vertus
        André Comte-Sponville
P931. Le Mariage berbère, *Simonne Jacquemard*
P932. Dehors et pas d'histoires, *Christophe Nicolas*
P933. L'Homme blanc, *Tiffany Tavernier*
P934. Exhortation aux crocodiles, *Antonio Lobo Antunes*
P935. Treize Récits et Treize Épitaphes, *William T. Vollmann*
P936. La Traversée de la nuit, *Geneviève de Gaulle Anthonioz*
P937. Le Métier à tisser, *Mohammed Dib*
P938. L'Homme aux sandales de caoutchouc, *Kateb Yacine*
P939. Le Petit Col des loups, *Maryline Desbiolles*
P940. Allah n'est pas obligé, *Ahmadou Kourouma*
P941. Veuves au maquillage, *Pierre Senges*
P942. La Dernière Neige, *Hubert Mingarelli*
P943. Requiem pour une huître, *Hubert Michel*
P944. Morgane, *Michel Rio*
P945. Oncle Petros et la Conjecture de Goldbach
        Apostolos Doxiadis
P946. La Tempête, *Juan Manuel de Prada*
P947. Scènes de la vie d'un jeune garçon, *J.M. Coetzee*
P948. L'avenir vient de loin, *Jean-Noël Jeanneney*
P949. 1280 Âmes, *Jean-Bernard Pouy*
P950. Les Péchés des pères, *Lawrence Block*
P951. Les Enfants de fortune, *Jean-Marc Roberts*
P952. L'Incendie, *Mohammed Dib*
P953. Aventures, *Italo Calvino*
P954. Œuvres pré-posthumes, *Robert Musil*
P955. Sérénissime Assassinat, *Gabrielle Wittkop*
P956. L'Ami de mon père, *Frédéric Vitoux*
P957. Messaouda, *Abdelhak Serhane*

P958. La Croix et la Bannière, *William Boyd*
P959. Une voix dans la nuit, *Armistead Maupin*
P960. La Face cachée de la lune, *Martin Suter*
P961. Des villes dans la plaine, *Cormac McCarthy*
P962. L'Espace prend la forme de mon regard, *Hubert Reeves*
P963. L'Indispensable Petite Robe noire, *Lauren Henderson*
P964. Vieilles Dames en péril, *Margaret Yorke*
P965. Jeu de main, jeu de vilain, *Michelle Spring*
P966. Carlota Fainberg, *Antonio Muñoz Molina*
P967. Cette aveuglante absence de lumière, *Tahar Ben Jelloun*
P968. Manuel de peinture et de calligraphie, *José Saramago*
P969. Dans le nu de la vie, *Jean Hatzfeld*
P970. Lettres luthériennes, *Pier Paolo Pasolini*
P971. Les Morts de la Saint-Jean, *Henning Mankell*
P972. Ne zappez pas, c'est l'heure du crime, *Nancy Star*
P973. Connaissance de la douleur, *Carlo Emilio Gadda*
P974. Les Feux du Bengale, *Amitav Ghosh*
P975. Le Professeur et la Sirène
      Giuseppe Tomasi di Lampedusa
P976. Éloge de la phobie, *Brigitte Aubert*
P977. L'Univers, les dieux, les hommes, *Jean-Pierre Vernant*
P978. Les Gardiens de la vérité, *Michael Collins*
P979. Jours de Kabylie, *Mouloud Feraoun*
P980. La Pianiste, *Elfriede Jelinek*
P981. L'homme qui savait tout, *Catherine David*
P982. La Musique d'une vie, *Andreï Makine*
P983. Un vieux cœur, *Bertrand Visage*
P984. Le Caméléon, *Andreï Kourkov*
P985. Le Bonheur en Provence, *Peter Mayle*
P986. Journal d'un tueur sentimental et autres récits
      Luis Sepúlveda
P987. Étoile de mère, *G. Zoë Garnett*
P988. Le Vent du plaisir, *Hervé Hamon*
P989. L'Envol des anges, *Michael Connelly*
P990. Noblesse oblige, *Donna Leon*
P991. Les Étoiles du Sud, *Julien Green*
P992. En avant comme avant !, *Michel Folco*
P993. Pour qui vous prenez-vous ?, *Geneviève Brisac*
P994. Les Aubes, *Linda Lê*
P995. Le Cimetière des bateaux sans nom
      Arturo Pérez-Reverte
P996. Un pur espion, *John le Carré*
P997. La Plus Belle Histoire des animaux, *Boris Cyrulnik,
      Jean-Pierre Digard, Pascal Picq, Karine-Lou Matignon*
P998. La Plus Belle Histoire de la Terre, *André Brahic, Paul
      Tapponnier, Lester R. Brown, Jacques Girardon*

P999. La Plus Belle Histoire des plantes, *Jean-Marie Pelt,*
Marcel Mazoyer, Théodore Monod, Jacques Girardon
P1000. Le Monde de Sophie, *Jostein Gaarder*
P1001. Suave comme l'éternité, *George P. Pelecanos*
P1002. Cinq Mouches bleues, *Carmen Posadas*
P1003. Le Monstre, *Jonathan Kellerman*
P1004. À la trappe !, *Andrew Klavan*
P1005. Urgence, *Sara Paretsky*
P1006. Galindez, *Manuel Vázquez Montalbán*
P1007. Le Sanglot de l'homme blanc, *Pascal Bruckner*
P1008. La Vie sexuelle de Catherine M., *Catherine Millet*
P1009. La Fête des Anciens, *Pierre Mertens*
P1010. Une odeur de mantèque, *Mohammed Khaïr-Eddine*
P1011. N'oublie pas mes petits souliers, *Joseph Connolly*
P1012. Les Bonbons chinois, *Mian Mian*
P1013. Boulevard du Guinardó, *Juan Marsé*
P1014. Des lézards dans le ravin, *Juan Marsé*
P1015. Besoin de vélo, *Paul Fournel*
P1016. La Liste noire, *Alexandra Marinina*
P1017. La Longue Nuit du sans-sommeil, *Lawrence Block*
P1018. Perdre, *Pierre Mertens*
P1019. Les Exclus, *Elfriede Jelinek*
P1020. Putain, *Nelly Arcan*
P1021. La Route de Midland, *Arnaud Cathrine*
P1022. Le Fil de soie, *Michèle Gazier*
P1023. Paysages originels, *Olivier Rolin*
P1024. La Constance du jardinier, *John le Carré*
P1025. Ainsi vivent les morts, *Will Self*
P1026. Doux Carnage, *Toby Litt*
P1027. Le Principe d'humanité, *Jean-Claude Guillebaud*
P1028. Bleu, histoire d'une couleur, *Michel Pastoureau*
P1029. Speedway, *Philippe Thirault*
P1030. Les Os de Jupiter, *Faye Kellerman*
P1031. La Course au mouton sauvage, *Haruki Murakami*
P1032. Les Sept Plumes de l'aigle, *Henri Gougaud*
P1033. Arthur, *Michel Rio*
P1034. Hémisphère Nord, *Patrick Roegiers*
P1035. Disgrâce, *J.M. Coetzee*
P1036. L'Âge de fer, *J.M. Coetzee*
P1037. Les Sombres Feux du passé, *Chang-rae Lee*
P1038. Les Voix de la liberté, *Michel Winock*
P1039. Nucléaire Chaos, *Stéphanie Benson*
P1040. Bienheureux ceux qui ont soif…, *Anne Holt*
P1041. Le Marin à l'ancre, *Bernard Giraudeau*
P1042. L'Oiseau des ténèbres, *Michael Connelly*
P1043. Les Enfants des rues étroites, *Abdelhak Sehrane*

P1044. L'Île et Une nuit, *Daniel Maximin*
P1045. Bouquiner, *Annie François*
P1046. Nat Tate, *William Boyd*
P1047. Le Grand Roman indien, *Shashi Tharoor*
P1048. Les Lettres mauves, *Lawrence Block*
P1049. L'Imprécateur, *René-Victor Pilhes*
P1050. Le Stade de Wimbledon, *Daniele Del Giudice*
P1051. La Deuxième Gauche, *Hervé Hamon et Patrick Rotman*
P1052. La Tête en bas, *Noëlle Châtelet*
P1053. Le Jour de la cavalerie, *Hubert Mingarelli*
P1054. Le Violon noir, *Maxence Fermine*
P1055. Vita Brevis, *Jostein Gaarder*
P1056. Le Retour des caravelles, *António Lobo Antunes*
P1057. L'Enquête, *Juan José Saer*
P1058. Pierre Mendès France, *Jean Lacouture*
P1059. Le Mètre du monde, *Denis Guedj*
P1060. Mort d'une héroïne rouge, *Qiu Xiaolong*
P1061. Angle mort, *Sara Paretsky*
P1062. La Chambre d'écho, *Régine Detambel*
P1063. Madame Seyerling, *Didier Decoin*
P1064. L'Atlantique et les Amants, *Patrick Grainville*
P1065. Le Voyageur, *Alain Robbe-Grillet*
P1066. Le Chagrin des Belges, *Hugo Claus*
P1067. La Ballade de l'impossible, *Haruki Murakami*
P1068. Minoritaires, *Gérard Miller*
P1069. La Reine scélérate, *Chantal Thomas*
P1070. Trompe la mort, *Lawrence Block*
P1071. V'là aut' chose, *Nancy Star*
P1072. Jusqu'au dernier, *Deon Meyer*
P1073. Le Rire de l'ange, *Henri Gougaud*
P1074. L'Homme sans fusil, *Ysabelle Lacamp*
P1075. Le Théoriste, *Yves Pagès*
P1076. L'Artiste des dames, *Eduardo Mendoza*
P1077. Les Turbans de Venise, *Nedim Gürsel*
P1078. Zayni Barakat, *Ghamal Ghitany*
P1079. Éloge de l'amitié, ombre de la trahison
       Tahar Ben Jelloun
P1080. La Nostalgie du possible. Sur Pessoa
       Antonio Tabucchi
P1081. La Muraille invisible, *Henning Mankell*
P1082. Ad vitam aeternam, *Thierry Jonquet*
P1083. Six Mois au fond d'un bureau, *Laurent Laurent*
P1084. L'Ami du défunt, *Andreï Kourkov*
P1085. Aventures dans la France gourmande, *Peter Mayle*
P1086. Les Profanateurs, *Michael Collins*
P1087. L'Homme de ma vie, *Manuel Vázquez Montalbán*

P1088. Wonderland Avenue, *Michael Connelly*
P1089. L'Affaire Paola, *Donna Leon*
P1090. Nous n'irons plus au bal, *Michelle Spring*
P1091. Les Comptoirs du Sud, *Philippe Doumenc*
P1092. Foraine, *Paul Fournel*
P1093. Mère agitée, *Nathalie Azoulay*
P1094. Amanscale, *Maryline Desbiolles*
P1095. La Quatrième Main, *John Irving*
P1096. La Vie devant ses yeux, *Laura Kasischke*
P1097. Foe, *J.M. Coetzee*
P1098. Les Dix Commandements, *Marc-Alain Ouaknin*
P1099. Errance, *Raymond Depardon*
P1100. Dr la Mort, *Jonathan Kellerman*
P1101. Tatouage à la fraise, *Lauren Henderson*
P1102. La Frontière, *Patrick Bard*
P1103. La Naissance d'une famille, *T. Berry Brazelton*
P1104. Une mort secrète, *Richard Ford*
P1105. Blanc comme neige, *George P. Pelecanos*
P1106. Jours tranquilles à Belleville, *Thierry Jonquet*
P1107. Amants, *Catherine Guillebaud*
P1108. L'Or du roi, *Arturo Pérez-Reverte*
P1109. La Peau d'un lion, *Michael Ondaatje*
P1110. Funérarium, *Brigitte Aubert*
P1111. Requiem pour une ombre, *Andrew Klavan*
P1113. Tigre en papier, *Olivier Rolin*
P1114. Le Café Zimmermann, *Catherine Lépront*
P1115. Le Soir du chien, *Marie-Hélène Lafon*
P1116. Hamlet, pan, pan, pan, *Christophe Nicolas*
P1117. La Caverne, *José Saramago*
P1118. Un ami parfait, *Martin Suter*
P1119. Chang et Eng le double-garçon, *Darin Strauss*
P1120. Les Amantes, *Elfriede Jelinek*
P1121. L'Étoffe du diable, *Michel Pastoureau*
P1122. Meurtriers sans visage, *Henning Mankell*
P1123. Taxis noirs, *John McLaren*
P1124. La Revanche de Dieu, *Gilles Kepel*
P1125. À ton image, *Louise L. Lambrichs*
P1126. Les Corrections, *Jonathan Franzen*
P1127. Les Abeilles et la Guêpe, *François Maspero*
P1128. Les Adieux à la Reine, *Chantal Thomas*
P1129. Dondog, *Antoine Volodine*
P1130. La Maison Russie, *John le Carré*
P1131. Livre de chroniques, *António Lobo Antunes*
P1132. L'Europe en première ligne, *Pascal Lamy*
P1133. Les Nouveaux Maîtres du monde, *Jean Ziegler*
P1134. Tous des rats, *Barbara Seranella*

P1135. Des morts à la criée, *Ed Dee*
P1136. Allons voir plus loin, veux-tu ?, *Anny Duperey*
P1137. Les Papas et les Mamans, *Diastème*
P1138. Phantasia, *Abdelwahab Meddeb*
P1139. Métaphysique du chien, *Philippe Ségur*
P1140. Mosaïque, *Claude Delarue*
P1141. Dormir accompagné, *António Lobo Antunes*
P1142. Un monde ailleurs, *Stewart O'Nan*
P1143. Rocks Springs, *Richard Ford*
P1144. L'Ami de Vincent, *Jean-Marc Roberts*
P1145. La Fascination de l'étang, *Virginia Woolf*
P1146. Ne te retourne pas, *Karin Fossum*
P1147. Dragons, *Marie Desplechin*
P1148. La Médaille, *Lydie Salvayre*
P1149. Les Beaux Bruns, *Patrick Gourvennec*
P1150. Poids léger, *Olivier Adam*
P1151. Les Trapézistes et le Rat, *Alain Fleischer*
P1152. À livre ouvert, *William Boyd*
P1153. Péchés innombrables, *Richard Ford*
P1154. Une situation difficile, *Richard Ford*
P1155. L'éléphant s'évapore, *Haruki Murakami*
P1156. Un amour dangereux, *Ben Okri*
P1157. Le Siècle des communismes, *ouvrage collectif*
P1158. Funky Guns, *George P. Pelecanos*
P1159. Les Soldats de l'aube, *Deon Meyer*
P1160. Le Figuier, *François Maspero*
P1161. Les Passagers du Roissy-Express, *François Maspero*
P1162. Visa pour Shanghai, *Qiu Xiaolong*
P1163. Des dahlias rouge et mauve, *Frédéric Vitoux*
P1164. Il était une fois un vieux couple heureux
       Mohammed Khaïr-Eddine
P1165. Toilette de chat, *Jean-Marc Roberts*
P1166. Catalina, *Florence Delay*
P1167. Nid d'hommes, *Lu Wenfu*
P1168. La Longue Attente, *Ha Jin*
P1169. Pour l'amour de Judith, *Meir Shalev*
P1170. L'Appel du couchant, *Gamal Ghitany*
P1171. Lettres de Drancy
P1172. Quand les parents se séparent, *Françoise Dolto*
P1173. Amours sorcières, *Tahar Ben Jelloun*
P1174. Sale Temps, *Sara Paretsky*
P1175. L'Ange du Bronx, *Ed Dee*
P1176. La Maison du désir, *France Huser*
P1177. Cytomégalovirus, *Hervé Guibert*
P1178. Les Treize Pas, *Mo Yan*
P1179. Le Pays de l'alcool, *Mo Yan*

P1180. Le Principe de Frédelle, *Agnès Desarthe*
P1181. Les Gauchers, *Yves Pagès*
P1182. Rimbaud en Abyssinie, *Alain Borer*
P1183. Tout est illuminé, *Jonathan Safran Foer*
P1184. L'Enfant zigzag, *David Grossman*
P1185. La Pierre de Rosette, *Robert Solé et Dominique Valbelle*
P1186. Le Maître de Pétersbourg, *J.M. Coetzee*
P1187. Les Chiens de Riga, *Henning Mankell*
P1188. Le Tueur, *Eraldo Baldini*
P1189. Un silence de fer, *Marcello Fois*
P1190. La Filière du jasmin, *Denise Hamilton*
P1191. Déportée en Sibérie, *Margarete Buber-Neumann*
P1192. Les Mystères de Buenos Aires, *Manuel Puig*
P1193. La Mort de la phalène, *Virginia Woolf*
P1194. Sionoco, *Leon de Winter*
P1195. Poèmes et Chansons, *Georges Brassens*
P1196. Innocente, *Dominique Souton*
P1197. Taking Lives / Destins violés, *Michael Pye*
P1198. Gang, *Toby Litt*
P1199. Elle est partie, *Catherine Guillebaud*
P1200. Le Luthier de Crémone, *Herbert Le Porrier*
P1201. Le Temps des déracinés, *Elie Wiesel*
P1202. Les Portes du sang, *Michel Del Castillo*
P1203. Featherstone, *Kirsty Gunn*
P1204. Un vrai crime pour livres d'enfants, *Chloe Hooper*
P1205. Les Vagabonds de la faim, *Tom Kromer*
P1206. Mister Candid, *Jules Hardy*
P1207. Déchaînée, *Lauren Henderson*
P1208. Hypnose mode d'emploi, *Gérard Miller*
P1209. Corse, *Jean-Noël Pancrazi et Raymond Depardon*
P1210. Le Dernier Viking, *Patrick Grainville*
P1211. Charles et Camille, *Frédéric Vitoux*
P1212. Siloé, *Paul Gadenne*
P1213. Bob Marley, *Stephen Davies*
P1214. Ça ne peut plus durer, *Joseph Connolly*
P1215. Tombe la pluie, *Andrew Klavan*
P1216. Quatre Soldats, *Hubert Mingarelli*
P1217. Les Cheveux de Bérénice, *Denis Guedj*
P1218. Les Garçons d'en face, *Michèle Gazier*
P1219. Talion, *Christian de Montella*
P1220. Les Images, *Alain Rémond*
P1221. La Reine du Sud, *Arturo Pérez-Reverte*
P1222. Vieille Menteuse, *Anne Fine*
P1223. Danse, danse, danse, *Haruki Murakami*
P1224. Le Vagabond de Holmby Park, *Herbert Lieberman*
P1225. Des amis haut placés, *Donna Leon*

P1226. Tableaux d'une ex, *Jean-Luc Benoziglio*
P1227. La Compagnie, le grand roman de la CIA, *Robert Little*
P1228. Chair et Sang, *Jonathan Kellerman*
P1230. Darling Lilly, *Michael Connelly*
P1231. Les Tortues de Zanzibar, *Giles Foden*
P1232. Il a fait l'idiot à la chapelle !, *Daniel Auteuil*
P1233. Lewis & Alice, *Didier Decoin*
P1234. Dialogue avec mon jardinier, *Henri Cueco*
P1235. L'Émeute, *Shashi Tharoor*
P1236. Le Palais des Miroirs, *Amitav Ghosh*
P1237. La Mémoire du corps, *Shauna Singh Baldwin*
P1238. Middlesex, *Jeffrey Eugenides*
P1239. Je suis mort hier, *Alexandra Marinina*
P1240. Cendrillon, mon amour, *Lawrence Block*
P1241. L'Inconnue de Baltimore, *Laura Lippman*
P1242. Berlinale Blitz, *Stéphanie Benson*
P1243. Abattoir 5, *Kurt Vonnegut*
P1244. Catalogue des idées reçues sur la langue
        Marina Yaguello
P1245. Tout se paye, *George P. Pelecanos*
P1246. Autoportrait à l'ouvre-boîte, *Philippe Ségur*
P1247. Tout s'avale, *Hubert Michel*
P1248. Quand on aime son bourreau, *Jim Lewis*
P1249. Tempête de glace, *Rick Moody*
P1250. Dernières Nouvelles du bourbier, *Alexandre Ikonnikov*
P1251. Le Rameau brisé, *Jonathan Kellerman*
P1252. Passage à l'ennemie, *Lydie Salvayre*
P1253. Une saison de machettes, *Jean Hatzfeld*
P1254. Le Goût de l'avenir, *Jean-Claude Guillebaud*
P1255. L'Étoile d'Alger, *Aziz Chouaki*
P1256. Cartel en tête, *John McLaren*
P1257. Sans penser à mal, *Barbara Seranella*
P1258. Tsili, *Aharon Appelfeld*
P1259. Le Temps des prodiges, *Aharon Appelfeld*
P1260. Ruines-de-Rome, *Pierre Sengès*
P1261. La Beauté des loutres, *Hubert Mingarelli*
P1262. La Fin de tout, *Jay McInerney*
P1263. Jeanne et les siens, *Michel Winock*
P1264. Les Chats mots, *Anny Duperey*
P1265. Quand j'avais cinq ans, je m'ai tué, *Howard Buten*
P1266. Vers l'âge d'homme, *J.M. Coetzee*
P1267. L'Invention de Paris, *Eric Hazan*
P1268. Chroniques de l'oiseau à ressort, *Haruki Murakami*
P1269. En crabe, *Günter Grass*
P1270. Mon père, ce harki, *Dalila Kerchouche*
P1271. Lumière morte, *Michael Connelly*

P1272. Détonations rapprochées, *C.J. Box*
P1273. Lorsque la nature parlait aux Égyptiens
       Christiane Desroches Noblecourt
P1274. Les réquisitoires du Tribunal des Flagrants Délires 1
       Pierre Desproges
P1275. Les réquisitoires du Le Tribunal des Flagrants Délires 2
       Pierre Desproges
P1276. Un amant naïf et sentimental, *John le Carré*
P1277. Fragiles, *Philippe Delerm et Martine Delerm*
P1278. La Chambre blanche, *Christine Jordis*
P1279. Adieu la vie, adieu l'amour, *Juan Marsé*
P1280. N'entre pas si vite dans cette nuit noire
       António Lobo Antunes
P1281. L'Évangile selon saint Loubard, *Guy Gilbert*
P1282. La femme qui attendait, *Andreï Makine*
P1283. Les Candidats, *Yun Sun Limet*
P1284. Petit Traité de désinvolture, *Denis Grozdanovitch*
P1285. Personne, *Linda Lê*
P1286. Sur la photo, *Marie-Hélène Lafon*
P1287. Le Mal du pays, *Patrick Roegiers*
P1288. Politique, *Adam Thirlwell*
P1289. Érec et Énide, *Manuel Vázquez Montalbán*
P1290. La Dormeuse de Naples, *Adrien Goetz*
P1291. Le croque-mort a la vie dure, *Tim Cockey*
P1292. Pretty Boy, *Lauren Henderson*
P1293. La Vie sexuelle en France, *Janine Mossuz-Lavau*
P1294. Souvenirs obscurs d'un Juif polonais né en France
       Pierre Goldman
P1295. Dans l'alcool, *Thierry Vimal*
P1296. Le Monument, *Claude Duneton*
P1297. Mon nerf, *Rachid Djaïdani*
P1298. Plutôt mourir, *Marcello Fois*
P1299. Les pingouins n'ont jamais froid, *Andreï Kourkov*
P1300. La Mitrailleuse d'argile, *Viktor Pelevine*
P1301. Un été à Baden-Baden, *Leonid Tsypkin*
P1302. Hasard des maux, *Kate Jennings*
P1303. Le Temps des erreurs, *Mohammed Choukri*
P1304. Boumkœur, *Rachid Djaïdani*
P1305. Vodka-Cola, *Irina Denejkina*
P1306. La Lionne blanche, *Henning Mankell*
P1307. Le Styliste, *Alexandra Marinina*
P1308. Pas d'erreur sur la personne, *Ed Dee*
P1309. Le Casseur, *Walter Mosley*
P1310. Le Dernier Ami, *Tahar Ben Jelloun*
P1311. La Joie d'Aurélie, *Patrick Grainville*
P1312. L'Aîné des orphelins, *Tierno Monénembo*

P1313. Le Marteau pique-cœur, *Azouz Begag*
P1314. Les Âmes perdues, *Michael Collins*
P1315. Écrits fantômes, *David Mitchell*
P1316. Le Nageur, *Zsuzsa Bánk*
P1317. Quelqu'un avec qui courir, *David Grossman*
P1318. L'Attrapeur d'ombres, *Patrick Bard*
P1319. Venin, *Saneh Sangsuk*
P1320. Le Gone du Chaâba, *Azouz Begag*
P1321. Béni ou le paradis privé, *Azouz Begag*
P1322. Mésaventures du Paradis
       Erik Orsenna et Bernard Matussière
P1323. L'Âme au poing, *Patrick Rotman*
P1324. Comedia Infantil, *Henning Mankell*
P1325. Niagara, *Jane Urquhart*
P1326. Une amitié absolue, *John le Carré*
P1327. Le Fils du vent, *Henning Mankell*
P1328. Le Témoin du mensonge, *Mylène Dressler*
P1329. Pelle le Conquérant 1, *Martin Andersen Nexø*
P1330. Pelle le Conquérant 2, *Martin Andersen Nexø*
P1331. Mortes-Eaux, *Donna Leon*
P1332. Déviances mortelles, *Chris Mooney*
P1333. Les Naufragés du Batavia, *Simon Leys*
P1334. L'Amandière, *Simonetta Agnello Hornby*
P1335. C'est en hiver que les jours rallongent, *Joseph Bialot*
P1336. Cours sur la rive sauvage, *Mohammed Dib*
P1337. Hommes sans mère, *Hubert Mingarelli*
P1338. Reproduction non autorisée, *Marc Vilrouge*
P1339. S.O.S., *Joseph Connolly*
P1340. Sous la peau, *Michel Faber*
P1341. Dorian, *Will Self*
P1342. Le Cadeau, *David Flusfeder*
P1343. Le Dernier Voyage d'Horatio II, *Eduardo Mendoza*
P1344. Mon vieux, *Thierry Jonquet*
P1345. Lendemains de terreur, *Lawrence Block*
P1346. Déni de justice, *Andrew Klavan*
P1347. Brûlé, *Leonard Chang*
P1348. Montesquieu, *Jean Lacouture*
P1349. Stendhal, *Jean Lacouture*
P1350. Le Collectionneur de collections, *Henri Cueco*
P1351. Camping, *Abdelkader Djemaï*
P1352. Janice Winter, *Rose-Marie Pagnard*
P1353. La Jalousie des fleurs, *Ysabelle Lacamp*
P1354. Ma vie, son œuvre, *Jacques-Pierre Amette*
P1355. Lila, Lila, *Martin Suter*
P1356. Un amour de jeunesse, *Ann Packer*
P1357. Mirages du Sud, *Nedim Gürsel*

P1358. Marguerite et les Enragés
        Jean-Claude Lattès et Éric Deschodt
P1359. Los Angeles River, *Michael Connelly*
P1360. Refus de mémoire, *Sarah Paretsky*
P1361. Petite Musique de meurtre, *Laura Lippman*
P1362. Le Cœur sous le rouleau compresseur, *Howard Buten*
P1363. L'Anniversaire, *Mouloud Feraoun*
P1364. Passer l'hiver, *Olivier Adam*
P1365. L'Infamille, *Christophe Honoré*
P1366. La Douceur, *Christophe Honoré*
P1367. Des gens du monde, *Catherine Lépront*
P1368. Vent en rafales, *Taslima Nasreen*
P1369. Terres de crépuscule, *J.M. Coetzee*
P1370. Lizka et ses hommes, *Alexandre Ikonnikov*
P1371. Le Châle, *Cynthia Ozick*
P1372. L'Affaire du Dahlia noir, *Steve Hodel*
P1373. Premières Armes, *Faye Kellerman*
P1374. Onze Jours, *Donald Harstad*
P1375. Le croque-mort préfère la bière, *Tim Cockey*
P1376. Le Messie de Stockholm, *Cynthia Ozick*
P1377. Quand on refuse on dit non, *Ahmadou Kourouma*
P1378. Une vie française, *Jean-Paul Dubois*
P1379. Une année sous silence, *Jean-Paul Dubois*
P1380. La Dernière Leçon, *Noëlle Châtelet*
P1381. Folle, *Nelly Arcan*
P1382. La Hache et le Violon, *Alain Fleischer*
P1383. Vive la sociale !, *Gérard Mordillat*
P1384. Histoire d'une vie, *Aharon Appelfeld*
P1385. L'Immortel Bartfuss, *Aharon Appelfeld*
P1386. Beaux seins, belles fesses, *Mo Yan*
P1387. Séfarade, *Antonio Muñoz Molina*
P1388. Le Gentilhomme au pourpoint jaune
        Arturo Pérez Reverte
P1389. Ponton à la dérive, *Daniel Katz*
P1390. La Fille du directeur de cirque, *Jostein Gaarder*
P1391. Pelle le Conquérant 3, *Martin Andersen Nexø*
P1392. Pelle le Conquérant 4, *Martin Andersen Nexø*
P1393. Soul Circus, *George P. Pelecanos*
P1394. La Mort au fond du canyon, *C.J. Box*
P1395. Recherchée, *Karin Alvtegen*
P1396. Disparitions à la chaîne, *Ake Smedberg*
P1397. Bardo or not bardo, *Antoine Volodine*
P1398. La Vingt-Septième Ville, *Jonathan Franzen*
P1399. Pluie, *Kirsty Gunn*
P1400. La Mort de Carlos Gardel, *António Lobo Antunes*
P1401. La Meilleure Façon de grandir, *Meir Shalev*

P1402. Les Plus Beaux Contes zen, *Henri Brunel*
P1403. Le Sang du monde, *Catherine Clément*
P1404. Poétique de l'égorgeur, *Philippe Ségur*
P1405. La Proie des âmes, *Matt Ruff*
P1406. La Vie invisible, *Juan Manuel de Prada*
P1407. Qu'elle repose en paix, *Jonathan Kellerman*
P1408. Le Croque-mort à tombeau ouvert, *Tim Cockey*
P1409. La Ferme des corps, *Bill Bass*
P1410. Le Passeport, *Azouz Begag*
P1411. La station Saint-Martin est fermée au public
       Joseph Bialot
P1412. L'Intégration, *Azouz Begag*
P1413. La Géométrie des sentiments, *Patrick Roegiers*
P1414. L'Âme du chasseur, *Deon Meyer*
P1415. La Promenade des délices, *Mercedes Deambrosis*
P1416. Un après-midi avec Rock Hudson
       Mercedes Deambrosis
P1417. Ne gênez pas le bourreau, *Alexandra Marinina*
P1418. Verre cassé, *Alain Mabanckou*
P1419. African Psycho, *Alain Mabanckou*
P1420. Le Nez sur la vitre, *Abdelkader Djemaï*
P1421. Gare du Nord, *Abdelkader Djemaï*
P1422. Le Chercheur d'Afriques, *Henri Lopes*
P1423. La Rumeur d'Aquitaine, *Jean Lacouture*
P1424. Une soirée, *Anny Duperey*
P1425. Un saut dans le vide, *Ed Dee*
P1426. En l'absence de Blanca, *Antonio Muñoz Molina*
P1427. La Plus Belle Histoire du bonheur, *collectif*
P1429. Comment c'était. Souvenirs sur Samuel Beckett
       Anne Atik
P1430. Suite à l'hôtel Crystal, *Olivier Rolin*
P1431. Le Bon Serviteur, *Carmen Posadas*
P1432. Traité de savoir-vivre à l'usage des jeunes Russes
       Gary Shteyngart
P1433. C'est égal, *Agota Kristof*
P1434. Le Nombril des femmes, *Dominique Quessada*
P1435. L'Enfant à la luge, *Chris Mooney*
P1436. Encres de Chine, *Qiu Xiaolong*
P1437. Enquête de mor(t)alité, *Gene Riehl*
P1438. Le Château du roi dragon. La Saga du roi dragon I
       Stephen Lawhead
P1439. Les Armes des Garamont. La Malerune I
       Pierre Grimbert
P1440. Le Prince déchu. Les Enfants de l'Atlantide I
       Bernard Simonay

P1441. Le Voyage d'Hawkwood. Les Monarchies divines I
        Paul Kearney
P1442. Un trône pour Hadon. Le Cycle d'Opar I
        Philip-José Farmer
P1443. Fendragon, *Barbara Hambly*
P1444. Les Brigands de la forêt de Skule, *Kerstin Ekman*
P1445. L'Abîme, *John Crowley*
P1446. Œuvre poétique, *Léopold Sédar Senghor*
P1447. Cadastre, *suivi de* Moi, Laminaire…, *Aimé Césaire*
P1448. La Terre vaine et autres poèmes, *Thomas Stearns Eliot*
P1449. Le Reste du voyage et autres poèmes, *Bernard Noël*
P1450. Haïkus, *anthologie*
P1451. L'homme qui souriait, *Henning Mankell*
P1452. Une question d'honneur, *Donna Leon*
P1453. Little Scarlet, *Walter Mosley*
P1454. Elizabeth Costello, *J.M. Coetzee*
P1455. Le maître a de plus en plus d'humour, *Mo Yan*
P1456. La Femme sur la plage avec un chien, *William Boyd*
P1457. Accusé Chirac, levez-vous !, *Denis Jeambar*
P1458. Sisyphe, roi de Corinthe, Le Châtiment des Dieux I
        François Rachline
P1459. Le Voyage d'Anna, *Henri Gougaud*
P1460. Le Hussard, *Arturo Pérez-Reverte*
P1461. Les Amants de pierre, *Jane Urquhart*
P1462. Corcovado, *Jean-Paul Delfino*
P1463. Hadon, le guerrier. Le Cycle d'Opar II
        Philip José Farmer
P1464. Maîtresse du Chaos. La Saga de Raven I
        Robert Holdstock et Angus Wells
P1465. La Sève et le Givre, *Léa Silhol*
P1466. Élégies de Duino *suivi de* Sonnets à Orphée
        Rainer Maria Rilke
P1467. Rilke, *Philippe Jaccottet*
P1468. C'était mieux avant, *Howard Buten*
P1469. Portrait du Gulf Stream, *Érik Orsenna*
P1470. La Vie sauve, *Lydie Violet et Marie Desplechin*
P1471. Chicken Street, *Amanda Sthers*
P1472. Polococktail Party, *Dorota Maslowska*
P1473. Football factory, *John King*
P1474. Une petite ville en Allemagne, *John le Carré*
P1475. Le Miroir aux espions, *John le Carré*
P1476. Deuil interdit, Michael Connelly
P1477. Le Dernier Testament, *Philip Le Roy*
P1478. Justice imminente, *Jilliane Hoffman*
P1479. Ce cher Dexter, *Jeff Lindsay*
P1480. Le Corps noir, *Dominique Manotti*

P1481. Improbable, *Adam Fawer*
P1482. Les Rois hérétiques, Les Monarchies divines II
    Paul Kearney
P1483. L'Archipel du soleil, Les Enfants de l'Atlantide II
    Bernard Simonay
P1484. Code Da Vinci : l'enquête
    Marie-France Etchegoin et Frédéric Lenoir
P1485. L.A. Confidentiel : les secrets de Lance Armstrong
    Pierre Ballester et David Walsh
P1486. Maria est morte, *Jean-Paul Dubois*
P1487. Vous aurez de mes nouvelles, *Jean-Paul Dubois*
P1488. Un pas de plus, *Marie Desplechin*
P1489. D'excellente famille, *Laurence Deflassieux*
P1490. Une femme normale, *Émilie Frèche*
P1491. La Dernière Nuit, *Marie-Ange Guillaume*
P1492. Le Sommeil des poissons, *Véronique Ovaldé*
P1493. La Dernière Note, *Jonathan Kellerman*
P1494. La Cité des jarres, *Arnaldur Indridason*
P1495. Électre à La Havane, *Leonardo Padura*
P1496. Le croque-mort est bon vivant, *Tim Cockey*
P1497. Le Cambrioleur en maraude, Lawrence Block
P1498. L'Araignée d'émeraude, La Saga de Raven II
    Robert Holdstock et Angus Wells
P1499. Faucon de mai, *Gillian Bradshaw*
P1500. La Tante marquise, *Simonetta Agnello Hornby*
P1501. Anita, *Alicia Dujovne Ortiz*
P1502. Mexico City Blues, *Jack Kerouac*
P1503. Poésie verticale, *Roberto Juarroz*
P1506. Histoire de Rofo, Clown, *Howard Buten*
P1507. Manuel à l'usage des enfants qui ont des parents difficiles
    Jeanne Van den Brouk
P1508. La Jeune Fille au balcon, *Leïla Sebbar·*
P1509. Zenzela, *Azouz Begag*
P1510. La Rébellion, *Joseph Roth*
P1511. Falaises, *Olivier Adam*
P1512. Webcam, *Adrien Goetz*
P1513. La Méthode Mila, *Lydie Salvayre*
P1514. Blonde abrasive, *Christophe Paviot*
P1515. Les Petits-Fils nègres de Vercingétorix, *Alain Mabanckou*
P1516. 107 ans, *Diastème*
P1517. La Vie magnétique, *Jean-Hubert Gailliot*
P1518. Solos d'amour, *John Updike*
P1519. Les Chutes, *Joyce Carol Oates*
P1520. Well, *Matthieu McIntosh*
P1521. À la recherche du voile noir, *Rick Moody*
P1522. Train, *Pete Dexter*

P1523. Avidité, *Elfriede Jelinek*
P1524. Retour dans la neige, *Robert Walser*
P1525. La Faim de Hoffman, *Leon de Winter*
P1526. Marie-Antoinette, La Naissance d'une reine.
Lettres choisies, *Évelyne Lever*
P1527. Les Petits Verlaine *suivi de* Samedi, dimanche et fêtes
Jean-Marc Roberts
P1528. Les Seigneurs de guerre de Nin. La Saga du roi dragon II
Stephen Lawhead
P1529. Le Dire des Sylfes. La Malerune II
Michel Robert et Pierre Grimbert
P1530. Le Dieu de glace. La Saga de Raven III
Robert Holdstock et Angus Wells
P1531. Un bon cru, *Peter Mayle*
P1532. Confessions d'un boulanger, *Peter Mayle et Gérard Auzet*
P1533. Un poisson hors de l'eau, *Bernard Comment*
P1534. Histoire de la Grande Maison, *Charif Majdalani*
P1535. La Partie belle *suivi de* La Comédie légère
Jean-Marc Roberts
P1536. Le Bonheur obligatoire, *Norman Manea*
P1537. Les Larmes de ma mère, *Michel Layaz*
P1538. Tant qu'il y aura des élèves, *Hervé Hamon*
P1539. Avant le gel, *Henning Mankell*
P1540. Code 10, *Donald Harstad*
P1541. Les Nouvelles Enquêtes du Juge Ti, vol. 1
Le Château du lac Tchou-An, *Frédéric Lenormand*
P1542. Les Nouvelles Enquêtes du Juge Ti, vol. 2
La Nuit des juges, *Frédéric Lenormand*
P1543. Que faire des crétins ? Les perles du Grand Larousse
Pierre Enckell et Pierre Larousse
P1544. Motamorphoses. À chaque mot son histoire
Daniel Brandy
P1545. L'habit ne fait pas le moine. Petite histoire des expressions
Gilles Henry
P1546. Petit Fictionnaire illustré. Les mots qui manquent au dico
Alain Finkielkraut
P1547. Le Pluriel de bric-à-brac et autres difficultés
de la langue française, *Irène Nouailhac*
P1548. Un bouquin n'est pas un livre. Les nuances des synonymes
Rémi Bertrand
P1549. Sans nouvelles de Gurb, *Eduardo Mendoza*
P1550. Le Dernier Amour du président, *Andreï Kourkov*
P1551. L'Amour soudain, *Aharon Appelfeld*
P1552. Nos plus beaux souvenirs, *Stewart O'Nan*
P1553. Saint-Sépulcre !, *Patrick Besson*
P1554. L'Autre comme moi, *José Saramago*

P1555. Pourquoi Mitterrand ?, *Pierre Joxe*
P1556. Pas si fous ces Français !
Jean-Benoît Nadeau et Julie Barlow
P1557. La Colline des Anges
Jean-Claude Guillebaud et Raymond Depardon
P1558. La Solitude heureuse du voyageur
précédé de Notes, *Raymond Depardon*
P1559. Hard Revolution, *George P. Pelecanos*
P1560. La Morsure du lézard, *Kirk Mitchell*
P1561. Winterkill, *C.J. Box*
P1562. La Morsure du dragon, *Jean-François Susbielle*
P1563. Rituels sanglants, *Craig Russell*
P1564. Les Écorchés, *Peter Moore Smith*
P1565. Le Crépuscule des géants. Les Enfants de l'Atlantide III
Bernard Simonay
P1566. Aara. Aradia I, *Tanith Lee*
P1567. Les Guerres de fer. Les Monarchies divines III
Paul Kearney
P1568. La Rose pourpre et le Lys, tome 1, *Michel Faber*
P1569. La Rose pourpre et le Lys, tome 2, *Michel Faber*
P1570. Sarnia, *G.B. Edwards*
P1571. Saint-Cyr/La Maison d'Esther, *Yves Dangerfield*
P1572. Renverse du souffle, *Paul Celan*
P1573. Pour un tombeau d'Anatole, *Stéphane Mallarmé*
P1574. 95 Poèmes, *E.E. Cummings*
P1575. Le Dico des mots croisés, *Michel Laclos*
P1576. Les deux font la paire, *Patrice Louis*
P1577. Le Petit Manuel du français maltraité, *Pierre Bénard*
P1578. L'Avortement, *Richard Brautigan*
P1579. Les Braban, *Patrick Besson*
P1580. Le Sac à main, *Marie Desplechin*
P1581. Nouvelles du monde entier, *Vincent Ravalec*
P1582. Le Sens de l'arnaque, *James Swain*
P1583. L'Automne à Cuba, *Leonardo Padura*
P1584. Le Glaive et la flamme. La Saga du roi dragon III
Stephen Lawhead
P1585. La Belle Arcane. La Malerune III
Michel Robert et Pierre Grimbert
P1586. Femme en costume de bataille, *Antonio Benitez-Rojo*
P1587. Le Cavalier de l'Olympe. Le Châtiment des Dieux II
François Rachline
P1588. Le Pas de l'ourse, *Douglas Glover*
P1589. Lignes de fond, *Neil Jordan*
P1590. Monsieur Butterfly, *Howard Buten*